D1253923

# Kant
## et le problème du mal

# Kant
# et le problème du mal

*par*

OLIVIER REBOUL

PRÉFACE DE PAUL RICŒUR

1971
LES PRESSES DE L'UNIVERSITÉ DE MONTRÉAL
C. P. 6128, Montréal 101, Canada

CET OUVRAGE A ÉTÉ PUBLIÉ GRÂCE À UNE SUBVENTION ACCORDÉE PAR LE CONSEIL CANADIEN DE RECHERCHES SUR LES HUMANITÉS ET PROVENANT DE FONDS FOURNIS PAR LE CONSEIL DES ARTS DU CANADA

ISBN O 8405 0168 4

DÉPÔT LÉGAL, 4e TRIMESTRE 1971
BIBLIOTHÈQUE NATIONALE DU QUÉBEC

*Nur die Höllenfahrt der Selbsterkenntnis bahnt den Weg
zur Vergötterung*

« Dans la connaissance de soi, seule la descente aux
enfers nous ouvre la voie de l'apothéose »

HAMANN (cité par Kant
dans *Doctrine de la vertu*, nº 14, MS 441)

# Préface

Le livre qu'Olivier Reboul consacre au problème du mal dans la philosophie kantienne occupe une place originale parmi les travaux consacrés à la philosophie morale et à la philosophie religieuse de Kant, que ce soit ceux d'Eric Weil, de Gerhard Krueger, de Joseph Bohatec ou de Jean-Louis Bruch, pour ne citer que les plus récents. Olivier Reboul se place au cœur d'une réflexion sur le mal qui, selon l'expression de Jean Nabert, est d'abord une réflexion sur l'injustifiable ; de là il remonte en amont vers la philosophie de la liberté, discernant dans la philosophie du mal l'occasion de serrer au plus près le dernier moment le plus concret des approximations successives de la liberté ; puis, il descend en aval de l'Essai sur le mal radical en direction d'une philosophie de la religion et d'une philosophie de l'histoire, de la culture et de l'éducation, où se joue finalement la signification philosophique du « bonheur ».

Cette forte structure, bien articulée sur le problème nucléaire du mal, met le livre d'Olivier Reboul à part de tous les autres.

C'est donc avant toutes choses l'injustifiable que l'auteur déchiffre dans le texte kantien.

Abordant son sujet par la voie historique, il campe le philosophe du mal radical par rapport aux trois figures du métaphysicien rationaliste, du théologien luthérien, et du philosophe des Lumières, trois figures qu'en quelque façon Kant incarne ; puis, parcourant les écrits kantiens depuis la Nova dilucidatio de 1753 jusqu'à l'Essai sur le mal radical de 1792,

*il montre la doctrine se faisant ; je lui sais gré d'avoir accordé
tant de soin à l'*Essai *pour introduire en philosophie le concept
de grandeur négative (1763) où, pour la première fois, le mal
n'est plus absence, privation, mais opposition réelle, donc position.*

*Mais c'est l'étude de l'*Essai *lui-même qui constitue la
pièce de résistance de ce travail ; cette étude offre un admirable
exemple de reconstruction d'un enchaînement conceptuel. L'auteur élabore les conditions selon lesquelles peut être pensé, en
philosophie kantienne, quelque chose comme une maxime mauvaise de l'action ; si le prédicat mauvais ne peut être placé ni
sur la sensibilité qui, comme telle, est innocente, ni sur la
raison, sous peine de poser non le mal humain, mais le diabolique (pour lequel l'opposition à la loi serait elle-même érigée
en mobile), il reste que le mal est une inversion dans l'ordre
intime des maximes de notre action (on dirait aujourd'hui dans
le projet, en tant qu'énoncé de ce que nous avons l'intention de
faire) ; par inversion, il faut alors entendre le renversement par
lequel la prépondérance est donnée à notre intérêt, bien que
nous continuions à reconnaître la validité de la loi morale.*

*M. Reboul montre bien que, pour Kant, le lieu privilégié
de notre expérience où ce renversement se discerne, c'est la
méchanceté des « hommes de bien » ; la seule corruption de
fait qui soit signifiante est la corruption du meilleur (p. 93) ;
cet exemple bien choisi vaut preuve* a posteriori *pour la corruption de tous les autres hommes. Ainsi Kant joint-il, à une
analyse de la forme du mal, une expérience majeure, celle du
mensonge et, si l'on peut dire, celle de la mauvaise foi de la foi.*

*Cela donne l'occasion à l'auteur de bien fixer l'originalité
de Kant par rapport à ses devanciers philosophes et théologiens ; c'est en ce point, comme dans bien d'autres par la suite,
qu'il rejoint la perspicacité de Karl Barth et son étonnante
aperception du sens radicalement chrétien de Kant, en dépit
de la récusation kantienne de la théologie dogmatique.*

*Remontant de cette analyse du mal radical au problème
de la liberté, l'auteur se demande : « que doit être le concept*

*de la liberté pour qu'il permette de comprendre l'homme à la fois comme volonté autonome et comme responsable du mal radical, l'homme comme être moral et comme être pécheur ? » (p. 22). La contribution particulière d'Olivier Reboul à ce problème apparaît nettement quand on la compare à celle que Victor Delbos proposait autrefois. Pour le grand historien du kantisme, la solution des divergences, voire des contradictions, dans les déterminations du concept de liberté ne pouvait être qu'historique. Les trois concepts majeurs de liberté témoigneraient alors des stades successifs de la pensée kantienne : on aurait ainsi, en premier stade, celui de la liberté transcendantale qui est un concept non contradictoire mais vide, puis celui de la liberté pratique, dans l'*Analytique de la* Critique de la raison pratique, *qui est identifié au concept d'autonomie, enfin la liberté comme pouvoir effectif de libération, dans la* Dialectique de la Critique de la raison pratique, *qui ne peut être que postulée. M. Reboul tente de montrer que ces trois concepts s'impliquent mutuellement et constituent une unique trajectoire de sens. Si, en effet, on tente de répondre à la question posée ci-dessus, les trois concepts kantiens de liberté constituent une chaîne de conditions qui doivent être satisfaites pour l'approximation du mal radical ; il n'y aurait pas de mal si nous ne pouvions nous penser comme autre que la nature et imputer à notre caractère la responsabilité de sa maxime mauvaise ; il faut donc poser le concept de liberté transcendantale par lequel nous pensons notre liberté sans pouvoir la connaître ; au regard de cette liberté intemporelle, l'histoire de nos actes n'est, comme chez Leibniz, que la « force dérivée » dont la propriété exprime nécessairement la « force primitive » intemporelle de cet être ; la liberté transcendantale contraint alors à penser le mal comme arrivant « une fois pour toutes », et non comme un événement dans le temps. Mais, l'approximation de l'être moral mauvais exige en outre que soit posée une volonté raisonnable* (Wille) *pour laquelle la loi morale est la* ratio cognoscendi *de la liberté, tandis que la liberté est la* ratio essendi *de la loi morale. Je ne saurais être constitué mauvais si je n'étais cet être autonome qui veut selon la loi, qui veut la loi ; mais cette même volonté impliquée dans le concept d'autonomie doit apparaître en même temps comme un libre* *choix* (Willkür), *pour qu'une décision nous soit imputable (à cet égard, je recommande vivement les pages très serrées et très fermes que M. Reboul consacre à l'imputation, p. 148 ss.). C'est ici que le problème du mal devient plus aigu : le mal me montre que la certitude que j'ai de la « puissance de faire » requiert en même temps la possibilité d'une sorte d'« impuissance à faire » que nous découvre notre « penchant » au mal. Ce n'est pas tout : le mal comme impuissance de ma puissance pose en termes nouveaux le problème de la libération, problème dont nous avons vu qu'il est impliqué dans la liberté comme postulat : que je puisse devenir libre, effectivement et concrètement, cela n'est pas une certitude apodictique, mais un postulat au même titre que l'existence de Dieu et l'immortalité. Ainsi s'impliquent mutuellement tous les moments de la doctrine kantienne de la liberté, si l'on veut bien les considérer à partir de la doctrine du mal radical. Mais l'auteur a bien soin de montrer que, si le mal radical exige une constitution complexe et hiérarchisée du concept de liberté, sa position dans l'existence et la régénération qui pourrait nous en délivrer introduisent dans la philosophie kantienne une contradiction fondamentale qui ne saurait être résolue par le « logos », mais par le μῦθος (p. 191). Si, en effet, en raison de la doctrine kantienne du temps comme forme* a priori *de la sensibilité, on ne saurait penser une histoire de la liberté, l'événement du mal et l'événement de la régénération requièrent une autre sorte de discours que celui de la raison.*

*Descendant du problème du mal radical vers la philosophie kantienne de la religion et de la culture, M. Reboul se sert à nouveau de l'énigme du mal comme d'une pierre de touche pour mettre à l'épreuve la consistance de la philosophie kantienne ; quel est en effet le statut de la religion chez Kant, si l'on considère que les trois* Critiques *constituent le champ clos de la philosophie kantienne ? Ce qui a intéressé M. Reboul c'est la sorte de transgression que le problème du mal et sa résolution pratique imposent à une philosophie des limites. Dans une philosophie du savoir absolu comme celle de Hegel, la religion apparaît comme l'instance avant-dernière qui précède*

*immédiatement, dans l'ordre des raisons, le savoir absolu. Dans*
*une philosophie des limites comme celle de Kant, c'est-à-dire*
*dans une philosophie où la raison a la double tâche de par-*
*courir la circonscription entière de son domaine et d'imposer*
*une limite à toutes les tentations de « divaguer » au-delà des*
*limites, la religion, en tant que réponse au problème du mal,*
*soulève un problème spécifique. La solution qu'en propose*
*M. Reboul est très intéressante. Il propose de dire qu'il y a*
*trois degrés dans l'appréhension philosophique de la religion*
*chez Kant. Il y a d'abord une religion de la raison : selon un*
*mot de Kant lui-même, le concept de Dieu impliqué dans l'être*
*moral n'a rien d'hypothétique, « c'est la raison pratique même*
*en sa personnalité » ; cette religion de la raison, sans cesse*
*épurée par la critique de l'illusion transcendantale, exclut toute*
*théologie rationnelle et, en général, toute théologie spéculative.*
*Mais la solution du problème du mal exige que cette religion*
*de la raison se déploie dans une religion « dans les limites de »*
*la simple raison et peut-être même, pour une part, hors de ces*
*limites. En effet, la religion dans les limites de la simple raison*
*reçoit ses significations majeures d'une autre instance que la*
*philosophie elle-même, à savoir d'une religion historique comme*
*le christianisme, religion édifiée sur un livre, et dont le discours*
*est irréductible à celui de la philosophie pratique. M. Reboul*
*montre bien que si l'attitude générale de Kant à l'égard du*
*christianisme est de réduire les prétentions spéculatives de ses*
*dogmes à des énoncés de caractère pratique, dans la ligne qui*
*sera celle du protestantisme libéral, cette reformulation elle-*
*même exige du philosophe qu'il interprète, par le moyen d'une*
*herméneutique spécifique, des mythes tels que celui de la chute*
*et des symboles originaux tels que celui de la résurrection, de*
*la justification par la foi et de la sanctification par pure grâce ;*
*le mal, aussi bien que la régénération, exige que le philosophe*
*réfléchisse sur un autre langage qui n'est pas le sien et dont il*
*reçoit les significations majeures ; dès lors, la religion dont*
*parle avec compétence le philosophe en tant que philosophe*
*critique n'est pas seulement religion dans les limites de la simple*
*raison mais pour une part déjà hors des limites de la simple*
*raison ; la philosophie de la religion devient ainsi une sorte*
*de vue-frontière portée sur les confins immédiats de ses propres*

*limites. L'auteur interprète ainsi le mot même de Kant concernant les affirmations chrétiennes fondamentales : « Ce sont comme des* parerga *de la religion dans les limites de la simple raison, car elles n'appartiennent pas à son domaine propre mais elles touchent ses limites. » L'auteur a préparé de cette manière une réflexion décisive sur ce que j'appellerai l'herméneutique kantienne, dont la signification profonde n'apparaîtrait sans doute que si on l'opposait à celle de Hegel, comme je le suggérais plus haut. Dans cette herméneutique très originale, il faudrait partir de la critique de l'illusion transcendantale dans la première* Critique, *afin d'asseoir cette herméneutique sur l'iconoclasme initial que constitue la mise à mort de la théologie spéculative, passer de là au postulat de la raison pratique et en dériver la tâche de réinterpréter tous les mythes et symboles de la religion dans la dimension de la philosophie pratique, puis adjoindre à ce couple de l'illusion et du postulat l'idée des* parerga *de la philosophie, avec la sorte de vue-frontière que la philosophie porte sur l'autre qu'elle-même. Telles seraient, à mes yeux, les trois dimensions d'une herméneutique kantienne. L'ouvrage de M. Reboul y prépare bien ; il montre d'une façon décisive que le discours philosophique sur la religion prend son tournant décisif aux points frontières de la limite lorsque le philosophe ne s'interroge plus seulement sur la définition du mal et son « lieu » ou son « site » dans l'homme, mais se pose la question de l'origine du mal. Alors le mal, qui était encore une sorte d'intelligible et même d'*a priori *par rapport à toutes nos maximes mauvaises, devient l'incompréhensible, l'insondable, le sans fond et sans fondement. C'est en ce point précis que la philosophie commence de se tenir sur cette frontière indécise où elle considère non seulement ce qui demeure contenu dans les limites de la simple raison mais aussi ce qui ne cesse de transgresser la limite.*

*L'examen de toutes les implications du problème du mal dans la philosophie kantienne ne serait pas complet si l'on ne tentait pas, en outre, de résoudre la contradiction apparente entre la sorte de pessimisme qui est lié à la doctrine religieuse du mal radical et l'espèce d'optimisme qui semble se dégager*

*des écrits kantiens sur l'histoire et sur la culture. M. Reboul
accorde bien volontiers que cette dernière philosophie est davantage celle d'un homme des Lumières que celle d'un théologien luthérien. Le mal n'apparaît-il pas, pour un philosophe de
l'histoire, comme l'épreuve pédagogique par laquelle l'homme
s'arrache à la nature et accède à la culture ? « L'histoire de la
nature commence donc par le bien, car elle est l'œuvre de
Dieu ; l'histoire de la liberté commence par le mal, car elle
est l'œuvre de l'homme. » Ne trouve-t-on pas, dans un texte
tel que l'*Idée d'une histoire universelle au point de vue cosmopolite *(1784), l'avant-projet d'une philosophie hégélienne qui
accorde un rôle positif au mal dans l'histoire ? Ainsi l'« insociable insociabilité » tire-t-elle sans cesse la paix de la guerre,
aussi bien sur le plan des conflits sociaux que sur le plan des
luttes entre les États (à cet égard, on peut savoir gré à l'auteur
d'avoir reconnu l'importance du *Projet de paix perpétuelle,
p. 219 ss.). *C'est encore la philosophie du mal qui sert de
guide pour résoudre cette ultime contradiction dans la pensée
kantienne ; l'état de droit que l'histoire pourrait, dans la meilleure hypothèse, faire advenir ne serait pas encore la moralité
mais tout au plus le règne de la légalité ; les hommes y co-
existeraient, mais ne seraient ni plus vertueux, ni plus heureux ;
c'est pourquoi Olivier Reboul écrit : « L'optimisme relatif de
la philosophie politique ne contredit en rien la doctrine du mal
radical : une humanité de plus en plus civilisée pourrait y
devenir aussi de plus en plus hypocrite. » C'est pourquoi le
dernier aveu du philosophe, quant au mal radical, consiste à
répéter : « La réalité du mal reste, purement et simplement,
l'injustifiable » (p. 225-226).*

*Cette sorte de dernier mot rend particulièrement saisis-
sants les propos sur le bonheur qui constituent en quelque
sorte l'horizon de la philosophie morale, politique et religieuse
de Kant ; car l'originalité de Kant par rapport aux Grecs, d'une
part, et par rapport à Hegel, d'autre part, réside en ceci que
dans une philosophie du mal radical le bonheur ne saurait être
ce que nous pouvons nous donner par notre effort et notre
vertu. Il est lié au concept de l'espérance par lequel la religion,
en dernière instance, se définit. Des trois questions fameuses :*

*Que puis-je connaître ? Que dois-je faire ? Que m'est-il permis d'espérer ?, c'est la dernière qui donne, aux yeux du philosophe, à la religion son sens. Il fallait montrer que le tournant de la seconde à la troisième question est assuré par la doctrine du mal radical ; c'est la force du livre de M. Reboul de le montrer et de le démontrer.*

Paul RICŒUR

# Sigles

*ligion innerhalb des Grenzen der blossen Vernunft* », *mit besonderer Berücksichtigung iher theologisch-dogmatischen Quellen*,
Georg Olms, 1966.

Bruch      Jean-Louis Bruch, *la Philosophie religieuse de Kant*, Aubier-
Montaigne, 1969.

Ruyssen    Théodore Ruyssen, *Quid de natura et origine mali senserit
Kantius ?*, Nîmes, 1903.

Tous les ouvrages cités dans ce livre le sont dans l'édition indiquée dans la bibliographie. Pour les œuvres de Kant en allemand, nous
donnons toujours la pagination indiquée en marge par l'édition Meiner.
Pour les citations de Kant, chaque fois que c'est possible, nous donnons
d'abord la référence au texte allemand, puis celle à la traduction française, précédée du signe =. Dans ce cas, la traduction est refaite ou
revue par nous. Par exemple, GM 414 = FM 124 doit se lire ainsi :
*Grundlegung zur Metaphysik der Sitten*, p. 414 (en marge), correspond
à la page 124 de la traduction Delbos des *Fondements de la métaphysique des mœurs*, éditions indiquées.

---

Qu'il me soit permis d'exprimer ici toute ma gratitude envers M. Paul
Ricœur, à qui ce livre doit tant : au professeur, au penseur, à l'homme
surtout. Je tiens également à remercier M. Michel Bédard, pour sa précieuse collaboration lors de l'établissement du manuscrit.

# Introduction

Le problème du mal est plus facile à poser qu'à résoudre, chez Kant en tout cas. Il suffit de partir du thème bien connu de la *bonne volonté* : elle est la seule chose au monde — et même hors du monde ! — qu'on puisse tenir pour bonne sans restriction ; elle seule constitue la valeur morale d'un acte et le mérite intrinsèque de celui qui l'accomplit [1]. Elle est bonne parce qu'elle est désintéressée ; et c'est pour cette même raison qu'elle est « volonté », car je suis libre en tant que je suis capable de faire abstraction de tout mobile sensible, de tout intérêt subjectif, et d'agir simplement par devoir ; je suis libre quand la loi de ma raison, la loi morale, est seule à me déterminer.

Alors je demande : qu'en est-il de la *volonté mauvaise* ? Kant reconnaît lui-même que la bonne volonté est une valeur, non une donnée d'expérience, et qu'aucun acte n'a peut-être jamais été accompli simplement par devoir : n'est-ce pas toujours la peur, le désir ou quelque autre inclination sensible qui me détermine à agir, même quand mon acte est extérieurement conforme au devoir [2] ? D'où vient alors ce manquement ? La faute est-elle simplement une absence de bonne volonté, le triomphe en moi des inclinations sensibles ? Mais si ce triomphe provient uniquement du fait que celles-ci sont plus fortes que celle-là, on parlera d'une faiblesse ou d'une erreur, non d'une faute ; on n'est coupable que si on était libre. Faut-il alors attribuer la faute à une volonté positivement mau-

1. Cf. FM 87ss.
2. Cf. FM 112ss.

vaise ? À vrai dire, Kant n'emploie guère le terme de mauvaise volonté, du moins dans ses œuvres publiées [3]. Et on le comprend, car ce terme fait scandale : si ma décision est volontaire dans la mesure où elle est désintéressée et autonome, le sera-t-elle encore dans ses moments d'« hétéronomie » ? Si la volonté n'existe que lorsque la loi morale est seule à me déterminer, peut-on comprendre une volonté qui transgresse la loi morale ? Si ma liberté consiste à me délivrer de mes inclinations sensibles pour faire le bien, n'est-il pas absurde de voir une liberté dans le mal ? C'est absurde.

Ici il me faut faire deux remarques. D'abord cette manière de poser le problème n'est pas une critique à l'égard de Kant. C'est lui-même qui le pose ainsi dans un texte capital : « De l'installation [Einwohnung] du mauvais principe à côté du bon, ou du mal radical dans la nature humaine », un essai écrit en 1792, donc bien après les œuvres critiques, et qui devint ensuite la première partie de *la Religion*. Cet essai affirme explicitement que la transgression doit avoir sa source dans ma liberté pour pouvoir m'être imputée, que la faute ne s'explique pas par la présence du mobile sensible qui en serait bien plutôt la conséquence. Ce qui revient à dire que le mal moral ne s'explique pas, que son origine est « insondable [4] ».

Ce texte sur le mal radical, si proche de la dogmatique chrétienne et de la doctrine du péché originel, a choqué les contemporains de Kant, comme Herder et Schiller, qui approuvaient son rationalisme critique. GOETHE écrit sans ambages à Herder, de Mayence, le 7 juin 1793 : « Kant, après avoir consacré une longue vie d'homme à nettoyer son manteau philosophique de bien des préjugés malpropres, l'a ignominieusement souillé avec la tache infamante du mal radical, pour en-

---

3. On le trouve parfois dans les Feuilles volantes *(lose Blätter)* ; ainsi le passage cité par Bohatec (p. 267) : chacun découvre en soi, dit Kant, « une mauvaise volonté [*einen bösen Willen*], encline à faire ce dont on sait très bien qu'il ne faut pas le faire » (voir aussi la *Réflexion* n⁰ 5613, *ibid.*, p. 295). D'autre part, *la Religion* parle d'une mauvaise intention : *einer bösen Gesinnung* (RG 10 *Anmerkung* = RL 41 note). Un texte plus décisif se trouve dans les *Fondements* : GM 455 = FM 195 ; cf. FM 122.

4. Voir notre chap. III.

gager les chrétiens eux aussi à en baiser l'ourlet [5]. » Plus près de nous, Albert SCHWEITZER, dans sa thèse sur *la Philosophie religieuse de Kant* [6], croyait constater « une tension, voire une opposition entre l'essence de l'idéalisme critique et l'essence de la loi morale de Kant » : « Ces deux forces antagonistes se maintenaient en équilibre tant qu'elles n'avaient pas atteint leur pleine intensité », un équilibre qui se trouve rompu dans la philosophie religieuse « avec le triomphe du facteur moral et la destruction des principes de l'idéalisme critique ». Opinion exagérée : le rapport entre l'homme comme sujet transcendantal et l'homme comme sujet de la loi morale, fin en soi de la création, est moins mystérieux que ne le dit Schweitzer ; il reste qu'on voit mal comment cet homme de Kant, à la fois sujet transcendantal et fin en soi de la création, peut être aussi l'homme pécheur de l'*Essai sur le mal radical*. Schweitzer comme Goethe sont d'accord pour admettre que cet *Essai* constitue une rupture dans l'œuvre de Kant, qu'il « détruit » (*Zerstört*) les cadres de son idéalisme critique ; simplement, le théologien l'approuve là où l'écrivain le réprouve. Notre tâche la plus impérieuse sera d'essayer de montrer que cette « destruction » n'en est pas une, que la doctrine du mal radical, si scandaleuse qu'elle paraisse, découle logiquement du système philosophique de Kant.

J'en viens à la seconde remarque : on a posé jusqu'ici le problème du mal en termes de responsabilité et de faute ; or il a bien d'autres aspects. Kant lui-même attribue au mal trois formes : le péché, la douleur, l'injustice [7]. La douleur, sous toutes ses espèces, est un mal subi, alors que le péché est un mal commis ; et l'on ne peut pas faire de celle-là la conséquence de celui-ci ; l'injustice est précisément le déséquilibre entre les fautes et les souffrances, le scandale du méchant prospère et du vertueux malheureux. Il y a donc une réalité du mal qui dépasse la responsabilité humaine, et dont l'homme

---

5. Cité par K. Barth, *Die protestantische Theologie im 19. Jahrhundert*, p. 262.

6. Cité par Bohatec, p. 7-8 ; voir aussi p. 300, 304-305, 318, 335, 349.

7. Voir TH 196.

est victime ; s'il fallait accuser, c'est Dieu qu'elle mettrait en cause... Il reste que le péché est le mal absolu, celui qu'aucune sagesse, divine ou humaine, ne peut vouloir, pas même comme moyen pour un plus grand bien. Et de ce mal moral, nous sommes responsables. C'est là le scandale par excellence, l'*injustifiable* comme dira Jean Nabert [8]. Et ceci surtout dans une philosophie qui ne prétend plus se placer du point de vue de Dieu, mais de l'homme.

Voilà donc le problème de ce livre : comment, dans la philosophie de Kant, comment le mal est-il possible, et singulièrement ce mal que notre faute introduit dans le monde ?

---

8. Réédité en 1966 ; voir bibliographie.

# I

## Kant et ses prédécesseurs

Le problème du mal est de toujours, contemporain en tout cas de la réflexion philosophique et religieuse la plus ancienne. Ajoutons qu'il a été fort agité durant les deux siècles qui ont précédé Kant. On ne peut comprendre ce dernier sans envisager, au moins brièvement, les solutions philosophiques qu'il a pu connaître. Je dis brièvement, car il est impossible ici d'entrer dans le détail des différentes pensées ; il nous suffira d'en dégager quelques grands « types », dans le seul but de mieux comprendre le sens et l'originalité de la doctrine de Kant.

Précisons d'autre part qu'il ne s'agit pas d'une *Quellenforschung,* d'une étude des sources ; cette étude a été faite, mais non de façon exhaustive, par Joseph BOHATEC, dans son ouvrage magistral paru en 1938, et réédité en 1966 : *la Philosophie religieuse de Kant dans la Religion dans les limites de la simple raison, avec un examen particulier de ses sources théologiques et dogmatiques.* D'ailleurs, s'il est intéressant de connaître les auteurs qui ont pu inspirer Kant, il l'est encore plus de voir comment il s'est opposé à eux et s'est posé par rapport à eux. La philosophie ne commence pas avec l'influence, mais avec le débat. C'est ce débat que nous tenterons de faire revivre ici.

## A. LE RATIONALISME CLASSIQUE

À l'époque de Kant, la première solution qui s'offre au problème du mal est celle du *rationalisme classique,* cet ensemble de doctrines que Kant lui-même appelait le « dogmatisme ». On y rencontre d'ailleurs les philosophes les plus divers ; mais, s'agissant du problème du mal, une sorte de consensus s'est établi entre eux dès l'Antiquité, surtout grâce aux stoïciens sur le plan éthique et à Plotin sur le plan métaphysique, un consensus qui a trouvé sa plus haute expression dans le système de Leibniz.

S'il est un point sur lequel tous les grands rationalistes sont d'accord, c'est pour nier le mal en tant que tel, c'est-à-dire en tant que réalité mystérieuse et révoltante. Tous prétendent justifier la souffrance, la faute et l'injustice, en montrant qu'elles se déduisent nécessairement de l'ordre universel du monde, comme autant d'éléments de sa perfection : « Sans l'existence du mal, le monde serait moins parfait », disait Plotin. La *souffrance* : les stoïciens s'acharnent à nous dire qu'elle est liée à l'opinion et qu'en changeant l'opinion on peut supprimer la souffrance. La *faute* : en lui refusant cette dimension tragique et scandaleuse par quoi l'homme introduisait du désordre, du « gâchis » dans le monde, en déniant à l'homme la possibilité de se révolter contre l'ordre du monde, on la réduit à des substituts en soi inoffensifs, comme l'échec, l'ignorance, l'erreur, la passion [1] ; dans tous les cas, la faute n'est qu'un manque, une déficience toute négative dont l'homme peut toujours sortir par la connaissance vraie. Quant à l'*injustice,* elle n'est qu'une apparence, une illusion anthropomorphique dont une compréhension plus distincte de Dieu et du monde suffirait à nous libérer. À la question : Dieu est-il cause de la tristesse, Spinoza répond : « Dans la mesure où nous connaissons les causes de la tristesse, elle cesse d'être une passion, c'est-à-dire qu'elle cesse d'être une tristesse ; et ainsi, dans la mesure où nous connaissons que Dieu est cause de la tristesse, nous sommes joyeux [2]. »

1. Voir la belle analyse de W. Jankélévitch dans le *Traité des vertus,* chap. XII, p. 561ss.
2. *Ethique,* V, pr. 18, scolie.

Cette théodicée découle d'ailleurs d'une option métaphysique : la réalité et la perfection sont une seule et même chose. Dieu, l'être suprême, est aussi la suprême valeur ; et une chose a d'autant plus de perfection qu'elle a plus de réalité. Corollaire : le mal, ou imperfection, n'est qu'un manque de perfection, donc d'être, une simple négation — tout comme le froid n'est qu'un manque de chaleur, les ténèbres une absence de lumière. Mais souffrir, se tromper, n'est-ce pas manquer de quelque chose qu'on devrait avoir ? C'est ici qu'intervient le concept si ambigu de privation. Le mal, chez l'homme, n'est pas une simple négation, mais une *privatio boni,* l'absence d'un bien que comportait son essence. Qu'un homme n'ait pas trois yeux est normal, mais qu'un borgne soit privé d'un œil, c'est autre chose ! C'est l'absence d'une réalité que cet homme, en tant qu'homme, *devait avoir.*

DESCARTES, dans sa *quatrième méditation,* admet ainsi que la privation a quelque chose de beaucoup plus positif, de beaucoup plus grave que la simple négation. Spinoza, lui, est plus radical et, tout en gardant le terme, il s'efforce de montrer que la privation n'existe que pour notre imagination d'homme, qu'elle n'est rien pour Dieu. Rappelons ici ce grand texte de théodicée qu'est la controverse avec Guillaume de Blyenbergh. Ce dernier adresse à SPINOZA l'objection classique : comment admettre que Dieu ait *voulu* la faute d'Adam ? « Ou bien cet acte défendu n'est pas mauvais en soi, ou bien il faut admettre que ce que nous appelons le mal est l'œuvre de Dieu lui-même. Ni vous, ni M. Descartes, ne me paraissez résoudre la difficulté en disant que le mal est un *non-être* auquel Dieu ne contribue en rien[3].» Spinoza répond que l'objection repose sur un malentendu, que le mal n'a rien de positif et que tout arrive selon la volonté de Dieu ; bien plus : « J'affirme qu'on parle improprement et d'une façon tout humaine quand on dit que nous péchons envers Dieu ou que les hommes peuvent offenser Dieu[4].» La faute d'Adam n'est une imperfection que pour notre imagination, qui la compare à une idée générale et factice de la perfection humaine ; en elle-même elle est ce qu'elle est et le mal que nous y voyons n'est rien. Ainsi, Dieu est bien la cause de la faute, « non certes en tant que cette décision est mauvaise ; mais le mal qui est en elle n'est pas autre chose que la privation d'un état qu'à cause d'elle Adam a dû perdre. Et il est certain qu'une privation n'est rien de positif et que le nom même dont nous l'appelons n'a de sens qu'au regard de notre entendement, non au regard de l'entendement divin[5].» Mais comment parler encore d'une

3. Lettre 18, p. 176.
4. Lettre 19, p. 179.
5. Lettre 19, p. 180.

privation ? répond Blyenbergh ; « comment un être peut-il perdre un état plus parfait par une œuvre qu'il était dans sa nature, telle qu'elle a été établie, de produire nécessairement ?... Et il faut décider ou bien qu'il y a un mal, ou bien qu'il ne peut y avoir privation d'un état meilleur. Car il me paraît y avoir contradiction à ce que le mal n'existe pas et que l'on soit privé d'une condition meilleure [6].» À quoi Spinoza réplique en précisant : « la privation n'est que [...] l'absence ou le manque d'une certaine chose [7]», un manque qui n'existe que pour notre imagination et qui n'est rien pour Dieu : l'aveugle, par exemple, a tout ce que l'entendement et la volonté de Dieu lui ont accordé ; et Dieu n'est pas plus la cause de son non-voir que du non-voir d'une pierre. Il en va de même pour la faute : un homme dominé par un appétit bassement sensuel, nous jugeons qu'il est privé d'un désir plus noble parce que nous le comparons à ce qu'il a été ou à ce que sont les autres ; mais « nous ne pouvons juger ainsi quand nous avons égard à la nature du décret et de l'entendement divins ; car, relativement à elle, cet appétit meilleur n'appartient pas plus, à l'instant considéré, à la nature de cet homme qu'à celle du diable ou de la pierre [8]». En soi la privation est simple négation ; on parle de privation quand est nié un attribut que nous « croyons » appartenir à la nature du sujet ; cette croyance fait toute la différence.

Derrière ce terme technique de *privation* apparaît toute l'ambiguïté de la solution rationaliste. Ou bien on en fait une simple négation : alors le mal n'est rien du tout qu'une illusion ; mais pourquoi cette illusion, et au nom de quoi prétendre nous en délivrer ? Si le bien se confond avec l'être, il ne peut plus exister ni morale, ni esthétique, ni action au sens propre. Ou bien on admet que la privation est plus qu'une négation, qu'elle est l'absence de ce qui devrait être, de ce qu'on devrait faire ou posséder : alors on réintroduit cet élément de regret, de révolte, de scandale que le rationalisme voulait faire disparaître, on rend au mal cette dimension positive qu'on prétendait incompatible avec la perfection divine.

À vrai dire, lorsque Kant parle du dogmatisme, il pense moins à Spinoza qu'à Leibniz et à ses disciples.

Tout en reprenant les arguments de ses prédécesseurs, Leibniz nous présente une thèse infiniment plus subtile. Tout

6. Lettre 20, p. 186.
7. Lettre 21, p. 204.
8. Lettre 21, p. 205. Qu'en est-il du « diable » chez Spinoza ?

d'abord, sa *Théodicée* se présente comme un plaidoyer : « C'est la cause de Dieu qu'on plaide [9]. » Et l'avocat connaît mieux que personne les arguments qu'on peut lui opposer. Sa tentative ne vise pas à nier le mal, mais le scandale du mal, en montrant que le mal a une raison d'être. Ainsi la *Théodicée* a-t-elle le mérite de poser le problème dans toute sa profondeur : *Si Dieu existe, d'où vient le mal ? S'il n'existe pas, d'où vient le bien* [10] ? Le mal se présente sous trois formes : le mal de coulpe (la faute), le mal physique (la souffrance), le mal métaphysique, ou imperfection, qui est la condition des deux autres. Comme l'expliquera un disciple de Leibniz et de Wolff, BAUMGARTEN, la perfection d'un être, qui n'est autre que sa réalité, « est l'accord des réalités qui le composent en vue d'une seule » ; et la négation, étant désaccord, est toujours une imperfection ; « donc toute négation est un mal [11] ». Bref, le mal métaphysique, racine des deux autres, est l'imperfection dans le sens maintenant positif de désordre, discordance, laideur.

Désordre, péché, souffrance, Leibniz ne songe pas à en nier l'existence, mais à montrer qu'elle est nécessaire. Ici intervient la doctrine célèbre du meilleur des mondes possibles. Dieu, étant parfait, n'a pu créer qu'un monde doté du maximum de perfections possibles, c'est-à-dire comprenant, pour le minimum de moyens, le maximum de réalités. Certes, et ici Leibniz s'oppose à Spinoza, il y avait une infinité d'autres mondes possibles, et il n'était pas absurde que Dieu en choisît un autre ; mais cet autre n'eût pas été le meilleur, donc le plus digne de la sagesse divine. Oui, on peut bien concevoir un monde sans laideur, sans péché, sans souffrance, mais nous savons *a priori* qu'un tel monde eût été moins excellent que le nôtre, sinon c'est lui que Dieu aurait créé. La perfection relative d'un tel monde eût été payée par une moindre perfection dans le tout ; or, si un moindre mal est une espèce de bien, un moindre bien est une espèce de mal [12]. À tous les arguments tirés de l'expé-

9. *Théodicée*, préface, p. 39.
10. *Ibid.*, I, n° 20.
11. Cf. II, n° 208.
12. I, n° 8.

rience et qui montrent que Dieu « aurait pu mieux faire [13] », on oppose l'argument péremptoire : « Si le moindre mal qui arrive dans le monde y manquait, ce ne serait plus ce monde qui, tout compté, tout rabattu, a été trouvé le meilleur par le créateur qui l'a choisi [14]. »

Il faut rappeler ici quelques distinctions importantes qui rendent la *Théodicée* plus plausible. À ceux qui prétendent que Dieu, étant tout-puissant, n'était pas contraint de créer tel ou tel monde, même le meilleur, Leibniz répond que l'indifférence absolue n'est qu'une liberté illusoire, et que confondre la volonté divine avec une puissance arbitraire, c'est mettre à l'origine du monde un principe aussi injustifiable que le hasard d'Épicure [15]. En revanche, cette nécessité qui fait Dieu choisir le meilleur n'est pas l'aveugle nécessité géométrique de Spinoza : Dieu pouvait-il sans absurdité élire un autre monde, et ce n'est pas contraint par la logique, mais par sa bonté et sa sagesse ensemble qu'il a opté pour le meilleur. Cette nécessité morale, contrairement à la nécessité logique, inclut la liberté de choix au lieu de la contredire ; en Dieu, comme chez le sage, *elle sollicite sans nécessiter* [16]. Mais comment Dieu a-t-il pu choisir aussi les maux que comporte ce monde le meilleur ? Ici intervient la fameuse distinction entre volonté *antécédente* et volonté *conséquente*. La première représente ce que Dieu souhaite dans l'absolu, c'est-à-dire isolément : le bien ; la seconde « résulte du conflit de toutes les volontés antécédentes, tant de celles qui tendent vers le bien que de celles qui repoussent le mal [17] » ; elle est la volonté réelle et totale de Dieu, qui vise non pas tel ou tel bien, mais le meilleur. Ainsi Dieu veut, dans l'absolu, un Adam ou un Judas sans péché ; en fonction du meilleur des mondes, il se résigne à créer Adam et Judas tels qu'ils sont ; de même sa volonté antécédente réprouve la laideur et le malheur, mais sa volonté conséquente se résout à les intégrer dans la création. Entre la volonté anté-

13. II, nº 168.
14. I, nº 9.
15. Cf. p. 389.
16. Cf. *Théodicée*, I, nºs 43, 45 ; II, nºs 191, 230 ; III, nºs 282, 310, 348, 406 ; *Discours de la conformité*, nº 2, et p. 38, 45, 48.
17. I, nº 22.

cédente et la volonté conséquente, il y a toute la limite qui sépare le « possible » du « compossible », le *il faudrait* du *il
faut* [18].

C'est en s'appuyant sur ces distinctions que la *Théodicée*
justifie le mal métaphysique. Ce mal, il est faux de dire que
Dieu l'a créé ; car Dieu ne crée que l'être, et le mal n'est rien,
sinon une limitation de l'être, une *im*perfection originaire inhérente à l'essence éternelle de chaque créature, donc antérieure
à sa création ; sans cette limitation, cette essence ne serait pas
celle d'une créature, mais celle d'un Dieu [19]. En ce sens, le mal
ne requiert pas une cause *efficiente,* mais *déficiente,* tout comme
le froid qui n'est jamais qu'une absence de chaleur, ou les
ténèbres qui ne sont qu'une absence de lumière [20]. À certaines
de ces essences imparfaites, qui se trouvent toutes dans son
entendement, Dieu a permis d'exister : il a laissé Judas venir
au monde, avec toute son imperfection, sans avoir créé le moins
du monde cette imperfection. Pourquoi l'a-t-il laissé naître ?
Parce qu'un monde sans Judas eût été moins bon et que choisir
un monde moins bon pour éviter tel ou tel mal eût été le plus
grand mal [21] ; un monde sans Judas eût été peut-être un monde
sans Jésus-Christ ! Et Leibniz reprend à son compte la formule
liturgique : « *O felix culpa, quae talem ac tantum — Meruit
habere redemptorem* [22]. »

Évidemment, nous qui ne voyons pas « la beauté et
l'ordre du tout [23] », nous sommes toujours tentés de déplorer
les imperfections de telle ou telle partie. Et en un sens, admet
Leibniz, nous avons raison, et c'est Spinoza qui a tort ; oui, ces
imperfections sont indéniables et réprouvées par la volonté antécédente du Créateur ; seulement, il faut comprendre que la
beauté du tout importe infiniment plus que celle de telle partie,
que « la partie d'une belle chose n'est pas toujours belle [24] ».

18. Cf. sur la volonté antécédente et conséquente : I, nos 22 à
25, 81 ; II, nos 110, 114 à 116, 119 ; III, nos 282, 325 ; *Monadologie,*
no 90.
19. Cf. *Théodicée,* I, no 31.
20. Cf. I, no 32.
21. Cf. II, nos 129, 130, 224.
22. I, no 10.
23. II, no 134.
24. II, no 213.

Et si nous pouvions nous placer du point de vue du tout, nous verrions qu'il « est dans le grand ordre qu'il y ait quelque petit désordre », désordre qui n'est ainsi qu'apparent [25]. À ce principe, Leibniz ajoute des arguments, *a posteriori*, psychologiques : un peu d'acide rehausse la douceur, un peu de douleur le plaisir ; biologiques : il est merveilleux qu'un corps si fragile que le nôtre puisse vivre si longtemps ; moraux : l'acceptation du malheur rend plus heureux que la révolte — et d'ailleurs les hommes ne sont pas si malheureux ni si méchants qu'on le prétend ; esthétiques surtout : il faut de l'ombre pour faire valoir la lumière, une dissonance pour faire apprécier l'accord final, etc.[26]. Autant d'images qui illustrent la théorie, mais ne la démontrent pas [27]. La vraie preuve est *a priori*. Elle part de l'affirmation que Dieu ne peut être responsable de l'imperfection des essences, qui n'est que leur limitation éternelle. Supposez deux bateaux qui descendent un fleuve, l'un beaucoup plus chargé que l'autre ; s'il n'y a d'autre moteur que le courant, le premier ira plus lentement que le second, et ceci non par une cause positive, mais par la moindre réceptivité, la *vis inertiae* inhérente à sa charge de matière. On peut comparer la force créatrice de Dieu au courant et l'imperfection de la créature à l'inertie du bateau : le courant est la cause de la vitesse du bateau et non de ce qui limite cette vitesse ; de même « Dieu est la cause de la perfection dans la nature et dans les actions de la créature, mais la limitation de la réceptivité de la créature est la cause des défauts qu'il y a dans son action [28] ». Et si Dieu a choisi de laisser exister des essences imparfaites, c'est qu'elles étaient nécessaires au meilleur des mondes : « La sagesse ne fait que montrer à Dieu le meilleur exercice de sa bonté qui soit possible ; après cela, le mal qui passe est une suite indispensable du meilleur. J'ajouterai quelque chose de plus fort : permettre le mal, comme Dieu le permet, c'est la plus grande bonté [29]. »

25. III, n° 243 ; cf. *Discours de la conformité,* n° 44, et II, n° 239.
26. Cf. I, n°s 14, 12, 13, 15 ; II, n°s 149, 220.
27. Cf. I, n° 19.
28. I, n° 30 ; sur le mal comme privation, voir aussi I, n°s 20, 28, 31, 32 ; II, n°s 121, 149, 151, 156, 167, 184 ; III, n° 335, et p. 38, 386.
29. II, n° 121.

Si Dieu n'est pas responsable de l'imperfection de ses créatures, celles-ci, en revanche, en sont réellement coupables, du moins quand il s'agit du *mal de coulpe*. Certes, la faute est due non pas au libre choix du coupable, mais à une prédominance des désirs inférieurs, provenant elle-même d'une connaissance confuse, d'un aveuglement. Il reste que le fautif en est responsable, puisque la faute résulte de son essence propre [30]. Mais pourquoi Dieu a-t-il créé Ève, par exemple, tout en sachant qu'elle allait transgresser son ordre exprès ? N'est-il pas complice de sa faute ? Ici on peut prendre l'exemple d'un officier qui pourrait empêcher une rixe entre deux soldats et trouve pourtant plus urgent de courir à l'ennemi. Ainsi Dieu aurait manqué à un plus grand devoir en s'abstenant de créer Ève : il aurait refusé par là de créer le monde le meilleur, avec tout ce que sa réalité entraîne de souffrances et de péchés. À ceux qui diront : « Dieu condamne donc en moi son propre crime [31] », on répondra que le crime n'est qu'une simple privation et ne requiert de Dieu qu'une cause permissive ; il l'a permis, il ne l'a pas créé ; permis car, tout scandaleux qu'il soit, il est nécessaire à la beauté du monde ; or Dieu a voulu cette beauté, « et quand il permet le péché, c'est sagesse, c'est vertu [32] ». Oui : « Dieu ayant trouvé déjà, parmi les choses possibles avant ses décrets actuels, l'homme abusant de sa liberté, et se procurant son malheur, n'a pu se dispenser de l'admettre à l'existence, parce que le meilleur plan général le demandait [33]. » Ajoutons que le coupable reste responsable de son égarement car, si confuse que soit sa connaissance, il dispose toujours d'assez de lumières pour bien faire. Ainsi Leibniz, loin d'exclure la sanction, est-il disposé à admettre l'enfer éternel pour la plupart des hommes, comme conforme à la justice suprême : parce que certains d'entre nous, la plupart peut-être, sont éternellement mauvais de par leur essence, ils méritent éternellement le châtiment [34].

30. Cf. II, n° 153.
31. III, n° 411.
32. I, n° 26.
33. III, n° 265.
34. Cf. III, n°s 266 à 269, 415.

Le mal moral s'explique donc comme tous les autres maux. La seule chose qui l'en distingue est que ceux-ci sont aussi des moyens au service du meilleur : la souffrance peut rehausser le bonheur, la laideur la beauté, etc. ; tandis que le péché ne peut pas avoir de fonction intrinsèque et positive : Dieu ne peut pas le vouloir comme moyen, mais seulement le tolérer comme condition *sine qua non,* comme pis-aller [35] ! Il reste que si Dieu a laissé pécher Ève, et nous tous à sa suite, c'est que cette faute était condition d'un plus grand bien.

Quant au *mal physique,* la souffrance, il est bien plus facile d'en rendre compte, évidemment ! D'ailleurs Leibniz ne s'y attarde guère, tant il lui paraît dans l'ordre des choses. Si Dieu veut la souffrance, « c'est souvent comme une peine due à la coulpe, et souvent aussi comme un moyen propre à une fin, c'est-à-dire pour empêcher de plus grands maux ou pour obtenir de plus grands biens [36] ». Dans ce second sens, la souffrance est une passion, c'est-à-dire la perception confuse par l'âme d'un dérangement corporel ; elle est donc utile. On dira : Dieu ne pouvait-il pas faire naître dans l'âme, pour l'avertir de ce dérangement du corps, un sentiment heureux — par exemple pour empêcher un enfant de s'approcher du feu lui donner une sensation de plaisir croissant avec l'éloignement ? Mais l'harmonie préétablie implique un rapport non arbitraire entre le signe et le signifié, une correspondance entre l'affection de l'âme et la lésion corporelle qu'elle exprime ; sinon elle ne serait plus *mon* âme ; de plus, si Dieu permettait ce genre d'expression tout arbitraire, un plaisir pour une lésion, sa création elle-même serait irrationnelle [37]. D'ailleurs une connaissance distincte peut toujours nous délivrer des passions et nous rendre contents [38]. Mais la fonction de la douleur est surtout d'être un châtiment mérité : « La méchanceté des hommes leur attire presque tous leurs malheurs [39]. » *Presque...* il y a le scandale du juste persécuté [40] ; mais Leibniz le justifie et le supprime

---

35. Cf. II, nos 127, 230, et p. 48.
36. I, no 23.
37. Cf. III, nos 342, 355ss.
38. Cf. III, nos 250, 254.
39. III, no 264.
40. Cf. *Discours de la conformité,* no 43.

comme scandale en posant que la souffrance est toujours la suite du mal moral ; et si c'est par la faute d'autrui que nous souffrons, nous nous préparons ainsi un bonheur *post mortem* ; d'ailleurs la justice immanente se produit plus souvent qu'on ne croit [41]. En bref, nous ne sommes *jamais* fondés à nous plaindre de notre sort.

On remarquera que cette philosophie est au fond celle de tous les chefs d'État, de tous les grands administrateurs, qui vous affirment : dans l'absolu, vos réclamations sont parfaitement justes, *mais* il y a des besoins plus impérieux, des « options » plus urgentes. Si vous pouviez comme moi envisager l'ensemble, vous le comprendriez, etc. Cette comparaison est pertinente, car le Dieu de Leibniz est bien dans une situation analogue ; tout-puissant en théorie, il semble doublement limité dans son pouvoir : d'abord quant aux moyens, puisqu'il lui faut sacrifier tel possible à tel autre, élire tel mal pour obtenir tel bien ; ensuite quant à la fin, puisqu'il lui est impossible de ne pas opter pour le monde le meilleur. On nous précise bien qu'il s'agit là d'une nécessité « morale », qui ne supprime pas mais exprime la liberté de Dieu : « Voudrait-on que Dieu ne fût point obligé d'être parfait et heureux [42] ? » Mais sommes-nous convaincus ? Je vois mal la différence entre une raison qui nécessite et une raison qui sollicite, du moment que « le parti vers lequel la volonté est plus inclinée ne manque jamais d'être pris [43] ». D'ailleurs Leibniz en vient souvent à parler du *choix divin* en termes de pur mécanisme, le comparant à un jeu de forces, à une balance ou à une explosion [44]. Son Dieu est un précurseur de la cybernétique ! Est-il autre chose que cela, autre chose qu'un suprême ordinateur ? Je n'ai pas à en traiter ici [45]. Ce qui nous importe n'est pas le Dieu, mais l'*homme* de Leibniz.

41. Cf. I, nos 16-70, 70ss. ; III, no 241.
42. II, no 191.
43. I, no 43 ; cf. III, nos 346ss.
44. Cf. I,o 22 ; III, no 325.
45. Voir à ce sujet la bonne analyse de Boutroux dans son introduction à la *Monadologie,* Delagrave, rééditée en 1966, p. 90ss. et 170ss.

Si l'on entend par humanisme la conception qui voit dans l'homme non seulement un moyen, mais une fin en soi, la *Théodicée* en est très loin, bien plus loin peut-être que l'*Éthique* de Spinoza. Certes Dieu a voulu créer le monde le meilleur, celui qui comporte le plus de réalités — c'est-à-dire le plus haut degré dans les connaissances, les vertus, le bonheur — et ceci avec le minimum de moyens. C'est justement que ce Dieu n'est pas un père, mais un architecte qui ordonne tout pour sa plus grande gloire [46]. Peu importent alors nos souffrances, et même nos fautes, du moment que tout cela doit entrer dans la structure de l'édifice. Qu'il y ait parmi nous beaucoup plus de damnés que d'élus, on s'en consolera en pensant que le mal de l'humanité ne préjuge pas du reste de la création et qu'une infinité de créatures lumineuses et radieuses existent dans d'autres planètes [47]. Faudrait-il donc sacrifier la beauté d'un palais à la commodité de quelques domestiques [48] ? Nos fautes, nos malheurs sont peu de chose en comparaison de l'harmonie de l'ensemble ; bien plus : ils y contribuent ! « Puisque ces maux devaient exister, il fallait bien qu'il y eût quelques-uns qui y fussent sujets ; et nous sommes ces quelques-uns [49]. » Précisons que cette singulière vocation ne nous disculpe en rien ; la privation inhérente à la créature est une excuse pour Dieu, non pour la créature [50]. En tout cas, bons ou mauvais, heureux ou malheureux, nous n'avons d'autre importance que celle de matériaux dans l'édifice divin : « On peut dire que les hommes sont choisis et rangés non pas tant suivant leur excellence que suivant la convenance qu'ils ont avec le plan de Dieu ; comme il se peut qu'on emploie une pierre moins bonne dans un bâtiment ou dans un assortiment, parce qu'il se trouve que c'est celle qui remplit un certain vide [51]. » Leibniz va jusqu'à écrire que l'homme, avec ses fautes et ses passions, est le jouet de Dieu qui, « par un art merveilleux, tourne tous les défauts de ces petits mondes au plus

46. Cf. I, nᵒ 78 ; II, nᵒˢ 112, 167.
47. Cf. II, nᵒ 221 ; III, nᵒ 263.
48. Cf. II, nᵒˢ 118, 215.
49. II, nᵒ 123.
50. Cf. II, nᵒ 153.
51. I, nᵒ 105.

grand ornement de son grand monde [52] ». Si je souligne cet anti-humanisme, c'est qu'on trouve ici la raison essentielle de l'opposition catégorique de Kant à la *Théodicée* — de Kant qui considère que l'homme est fin en soi, *même pour Dieu* [53].

Quelles que soient les divergences entre ces philosophies, elles aboutissent toutes à nier le mal en tant que réalité. La laideur, la souffrance, l'injustice et même le péché n'ont qu'une existence toute relative, pour ne pas dire illusoire : ils ne sont rien pour Dieu, c'est-à-dire rien en soi. Et même si l'on accorde au mal quelque semblant de réalité, c'est à titre de substitut : imperfection, limitation nécessaire, condition du meilleur, privation. Dans cet optimisme rationnel, c'est le scandale du mal, l'injustifiable qui est évacué ; et le principe ontologique de toute corruption n'est au fond qu'un *bon diable,* ou, dans le pire des cas, un *pauvre diable.*

## B. LA THÉOLOGIE DE LA RÉFORME ET LE MAL

Il en va tout autrement dans une perspective chrétienne. Et ici je prends le christianisme dans son aspect le plus étranger à toute philosophie : la *tradition de la Réforme.* Non pas pour prétendre que cette tradition soit la seule chrétienne, mais parce qu'elle constitue l'option la plus opposée à celle que nous venons d'envisager et parce que c'est justement cette option que Kant a connue, critiquée, acceptée ou refusée sous le nom de christianisme [54].

La Bible elle-même, d'ailleurs, affirme sans cesse la réalité absolue du mal : réelle, la faute ; réelle, la souffrance ; réel, le scandale de l'injustice [55]. Dieu lui-même ne nie pas le mal, il le dénonce : « Israël, ôte le mal du milieu de toi [56] ! » Et ce mal n'est pas une nécessité ou une limitation inhérente à la créature : il est absolument *contingent* ; il est l'événement qui

52. II, nᵒ 147 ; cf. III, nᵒˢ 246, 247.
53. Cf. PR 141.
54. Bohatec, p. 274. Sur la liberté et la responsabilité chez Baumgarten, voir notre chap. IV.
55. Voir Jérémie, XII, 1ss. ; Job, XXI, 7ss.
56. Deutéronome, XXII.

aurait pu ne pas arriver : « Par un seul homme le péché est
entré dans le monde, dit saint Paul, et par le péché la mort [57]. »
Le péché, ce n'est pas simplement la faute, qui introduit désordre et souffrance ; c'est avant tout la transgression de la loi
divine : « Contre toi, toi seul, j'ai péché », dit le Psalmiste à
l'Éternel [58]. À travers la Bible, cette transgression prendra les
formes les plus diverses : souillure, impureté rituelle, violence,
dureté, perversion sexuelle, meurtre, injustice sociale, idolâ-
trie... Mais dans tous les cas, c'est contre l'alliance de Dieu que
l'homme pèche, un Dieu qui, loin de rester impassible, « s'affli-
ge dans son cœur [59] ». Quelle qu'en soit la forme concrète, le
péché est d'abord péché d'orgueil, refus d'obéissance et de
confiance à l'égard du Créateur ; c'est cela que suggère le
serpent à Ève : « Vous serez comme des dieux [60]. » D'où une
opposition à Dieu si grave, si radicale, que l'homme est totalement impuissant à redevenir bon par lui-même : « Un Éthio-
pien peut-il changer de peau, une panthère de pelage ? Et
vous, pouvez-vous bien agir, vous les habitués du mal ? » s'écrie
Jérémie [61]. Cette prise de conscience de la gravité tragique du
mal annonce un renouvellement de la vie religieuse ; le sacrifice rituel ne peut plus absoudre l'homme acculé au mal :
« Mon sacrifice, c'est un esprit brisé ; d'un cœur broyé, tu n'as
point de mépris [62]. » Ainsi, dans l'Évangile, ce n'est pas le
pharisien, fier de ses observances et de ses vertus, qui est justifié, mais le publicain [63]. Le péché est le refus radical de Dieu,
refus qui se cache non seulement derrière toutes nos fautes,
mais encore derrière toutes nos vertus, toute notre religion, dès
qu'elles nous donnent bonne conscience, qu'elles nous dispen-
sent de nous en remettre à Dieu.

Tel quel, le péché semble bien être universel, du moins
d'après beaucoup de textes. « Vois, dit le Psalmiste à Dieu,

57. Romains, v, 12.
58. Psaume LI, 6.
59. Genèse, vi, 6.
60. Genèse, iii, 5.
61. Jérémie, xiii, 23.
62. Psaume LI, 18-19 ; cf. Isaïe, lvii, 15, lxvi, 2 ; Psaume
XXXIV, 19 ; Osée, vi, 6.
63. Voir Luc, xviii, 11ss.

mauvais je suis né, pécheur ma mère m'a conçu [64]. » Il ne
s'agit pas ici d'une souillure héréditaire, qui reviendrait à nier
la culpabilité humaine [65], mais d'une transgression radicale,
d'une révolte du cœur humain contre Dieu, qui est le fait de
tout homme [66]. De plus, le péché entraîne dans le monde créé
le désordre, l'injustice, la mort, qui sont, d'une manière mystérieuse, dus à l'homme : « La mort a passé dans tous les hommes, du fait que tous ont péché », dit saint Paul [67], ce qui
rappelle la parole adressée à Adam : « Maudit soit le sol à
cause de toi [68]. » Et au « tout est vanité » de l'Ecclésiaste,
l'apôtre réplique : « Si elle [la création] fut assujettie à la
vanité — non qu'elle l'eût voulu, mais à cause de celui qui l'y
a soumise — c'est avec l'espérance d'être elle aussi libé-
rée... [69] ». Et enfin : l'universalité de la transgression ne signifie-
t-elle pas aussi celle de la rédemption ? Parlant du Serviteur de
Dieu, Isaïe proclame : « Tous, comme des brebis, nous étions
errants, chacun suivant son propre chemin. Et Yahvé a fait
retomber sur lui les crimes de nous tous [70]. » Et saint Paul :
« L'Écriture a tout enfermé sous le péché, afin que la promesse, par la foi en Jésus-Christ, appartînt à ceux qui
croient [71]. » Finalement, le seul péché irrémédiable serait de
ne pas croire, de ne pas s'accepter comme pécheur [72].

Néanmoins la Bible, surtout prise dans son ensemble,
nous laisse devant un problème grave, et qui aura une importance capitale dans la pensée de Kant : le problème de la responsabilité du pécheur. Ici l'Ancien Testament paraît souvent
très loin de la conscience moderne : non seulement il affirme
coupables des êtres qui visiblement n'en peuvent (des enfants,
des lépreux, des bêtes, etc.), non seulement il admet une culpabilité collective qui nous paraît aujourd'hui révoltante, mais

64. Psaume LI, 7.
65. Cf. Genèse, VIII, 21.
66. Cf. Psaume LI, 5ss., XIV, 3, CXLIII, 2 ; Isaïe, LXIV, 5ss. ;
Proverbes, XX, 9 ; Eccl., VII, 20 ; Matthieu, XII, 34 ; Romains, III, 10ss.
67. Romains, V, 12 ; cf. VII, 22.
68. Genèse, III, 17.
69. Romains, VIII, 20.
70. Isaïe, LIII, 6.
71. Galates, III, 22 ; cf. Romains, XI, 32.
72. Cf. I Jean, I, 8-10.

il va jusqu'à faire de Dieu lui-même le véritable auteur du péché : c'est lui qui endurcit le cœur de Pharaon, qui aveugle Israël, « de peur qu'il ne se convertisse et qu'il ne soit guéri [73] ». Il est d'ailleurs remarquable que les écrits les plus récents : Jérémie, Ézéchiel, le Deutéronome, aient su exprimer de façon magnifique la révolte de la conscience individuelle contre le scandale d'une responsabilité collective ou transmise : « Celui qui a péché, c'est lui qui mourra ; un fils ne portera pas la faute de son père [74]. » Néanmoins, le Nouveau Testament reprendra souvent cette affirmation d'une culpabilité sans liberté : Jésus parle en paraboles pour égarer les impies, « de peur que leurs yeux ne voient, que leurs oreilles n'entendent [75] » ; le Dieu de l'Évangile se révèle à qui il lui plaît [76] ; et, au mystère de l'homme prédestiné au mal, saint Paul répond par la terrible métaphore des vases de perdition [77]. Il semble donc difficile de voir, avec les sociologues, un progrès continu de la pensée biblique vers une forme rationnelle de la responsabilité. D'ailleurs une autre solution apparaît dans les écrits les plus tardifs de l'Ancien Testament : c'est la figure de Satan, qui assume en quelque sorte à la place de Dieu la responsabilité du mal dans le monde [78]. Dans l'Évangile, Satan apparaît comme l'ennemi qui sème l'ivraie [79], le tentateur qui s'introduit en Judas [80], le menteur « père du mensonge [81] ». Pourtant, si Satan explique l'origine de la faute, il n'excuse pas pour autant le fautif ; celui-ci n'en est pas la victime, mais l'esclave [82] : « Vous avez pour père le diable et ce sont les désirs de votre père que vous voulez accomplir [83]. » Mais on lit d'autre part que « Dieu n'éprouve personne [...] ; chacun est éprouvé par sa propre

73. Cf. Isaïe, VI, 10 ; voir aussi Exode, IV, 21.
74. Ezéchiel, XVIII, 20 ; cf. XIV, 12ss. ; Deutéronome, XXIV, 16 ; Jérémie, XXXI, 29ss. ; Lamentations, V, 7.
75. Matthieu, XIII, 15.
76. Cf. Matthieu, XI, 27 ; Jean, VI, 15.
77. Cf. Romains, IX, 19ss.
78. Comparer ainsi I Chroniques, XXI, à II Samuel, XXIV.
79. Matthieu, XIII, 39.
80. Luc, XXII, 3 ; cf. Matthieu, IV, 1ss.
81. Jean, VIII, 44 ; noter que « père » veut ici dire *cause*.
82. Cf. Jean, VIII, 35ss.
83. Jean, VIII, 44.

convoitise qui l'attire et le leurre [84] ». Tout se passe en fait comme si on affirmait que le péché est si profond qu'il dépasse la volonté du pécheur, le libre arbitre des hommes, et que ceux-ci n'en sont que plus coupables ! On retrouve le même paradoxe avec la sanctification ; saint Paul dit aux Philippiens : « Travaillez avec crainte et tremblement à accomplir votre salut », pour ajouter aussitôt : « Aussi bien, Dieu est là qui opère en vous le vouloir et le faire [85]. »

La théologie s'est ressentie de cette contradiction, justement parce qu'elle était *logie*, qu'elle prétendait changer en système ce qui est avant tout histoire et drame. Ainsi Origène, puis Pélage surtout, optent résolument pour la responsabilité individuelle ; la faute d'Adam n'entache pas sa postérité ; chacun naît, comme Adam, innocent et capable, par ses propres œuvres, de mériter ou de perdre la grâce divine. Saint Augustin affirme au rebours que la faute d'Adam nous affecte tous comme un mal héréditaire, et que notre liberté, corrompue dès l'origine, est nécessairement encline au mal ; Jésus seul, né sans corruption, peut vaincre le péché et, par son sacrifice, nous mériter le salut.

De ces deux interprétations extrêmes de la Bible, la Réforme a choisi la seconde, quitte à l'aggraver encore. Tous les réformateurs sont unanimes sur ce point : l'homme, chaque homme, est totalement pécheur, incapable par lui-même de faire le bien. « Nous affirmons, dit LUTHER, que l'homme est absolument corrompu et mort au bien, tant pour le concevoir que pour le faire ; en sorte que dans la nature de l'homme après la chute et avant la régénération, il ne reste pas la moindre étincelle des forces spirituelles [86]. » Comparé à Dieu, l'homme est « mortel, injuste, menteur, plein de péchés et de vices. Chez Dieu, il n'y a que du bien — chez l'homme il y a la mort, le diable et le feu de l'enfer [...]. Dieu déborde de grâce, l'homme

---

84. Jacques, I, 13-14.
85. Philippiens, II, 12-13. Calvin a bien rendu le paradoxe : « L'homme trébuche selon qu'il avait été ordonné de Dieu, mais il trébuche par son vice. »
86. *Déclaration commune*, citée par Ruyssen, p. 42.

sue l'ingratitude et existe sous la colère divine [87]. » De même le *Catéchisme de Heidelberg*, calviniste, confesse : « Je suis de nature enclin à haïr Dieu et mon prochain [88]. » Dans cette théologie tragique, la distinction entre péché mortel et péché véniel, entre péché actuel et originel s'évanouit ; toutes les fautes sont égales devant Dieu ; ou mieux : il n'y a plus *des* péchés, mais *le* péché. Et le péché, c'est le « mal qui prend naissance dans la volonté de l'homme et qui, sans le pardon acquis par le Christ, mérite et provoque la mort [89] ». SPENER, fondateur du mouvement « piétiste », accentuera encore ce caractère tragique ; pour lui, comme pour Kant plus tard, il ne peut pas exister d'acte innocent ou même indifférent ; ainsi, commentant le verset de Romains, XIV, 23 : « tout ce qui ne procède pas de la bonne foi est péché », il explique : « si je fais ce que ma conscience ne déclare pas expressément être juste, c'est injuste [90] ». La seule issue pour l'homme est la confession sincère de sa faute et le repentir, ce qui se traduit, semble-t-il, par une véritable torture intérieure. Kant, qui loue Spener pour avoir montré que la prédication doit nous rendre *autres* et non seulement meilleurs [91], le critique pourtant pour ce paradoxe : le salut est produit « par la contrition et le brisement du cœur dans la repentance ; c'est un chagrin [*moeror animi*] qui est très proche du désespoir », mais qui est lui-même un don de la grâce ; « et l'homme doit lui-même implorer ce chagrin, en se chagrinant lui-même de ne pouvoir assez se chagriner [92] » ! Il y a là en fait un trait qui correspond bien à l'esprit de la Réforme : « Jamais, dit Calvin, nous ne lèverons bien notre cœur en Christ, qu'il ne soit premièrement abattu en nous. Jamais nous ne recevrons droite consolation de lui, sinon que nous soyons désolés en nous [93]. »

Et pourtant, vouloir réduire la foi réformée au sentiment de notre impuissance radicale, au désespoir devant la toute-

---

87. Texte de 1532, cité par K. Barth, *Dogmatique*, vol. 18, p. 7.
88. Question 5, *in ibid.*, p. 44.
89. Définition de Th. Polanus, 1609, *in ibid.*, p. 14.
90. Cité par Ruyssen, p. 63.
91. Cf. CO 63.
92. CO 64-65.
93. Cité par Strohl, *la Pensée de la Réforme*, p. 117.

puissance du mal, c'est en méconnaître totalement l'esprit.
L'angoisse devant le péché, c'est l'expérience de Luther *avant*
sa conversion : « Nous avons cru que nous devions apaiser
la colère divine avec nos œuvres et mériter par elles le ciel,
mais nous n'avons réussi à rien. Toute ma vie n'était que
jeûnes, veilles, oraisons, sueurs, etc. Mais sous le couvert de
cette sainteté et de cette confiance en ma justice propre, je
nourrissais une perpétuelle défiance, des doutes, une crainte,
une envie de haïr et de blasphémer Dieu [94]. » La Réforme n'a
pas commencé avec ce désespoir devant le péché, mais par
l'expérience bouleversante d'en être libéré, une libération qui ne
vient pas de nous, mais de la grâce de Dieu. Ce que Luther
appelle « la justice passive » : l'homme pécheur est juste, non
par ses bonnes œuvres et ses mérites propres, mais parce qu'il
est justifié par Dieu ; et tout ce qui lui est demandé est de
croire, de se confier totalement à l'œuvre rédemptrice réalisée
en lui et pour lui par le Christ. Quelles sont les conséquences
pour la doctrine du mal ?

D'abord que l'homme ne connaît pas le mal directement,
mais indirectement, « après coup ». Il ne peut se savoir pécheur précisément parce qu'il est pécheur ; sa connaissance est
si pervertie qu'il ne peut connaître sa propre perversion [95]. Ce
que nous découvrons d'abord n'est pas le péché, mais le pardon. Seule la lumière du Christ peut nous révéler nos ténèbres en les déchirant : « Il n'y a que la seule lumière du Seigneur qui puisse ouvrir nos yeux pour leur faire voir la vilenie
qui est cachée en notre chair », dit Calvin [96]. Toute connaissance « autonome » du péché, même la plus fine, la plus aiguë,
la plus sincère, passe à côté de la question. C'est en contem-
plant ce que Jésus a accompli pour lui sur la croix que le
croyant découvre l'insondable profondeur du mal. Le péché
est absolument réel, puisqu'il a fallu cette mort pour l'expier ;
l'injustice est absolument réelle, puisque le seul juste a dû
mourir pour les pécheurs. C'est en lui et lui seul que nous

---

94. Cité par Casalis, *Luther*, p. 29.
95. Voir sur ce point K. Barth, *Dogmatique*, vol. 18, p. 4, 5,
35ss., et vol. 17, p. 148 à 152.
96. Cité par Barth, *ibid.*, vol. 18, p. 11.

connaissons tout le poids de notre faute, *tanti ponderis pecca-*
*tum,* comme disait saint Anselme [97]. Et Luther : « Nous ne
faisons pas grand cas du péché [...]. Et même s'il arrive qu'il
nous morde la conscience, nous pensons qu'il n'est pas si
puissant et que nous pouvons facilement l'écarter par une petite œuvre ou un petit mérite. Nous devrions comprendre ce
qu'il a coûté à Dieu ; alors nous verrions que le péché est une
réalité si énorme et si malfaisante que nous ne pourrions jamais l'extirper par nos œuvres et nos forces. Il a fallu que Dieu
lui-même fût sacrifié [98]. » Du pardon au péché, de Dieu à
l'homme, c'est ainsi que chemine la foi. Et c'est ce qu'exprime
aussi le beau choral luthérien :

> *O Mensch, bewein dein Sünde gross,*
> *Darum Christus seins Vaters Schoss*
> *Aeussert und kamm auf Erden...* [99]

L'autre conséquence est la fameuse doctrine de la foi justi-
fiante, *sola fide,* dont il faut bien dire quelques mots étant donné
l'importance qu'elle prendra dans le débat entre Kant et le
christianisme. Le péché étant radical, son contraire n'est pas la
vertu, toujours suspecte d'orgueil ou d'hypocrisie, mais la foi.
L'essence même du péché, pour Luther, est le refus de Dieu,
de la grâce de Dieu. Le « serf arbitre », c'est cela : non pas
un quelconque déterminisme ou fatalisme, mais l'impuissance
totale de l'homme à sortir par lui-même du péché, à se justifier,
et l'ignorance de cette impuissance. La loi de Dieu ne peut
nous apprendre que notre faute et notre misère ; ses « préceptes
révèlent l'homme à lui-même, et, en le persuadant de son
impuissance pour le bien, ils l'amènent à désespérer de ses
forces », dit Luther [100]. La loi nous condamne ; la foi seule
nous justifie ; il faut et il suffit d'accepter la justice que Dieu
nous offre en Jésus-Christ, de reconnaître qu'elle agit pour
nous en nous : *agimur, non agimus* [101]. Une telle doctrine ne
va pas sans malentendus. D'abord on a pu dire que Luther,

---

97. *In* Barth, *Dogmatique,* vol. 18, p. 141.
98. Texte des *Propos de table, in ibid.,* p. 42.
99. « Homme, pleure sur ton grand péché, Pour lequel Christ,
quittant le sein du Père, Est venu sur la terre. »
100. *In* Strohl, *op. cit.,* p. 69.
101. *In op. cit.,* p. 24.

en remplaçant les œuvres par la foi, fait de celle-ci une œuvre
— accusation qui ne manque pas de vérité si l'on considère
l'évolution du protestantisme, tant dans sa branche orthodoxe
(le salut par le dogme) que dans sa branche piétiste (le salut
par le sentiment, la sincérité) ; pourtant les réformateurs ont
toujours dit nettement que la foi elle-même n'est pas notre
œuvre, mais l'œuvre de l'Esprit en nous ; la foi au don de Dieu
est elle-même un don de Dieu, et nous n'avons aucun mérite
à croire [102]. De là un autre reproche, plus fréquent, celui de
laisser l'homme entièrement passif, d'en faire un jouet dans les
mains de Dieu, comme le suggère la fameuse formule : *simul
peccator ac justus*. Reproche mal fondé, si l'on considère que
le désespoir et la passivité n'ont guère été le propre des sociétés
protestantes, qui ont péché plutôt par excès d'activisme et
d'orgueil ! Luther lui-même a beaucoup insisté sur ce point : la
foi implique les œuvres, elles sont le signe de sa sincérité, le
fruit auquel on reconnaît l'arbre : « Ainsi, ce qui jaillit de la
foi, c'est l'amour et le désir de Dieu ; et ce qui jaillit de l'amour,
c'est une vie libre, disponible, joyeuse pour servir gratuitement
le prochain [103]. »

La Réforme a vu dans le mal une réalité si profonde et
si totale que seule une conversion radicale peut nous en délivrer ; et cette délivrance, loin d'être notre œuvre, ne peut venir
que de Dieu. Mais cette doctrine reste grevée de lourdes ambiguïtés. Pour expliquer leur expérience fondamentale, les réformateurs ont fait appel à des concepts comme « nature corrompue », « mono-énergétisme », « double prédestination » et
autres, qui ont surtout faussé ce qu'ils étaient censés éclairer.
De même, dès qu'ils tentent d'éclaircir le mystère du mal, ils ne
font que l'obscurcir ; ainsi Luther affirme que Dieu n'est pas
l'auteur du mal, qui incombe à la seule créature [104], mais il dit
également que Dieu fait tout, donc le mal... « En faisant mal,
il fait bien ; en détruisant, il accomplit [105]. » Et Luther n'avait

---

102. Voir notamment *op. cit.*, p. 38.
103. « *Ein freies, williges, froehliches Leben dem Nächsten um-
sonst zu dienen* » : Liberté chrétienne, nᵒ 27, cité *in* Strohl, p. 97. Sur
le *Simul peccator...*, voir Casalis, *Luther*, p. 45.
104. Cf. Strohl, *op. cit.*, p. 145.
105. Cité par Strohl, p. 156.

pas, lui, le recours qu'ont les philosophes : faire du mal un simple non-être !

Il va de soi que Kant ne pouvait accepter telle quelle cette théologie. Pourquoi ? Non pas tellement parce que toutes ses affirmations reposent sur la foi — car enfin la philosophie s'appuie elle aussi sur une foi, ne serait-ce que cette *Vernunftsglaube,* cette foi de la raison dont nous parle la *Critique* — mais parce que l'objet même de la foi chrétienne échappe à toute juridiction critique. Cette foi ne porte pas sur des idées, mais sur une histoire ; la parole du *Credo* la plus étrangère à toute philosophie n'est-elle pas « sous Ponce-Pilate » ? Là où le philosophe vise une vérité sous l'aspect de l'éternité, le croyant écoute une histoire : la création, la chute, Noël, Pâques, le jugement dernier, le monde nouveau... À la vérité logique fait place la réalité tragique. D'autre part, cette foi en l'intervention décisive du tout-autre dans notre existence ne peut représenter, pour le philosophe, qu'une démission de la conscience libre, une abdication de la volonté autonome, qui a pourtant la charge de son destin.

Ainsi, le christianisme a-t-il bien affirmé la réalité du mal : le mal, c'est ce qui ne rentre dans aucun système, c'est le scandale absolu, l'*injustifiable.* Mais ce mystère est lié à une théologie révélée, incompatible avec la libre réflexion du philosophe. Celui-ci peut-il dégager l'expérience du mal de ses implications théologiques, la « laïciser » sans la détruire ? Tel est le problème que nous rencontrerons sans cesse avec Kant.

## C. *LA PHILOSOPHIE DES LUMIÈRES*

À vrai dire l'opposition entre ces deux doctrines n'a pas toujours été sentie aussi nettement : la théologie luthérienne et la métaphysique rationaliste ont souvent échangé leurs concepts, leurs méthodes et leurs conclusions. N'est-il pas frappant d'ailleurs de voir que les termes de *privatio boni,* de *causa deficiens* sont dus à saint Augustin lui-même — encore qu'ils aient eu, chez ce dernier, un contenu autrement tragique que

chez un Leibniz [106] ? Remarquons d'autre part qu'au XVIIIe
siècle, en Allemagne du moins, théologie et métaphysique fai-
saient bon ménage ; les wolffiens admettaient que la Révélation
a sa place à côté de la philosophie naturelle et que, si celle-ci
prescrit à la théologie révélée son domaine et sa méthode, elle
respecte du moins son contenu spécifique [107]. D'autre part, les
maîtres piétistes de Kant : F. Schultz, M. Knutzen et Stapfer
lui-même étaient imbus de logique, d'ontologie et de morale
wolffiennes [108]. N'est-il pas singulier que le terme de « mal radical », Kant le doive non pas à Luther, mais à Baumgarten [109] ?
Enfin et surtout, au XVIIIe siècle, entre la théologie et la métaphysique, on voit s'ouvrir une *troisième voie*, toute nouvelle
et originale, dans laquelle il convient d'entrer maintenant.

Le XVIIIe siècle s'est défini lui-même comme le *Siècle des
Lumières*. Sans doute est-il difficile de trouver une unité entre
tous les philosophes représentatifs de ce courant ; mais on peut
découvrir un certain consensus entre eux dès qu'il s'agit du
problème du mal.

Disons d'abord que ce siècle se présente comme celui de
la *raison*. Oh ! certes, il n'en a pas le monopole, mais avec lui la
raison devient pleinement laïque, pleinement humaine : « La
raison est à l'égard du philosophe ce que la grâce est à l'égard
du chrétien », écrit Diderot ; et d'ajouter non sans ironie : « La
grâce détermine le chrétien à agir ; la raison détermine le philosophe [110]. » Alors que pour les grands penseurs du XVIIe
siècle la certitude de la raison se fondait en Dieu, elle est
maintenant pleinement autonome ; la pensée humaine n'a d'autre
répondant qu'elle-même. Et le contenu même de la raison s'en

106. Pour cette comparaison entre saint Augustin et Leibniz, voir
K. Barth, *Dogmatique,* vol. 14, p. 31.
    107. Voir sur ce point la *Metaphysica* de Baumgarten, « Reve-
latio », du n° 982 au n° 1000.
    108. C'est ce qui ressort du livre de Bohatec ; voir aussi Delbos,
p. 25ss.
    109. C'est du moins ce qu'affirme Bohatec : voir p. 269, où il
cite les *Praelectiones,* éditées en 1773 : « Ce mal moral a d'autant plus
contaminé l'homme total qu'il a poussé plus profondément ses racines
dans la connaissance, source de toutes ses actions internes et externes. »
Bohatec précise que, si Kant dit maximes là où Baumgarten dit connaissance, la *cognitio* a chez ce dernier un sens pratique.
    110. *Encyclopédie,* art. *philosophe.*

trouve transformé ; après Newton, on ne cherche plus la vérité
dans le système *a priori*, mais dans l'analyse des faits, qui
doivent révéler eux-mêmes leur structure mathématique et les
principes qui les expliquent. « Il est clair qu'il ne faut jamais
faire d'hypothèse, écrit Voltaire ; il ne faut point dire : « Com-
« mençons par inventer des principes avec lesquels nous tâche-
« rons de tout expliquer ». Mais il faut dire : « Faisons exac-
« tement l'analyse des choses [111]. » La raison est ce qui analyse
le réel, ce qui réduit le complexe au simple, le divers à l'identique. « Le philosophe forme ses maximes sur une infinité
d'observations particulières, écrit Diderot ; ainsi, il regarde
comme une maxime très opposée au progrès des lumières de
l'esprit que de se borner à la seule méditation et de croire
que l'homme ne tire la vérité que de son propre fonds [112]. »
Aussi le problème du mal va-t-il se poser de façon tout autre ;
il ne s'agit plus de spéculer dans l'abstrait, mais d'expliquer
les maux que l'on constate ; chez les « philosophes », le mal
cesse d'être un problème métaphysique ou un mystère religieux : il se pose en termes de politique, de morale, de pédagogie [113]. On ne cherche plus, ou plus guère, à concilier l'existence du mal avec la justice de Dieu ; on tente en revanche de
voir comment l'homme, lui, peut venir à bout du problème ;
la théodicée devient « anthropodicée ».

D'où un second thème, qui constitue la grande innovation
de ce siècle, le thème du *progrès*. Le mal n'est plus une imperfection essentielle, ou un mystère transcendant ; il est une
réalité visible et tangible, qu'on peut expliquer et surmonter, à
condition de n'être pas trop pressé ! Le progrès implique le
sens du relatif. Ainsi VOLTAIRE s'oppose-t-il à l'optimisme
absolu de Leibniz, que dément tragiquement le tremblement
de terre de Lisbonne et ses 50 000 morts ; mais il ne cesse pas
non plus de dénoncer le pessimisme de Pascal : « Il s'acharne
à nous peindre tous méchants et malheureux ; il écrit contre la
nature humaine à peu près comme il écrivait contre les jésuites.
Il impute à l'essence de notre nature ce qui n'appartient qu'à

---

111. *In* Cassirer, *la Philosophie des Lumières*, p. 47.
112. *Encyclopédie*, art. *philosophe*.
113. Cf. Cassirer, *op. cit.*, p. 168.

certains hommes [114].» Il faut accepter « le monde comme il va ». Rejetant pessimisme et optimisme, sachons nous contenter de vivre sans chercher à comprendre ce qui nous dépasse, car « si tout n'est pas bien, tout est passable [115] ». C'est aussi la conclusion de *Candide* : « Travaillons sans raisonner, dit Martin ; c'est le seul moyen de rendre la vie supportable [116].» Ce relativisme ne va pas, pourtant, sans un certain recours à l'absolu : l'homme des Lumières est en général convaincu que son siècle est le meilleur de tous. MONTESQUIEU proclame ainsi aux inquisiteurs d'Espagne et du Portugal : « Vous vivez dans un siècle où la lumière naturelle est plus vive qu'elle n'a jamais été, où la morale de votre Évangile a été plus connue, où les droits respectifs des hommes les uns sur les autres, l'empire qu'une conscience a sur une autre conscience, sont mieux établis [117].» On a dit à tort que les philosophes de ce siècle n'ont pas le sens de l'histoire ; ils l'ont, et profondément, mais à leur façon, ou bien ils cherchent dans le passé ce qui prélude à leur propre culture, « la civilisation », ou bien ils y voient un repoussoir, « un ramas de crimes, de folies, et de malheurs », comme dit Voltaire. En bref, le mal n'est plus une réalité absolue, ni un non-être, mais une étape qu'il incombe à l'homme de franchir.

Cette tâche est avant tout politique ; point n'est besoin d'insister ici sur ce thème bien connu. Il faut pourtant en indiquer un autre, qui importe tout autant : c'est le thème de *l'éducation* ; il joue un rôle décisif dans ce siècle qui fut celui de Fénelon, de Francke, de Rousseau, de Basedow, de Lessing, de Pestalozzi, pour ne parler que des plus grands. Pour ces pédagogues l'homme, bon ou mauvais, ne l'est que par accident ; son essence est d'être éducable, c'est-à-dire indéfiniment perfectible ; et, ce qui est encore plus nouveau, c'est qu'on croit maintenant à une éducation de l'éducateur [118], à une « pédagogie », qui permettra de transformer les esprits et les mœurs. L'homme du XVIIIe siècle ne nie pas le mal, il le combat.

114. Voltaire, *Lettres philosophiques*, 25e lettre, p. 160.
115. Cité par Cassirer, *op. cit.*, p. 165.
116. *Candide, in Contes et Romans,* t. II, p. 130.
117. L'Esprit des lois, XXV, 9.
118. K. Barth, *Images du XVIIIe siècle*, p. 51.

Mais comment le définit-il ? Ici on peut faire intervenir un autre thème, que le Siècle des Lumières n'a pas inventé, mais qu'il a porté à l'absolu : celui de la *Nature*. Encore un mot auquel le xviiie siècle donnera la majuscule ! Il recouvre d'ailleurs des concepts si divers qu'on n'en peut saisir l'unité que par référence à ce à quoi il s'oppose. La Nature, c'est le mécanisme et aussi la finalité, le déterminisme et la liberté, la civilisation opposée à la barbarie et aussi l'heureuse innocence du sauvage, c'est la raison contre les passions et aussi le sentiment contre la raison ; c'est la vraie religion et aussi la revendication humaine contre toute religion ; la nature, c'est un jardin à la française et aussi un jardin à l'anglaise ! Oui, mais c'est toujours ce qui s'oppose à l'arbitraire et à la contrainte, à la contingence et à la convention, surtout quand ceux-ci prétendent s'ériger en normes universelles. Le mal n'est donc plus du tout un caractère inhérent à notre nature : il est l'anti-nature. C'est en ce sens qu'on combat la religion : parce qu'elle conduit l'homme à douter de sa nature et à s'en défier, parce qu'elle fait de lui, en présence d'un despote invisible, un valet et un lâche, donc la proie de tous les tyrans [119].

Ce n'est pas que tous les penseurs du xviiie siècle fussent antireligieux, loin de là ! La plupart pensent moins à critiquer le christianisme qu'à l'interpréter, moins à le dissoudre qu'à l'intégrer. On croit en Dieu, et sincèrement, mais on lui prescrit ce qu'il doit être, conformément à la raison et à la morale humaine. La grande innovation n'est pas l'irréligion, c'est la *tolérance*. Tolérance, ce n'est pas condescendance hautaine devant l'erreur, ni indifférence envers la vérité ; c'est le principe même de la philosophie, et je dirais d'abord : de la science. Car l'ennemi du savoir n'est pas le doute, ni même l'ignorance, mais le dogme, qui paralyse la recherche, en posant le but comme déjà atteint. Et ceci vaut encore, vaut surtout sur le plan religieux. Ici le pire danger c'est la superstition, qui paralyse toute recherche et étouffe toute sincérité sous une croyance aveugle en des traditions contingentes [120]. « Je meurs... en détestant la superstition », dit Voltaire dans son

119. Voir sur ce point Cassirer, *op. cit.*, p. 154.
120. Cité par Cassirer, p. 177 ; cf. p. 176ss.

testament. Cet aveuglement volontaire, cette « fureur dogmatique » est bien la source de tous les vices et de toutes les
guerres. C'est pourquoi la tolérance est la condition non seulement de la science, mais de la vraie morale et de la vraie
religion ; elle représente ici l'humilité intellectuelle, le respect
des autres — non de leur erreur, mais de leur recherche —
la distinction salutaire, mais si difficile, entre le contingent et
l'universel. Et l'universel, c'est la morale : « La morale est une,
elle vient de Dieu ; les dogmes sont différents, ils viennent de
nous [121]. » La superstition correspond bien à ce que les hommes
du XVIIIe siècle entendent par le mal absolu : le refus du relatif,
l'arbitraire pris pour l'évident, la démission de l'esprit critique,
le refus d'être sincère. Elle est la source des violences, des abus,
des guerres, peut-être de tous les maux.

Ce que tous ces thèmes expriment en commun, c'est
l'*exaltation de l'homme*. Le philosophe des Lumières est celui
qui se libère de tout ce qui passe sa raison, qui tente d'aliéner
sa volonté, aussi bien dans ce monde que dans l'autre. Ainsi
est-il un aspect de la religion qui semble particulièrement honni
à cette époque, c'est le dogme du péché originel, avec son
corollaire, le salut par la grâce. Comme le dit Cassirer :
« L'idée du péché originel est en effet la cible commune qui
unit dans leur lutte les diverses tendances de la pensée des
Lumières. Hume lutte aux côtés du déisme anglais, Rousseau
aux côtés de Voltaire : il semble que pour un temps, afin
d'abattre cet ennemi commun, il ne reste rien des différences
et des divergences [122]. » Et notons-le bien : ce qu'on rejette,
ce n'est pas seulement l'idée absurde et immorale d'une faute
héréditaire, c'est la signification même du dogme, qui fait de
tout homme un être coupable, enclin au mal, incapable de
faire le bien et n'ayant d'autre recours que la grâce divine.
C'est ici un point essentiel du débat entre l'*Aufklärung* et le
christianisme. S'il a une juste conscience de ses limites, l'homme des Lumières refuse d'ériger cette conscience en absolu ;

---

121 Voltaire, *Dictionnaire philosophique*, art. *dogmes ;* cette
phrase pourrait être de Kant ! Mais Kant n'emploierait pas les mots
tout à fait dans le même sens.
122. *Le Siècle des Lumières*, p. 159 ; cf. p. 174.

il affirme qu'il peut surmonter ses impuissances, par la science, par l'action politique, par la pédagogie, par la vertu. Mieux encore, il estime que l'humanité, avec tous ses défauts, représente dans le monde quelque chose d'irremplaçable. Voltaire a peut-être dit le dernier mot de la question à la fin de son *Poème sur le désastre de Lisbonne,* quand il s'adresse au nom de l'homme à la Divinité :

> *Je t'apporte, ô seul roi, seul être illimité,*
> *Tout ce que tu n'as pas dans ton immensité,*
> *Les défauts, les regrets, les maux, et l'ignorance.*

Nous voilà bien loin du « nous sommes ces quelques-uns » de Leibniz !

Il est pourtant deux penseurs qui jettent une note discordante dans ce concert : c'est Hume et c'est Rousseau. Nous ne parlerons ici que du second. J.-J. ROUSSEAU s'est lui-même opposé, et avec quelle violence ! au consensus de son siècle. Et il est normal que les « philosophes » aient fini par voir en lui un traître, un « faux frère ». N'a-t-il pas défendu avec véhémence la Providence contre les accusations de Voltaire ? « Tout est bien sortant des mains de l'Auteur des choses, tout dégénère entre les mains de l'homme », écrit-il au début de l'*Émile* [123]. N'a-t-il pas proclamé sa foi en un Dieu personnel tout en accusant l'homme d'être l'auteur de ses propres maux ? « C'est l'abus de nos facultés qui nous rend malheureux et méchants », déclare son *Vicaire.* « Nos chagrins, nos soucis, nos peines, nous viennent de nous. Le mal moral est incontestablement notre ouvrage, et le mal physique ne serait rien sans nos vices, qui nous l'ont rendu sensible [124]. » N'a-t-il pas aussi attaqué de front le mythe du progrès, en proclamant que le développement des sciences et des arts nous rend méchants et malheureux, et contestant ce qui tenait le plus à cœur à ses contemporains : le raffinement, la culture esthétique, la curiosité scientifique, en un mot les Lumières ? Ce n'est point certes l'amour de la nature qui distingue Rousseau, mais l'affir-

123. *Émile,* p. 5.
124. *Émile,* IV, p. 341.

mation que la culture contredit la nature, et que celle-ci survit en nous non pas dans nos arts et dans nos sciences, mais dans notre conscience : « Grâce au ciel, nous voilà délivrés de tout cet effrayant appareil de philosophie : nous pouvons être hommes sans être savants [125]. » Enfin et surtout, Rousseau n'a-t-il pas été l'unique philosophe à se reconnaître lui-même coupable, à proclamer sans honte, et parfois sans pudeur, ses propres fautes à la face du monde ? Dans ses *Confessions,* après l'épisode du ruban volé, il écrit de la malheureuse servante qu'il avait accusée à tort, et dont il pensait qu'elle allait sombrer dans le vice : « Eh ! si le remords d'avoir pu la rendre malheureuse est insupportable, qu'on juge de celui d'avoir pu la rendre pire que moi [126]. » Aveu étonnant, qu'on imagine mal chez un autre philosophe de ce siècle...

Et pourtant, l'opposition de Rousseau à son époque n'est peut-être qu'apparente. N'est-il pas au fond celui qui a exprimé avec le plus de profondeur les exigences de ce siècle ? Car il ne s'oppose pas à la philosophie, mais à une certaine philosophie, qu'il juge superficielle et dangereuse. Il ne s'attaque pas au progrès, mais à une certaine illusion du progrès, qui nous masque la force des obstacles à vaincre. Kant a mieux compris que personne l'unité de la pensée de Rousseau ; il dit ainsi que si les deux premiers *Discours* insistent sur la contradiction entre nature et civilisation, les œuvres ultérieures cherchent à surmonter la contradiction, « en faisant que l'art, atteignant sa perfection, devienne de nouveau nature ; ce qui est la fin dernière de la destination morale pour l'espèce humaine [127] ». Si Rousseau a mieux senti que ses contemporains la force du mal, il a cru autant qu'eux à la possibilité de le surmonter.

Aussi ramène-t-il comme eux la théodicée à un problème concret, à une question de politique, de pédagogie, de vertu. Mais, avec bien plus de rigueur, il assigne au mal une origine et une cause précises. C'est bien là ce que signifie le principe que l'homme est bon — ou plutôt innocent — par nature : la

---

125. *Émile,* IV, p. 355.
126. *Confessions,* p. 93.
127. *Conjectures sur les débuts de l'espèce humaine, in* **PH** 164.

possibilité de découvrir la cause de ses maux. « Posons pour maxime incontestable que les premiers mouvements de la nature sont toujours droits : il n'y a point de perversité originelle dans le cœur humain ; il ne s'y trouve pas un seul vice dont on ne puisse dire comment et par où il y est entré [128]. » Et ce savoir permet d'agir, aussi bien en pédagogie qu'en politique. Dans les deux cas, le mal est le fait que l'homme commande à l'homme [129] ; et l'on en triomphera en remplaçant la contrainte de l'obéissance par l'obéissance à la loi, à la raison. Certes, Rousseau décrit le mal moral en des termes très proches de ceux de Pascal : le mal par excellence, et source des autres maux, est l'*amour-propre*, ce besoin de se comparer aux autres, de se voir à travers leur regard, ce qui rend chacun malheureux, dépendant et hostile : « L'amour-propre, qui se compare, n'est jamais content et ne saurait l'être, parce que ce sentiment, en nous préférant aux autres, exige aussi que les autres nous préfèrent à eux ; ce qui est impossible [130]. » Plus tragique encore ce passage des *Dialogues* : « Tous cherchent leur bonheur dans l'apparence, nul ne se soucie de la réalité. Tous mettent leur être dans le paraître : tous, esclaves et dupes de l'amour-propre, ne vivent point pour vivre, mais pour faire croire qu'ils ont vécu [131]. » Mais cet homme « aliéné » par l'amour-propre, c'est l'homme de la société, et avant tout de la société contemporaine. L'amour-propre n'est pas naturel ; il est le produit de la vie en commun et de la réflexion, « un sentiment relatif, factice et né dans la société » ; il est général, mais il n'est pas normal. Aussi pouvons-nous nous en délivrer, par une révolution politique et pédagogique, révolution que Rousseau lui-même voulait illustrer par sa vie.

C'est pourquoi, si personnelle et sincère que soit sa religion, Rousseau est convaincu, comme son siècle, que la superstition est le scandale des scandales, « que l'ignorance n'a jamais fait de mal, que l'erreur seule est funeste, et qu'on ne s'égare point par ce qu'on ne sait pas, mais par ce qu'on croit

128. *Émile*, II, p. 81.
129. Cf. *ibid.*, p. 123, et tout le début du *Contrat social*.
130. *Émile*, IV, p. 249.
131. Troisième dialogue de *Rousseau juge de Jean-Jacques*, p. 936.

savoir [132] ». Lui aussi s'insurge contre l'irrationnel en théologie et met l'essentiel de la vie religieuse dans la morale ; de là
l'erreur de « toute religion dogmatique où l'on fait l'essentiel
non de faire, mais de croire [133] ». Surtout il s'attaque lui aussi
au dogme du péché originel : si l'homme est « méchant natu-
rellement, il ne peut cesser de l'être sans se corrompre, et la
bonté n'est en lui qu'un vice contre nature [134] » ! Oui, le mal
existe par l'homme, mais l'homme peut lui assigner une cause
précise et par là le surmonter ; ce n'est pas Dieu qui nous déli-
vrera, c'est nous [135]. À vrai dire, cette anthropodicée ne va
pas sans une certaine équivoque ; car si le mal est un produit
de l'histoire et de la culture, est-il encore le fait de l'homme ?
L'homme n'est-il pas plutôt victime que coupable ?

La position de Rousseau est loin d'être claire sur ce chapitre. Dans ses *Confessions* et ses *Dialogues,* il ne nous présente pas ses innombrables ennemis comme de pauvres victi-
mes de leur milieu et de leur temps : ils sont méchants, et
l'histoire jugera. S'agissant de lui-même, Rousseau est plus
nuancé. Oh ! oui, il s'accuse, mais dans la seconde moitié des
*Confessions,* l'auto-accusation tourne à l'autojustification et au
réquisitoire contre les autres. D'ailleurs l'aveu de la faute
n'est-il pas *ipso facto* ce qui l'absout, mieux encore : la preuve
que celui qui avoue est innocenté par sa sincérité même ? Jean-
Jacques a fait une claire allusion, au début de l'*Émile*, à l'abandon de ses enfants ; et il dit dans ses *Confessions* « qu'après un
tel passage, il est surprenant qu'on ait eu le courage de me [le]
reprocher [136] » : moi qui me repens ainsi, comment pouvez-vous
me juger méchant ! Mes actes peuvent être coupables, mon
cœur est resté pur : « J'étais homme et j'ai péché ; j'ai fait
de grandes fautes que j'ai bien expiées, mais jamais le crime
n'approcha de mon cœur. Je me sens juste, bon, vertueux, autant qu'homme qui soit sur la terre [137]. » Malgré ses fautes,

132. *Émile*, III, p. 184.
133. *Confessions*, II, p. 50.
134. *Émile*, IV, p. 349.
135. Cf. Cassirer, *op. cit.*, p. 173.
136. *Confessions*, XII, p. 702.
137. Lettre du 26 février 1770, citée par Jacques Voisine dans sa
remarquable introduction aux *Confessions*, p. XXXI.

graves et nombreuses, il reste bon. Bon par son amour sincère
de la vertu : « Et vous aussi, Sophie, vous me croyez un méchant ? Mais pourtant comment se fait-il que la vertu me soit
si chère ? Que je sente en moi le cœur d'un homme de
bien [138]. » « Qu'on me montre un homme meilleur que moi !
Qu'on me montre une âme plus aimante [139]. » Et c'est déjà la
célèbre déclaration : « Et puis qu'un seul te dise, s'il l'ose :
*Je fus meilleur que cet homme-là* [140]. »

Pourquoi la faute, alors ? Pourquoi cette étrange contradiction entre ce qu'on est et ce qu'on fait ? « Je sentais,
moi qui me suis cru toujours, et qui me crois encore, à tout
prendre, le meilleur des hommes, qu'il n'y a point d'intérieur
humain, si pur qu'il puisse être, qui ne recèle quelque vice
odieux [141]. » En fait, si les vices ont une origine assignable
quand il s'agit du genre humain, il en va ainsi quand il s'agit de
Rousseau lui-même. S'il est bon mais non vertueux c'est souvent
par erreur : « J'ai pu me tromper, mais non m'endurcir », dit-il
au sujet de l'abandon de ses enfants [142] ; « ma faute est grande,
mais c'est une erreur [143]. » Par faiblesse, surtout : on peut être
bon, et sincèrement, sans avoir la force d'être vertueux ; au
sujet du ruban volé, il écrit : « Dans la jeunesse, les véritables
noirceurs sont plus criminelles encore que dans l'âge mûr : mais
ce qui n'est que faiblesse l'est beaucoup moins, et ma faute,
au fond, n'était guère autre chose [144]. » Comme l'homme de la
nature, l'homme Rousseau a été faussé par la civilisation ; et
sa bonté foncière demeure et se manifeste dans la vigueur et la
sincérité avec laquelle il réagit : « Si je n'aime pas à vivre
parmi les hommes, c'est moins ma faute que la leur [145]. »

L'opposition de Rousseau à son siècle en est aussi, peut-
être, la plus haute expression. Oui, il s'écarte de ses contem-

138. Lettre à Sophie, du 19 décembre 1757, in *Confessions*, p. xix.
139. *Ibid.*, lettre du 2 novembre 1757.
140. *Confessions*, i, p. 5 : souligné dans le texte ; cf. l'introduction de J. Voisine, p. xxii et xli, ss.
141. *Confessions*, x, p. 608-609.
142. *Confessions*, viii, p. 423.
143. *Ibid.*, p. 425 ; cf. p. 228.
144. *Ibid.*, p. 94 (livre II).
145. *Confessions*, v, p. 217.

porains, incapables de l'aimer et de le comprendre : « Ils ont toujours jugé de mon cœur par les leurs [146]. » Mais n'est-ce pas au nom de ce siècle et de ses valeurs propres qu'il s'oppose à lui ? L'homme de Rousseau est un homme perverti qui peut se sauver par son propre effort, non un pécheur qui n'a d'autre recours que la grâce divine ; c'est un être qui peut, collectivement ou individuellement, être bon et heureux par lui-même. Et quand on lit l'œuvre de Rousseau, ne croit-on pas entendre en sourdine cette admirable musique du XVIIIe siècle qui, même dans ses accents les plus déchirants, reste une musique heureuse ? Rousseau a porté à son point culminant l'optimisme des Lumières et, quand il écrit : *nul ne fut meilleur que cet homme-là,* il définit au fond, bien à son insu, ce que pensait être, ce que voulait être, l'*homme du Siècle des Lumières.*

## D. *TROIS HOMMES EN KANT*

En face du problème du mal, j'ai cru pouvoir définir trois types de doctrines, ou mieux trois types d'hommes : le métaphysicien rationaliste, le théologien luthérien, le philosophe des Lumières. Définition trop schématique, certes. Et pourtant ces trois hommes existent pour Kant ; je dirais même plus : ils sont en Kant, ils sont Kant.

Kant est d'abord, et sans conteste, un homme des Lumières, un *Aufklärer.* Comme ses contemporains, il est convaincu que son siècle est le meilleur de tous : « Moralement, notre époque vaut mieux que toutes celles qui l'ont précédée [147]. » Et il est significatif qu'au soir de sa vie il ait salué la Révolution française, pour garder ensuite une foi enthousiaste aux valeurs qu'elle représentait [148]. Dans son opuscule *Qu'est-ce que les Lumières ?,* il a lui-même défini l'esprit de son siècle comme le refus de toute tutelle, le passage de la minorité à l'âge adulte : « Cette minorité est *coupable,* du moment qu'elle ne provient pas de ce qu'on manque d'intelligence, mais de la résolution, du courage de s'en servir sans la direc-

---

146. *Confessions,* XII, p. 760.
147. *La Fin de toutes choses,* p. 223 ; cf. RL 174.
148. Voir notre chap. VI.

tion d'autrui. *Sapere aude* ! Aie le courage de te servir de *ta propre* intelligence : voilà la devise des Lumières [149]. » Comme ses contemporains, Kant dénonce tout ce qui tente d'aliéner notre liberté intellectuelle et morale, en particulier la superstition, l'*Aberglaube* [150]. Plus que tout autre, il croit à la pédagogie comme possibilité d'améliorer l'homme en partant de la racine ; d'ailleurs chez lui la théorie est toujours « doctrine », ce qui s'enseigne : *Lehre*. Kant est un homme qui croit au progrès, non seulement en politique, mais en morale, où s'affirme la vocation humaine à un progrès à l'infini. En métaphysique surtout : si la « Dialectique de la raison pure » renvoie dos à dos tous les dogmatismes, celui de la négation comme celui de la position, c'est pour mettre à la place du savoir absolu le progrès indéfini du savoir. K. Barth a raison lorsqu'il écrit de Kant : « Dans cet homme et dans cette œuvre, le xviiie siècle s'est vu, s'est compris, s'est approuvé dans ses limites [151]. »

Ce sens des limites nous fait voir un autre Kant, le *métaphysicien rationaliste*. Ici le rapport est plus complexe, puisqu'il oppose justement la « critique de la raison » à la raison triomphante de la métaphysique dogmatiste. Mais la rupture avec le dogmatisme ne veut pas dire rupture avec toute métaphysique possible. Si la raison pure est sommée de définir ses propres limites et de s'y tenir, ce n'est pas pour s'anéantir, c'est pour se sauver. On ne peut plus prétendre à une connaissance métaphysique ; il reste en revanche une métaphysique de la connaissance, oui, et du droit, de la morale, de l'art, de l'homme — une métaphysique qui demeure comme « l'accomplissement de toute culture de la raison humaine [152] » — une métaphysique d'autant plus sûre d'elle-même qu'elle assume ses propres limites. Je dis bien métaphysique, car, comme chez les grands rationalistes, Kant définit celle-ci : « une connaissance *a priori* ou d'entendement et de raison pure [153] ». Comme chez

149. AKS 1 = PH 83.
150. Voir notre chap. v.
151. *Die protestantische Theologie im 19. Jahrhundert,* p. 237.
152. RV 878 = RP 568.
153. PG 20 ; cf. l'introduction à la *Métaphysique des mœurs,* MS 215-217 et RP 563ss.

eux aussi, cette connaissance est systématique ; elle constitue
« le système de la raison pure [154] » ; tout comme un Wolff ou
un Spinoza, Kant affirme que la métaphysique ne peut être
qu'une connaissance complète et achevée, qu'elle est tout ou
qu'elle n'est rien [155] ; n'est-il pas significatif que sa philosophie
se présente dans son ensemble comme une architectonique ?
Enfin et surtout, la raison pure, si limitée soit-elle, récuse *a
priori* tout ce qui contesterait son pouvoir de juridiction, théorique ou pratique : miracle, révélation, autorité, tradition —
en un mot tout l'irrationnel ; il y a l'inconnaissable, non du
mystère ; du suprasensible, non du surnaturel. Même lorsque
Kant nous dit : « j'ai dû abolir le savoir pour faire une place
à la foi », ce savoir n'est autre qu'une illusion de l'absolu, et
cette foi est une foi de la raison. Et s'il repousse l'illusion de
l'absolu, n'est-ce pas pour rendre pleine justice à cet absolu
qu'est l'homme ? Kant s'oppose à tout empirisme parce qu'il
voit là une démission de l'esprit humain devant le donné, une
abdication qui ravale la connaissance et la morale à un enre-
gistrement passif, à un jeu de réflexes conditionnés ; ce n'est
pas seulement contre Hume qu'il défend la « dignité » de
l'esprit humain, c'est contre toute philosophie qui prétend
nier l'activité législatrice, universelle et nécessaire de l'esprit [156].
Tel est, pensons-nous, le sens de la « révolution copernicienne » : parce que la raison a d'abord défini ses propres limites,
elle est en droit d'affirmer que c'est elle-même qui impose à
l'expérience les structures *a priori* qui font de l'expérience une
connaissance universelle et nécessaire, un objet ; parce que
c'est elle encore, la raison, et elle seule qui propose à l'homme
ses valeurs éthiques, esthétiques et religieuses. Kant n'a pas nié
la métaphysique, il l'a ramenée du ciel sur la terre, et sa question première n'est plus : qu'est-ce que Dieu, mais : qu'est-ce
que l'homme [157] ?

  Kant est aussi un *croyant*. Laissons de côté, pour l'instant, la question si épineuse du rapport de sa foi avec le chris-

154. RV 868 = RP 563.
155. Cf. RP 21 et 26-27.
156. Cf. PR 9 à 11.
157. Cf. RP 543.

tianisme. Disons simplement que cette foi est profonde et authentique. Kant n'a jamais renié l'éducation chrétienne qu'il avait reçue ; il en a gardé l'esprit, sinon la lettre. Lorsqu'il récuse le « savoir » métaphysique pour affirmer la foi de la raison en Dieu et en l'immortalité personnelle, qu'est-ce à dire, sinon ceci : ce qui nous importe le plus au monde, notre honneur et notre bonheur, n'est pas une question de connaissance mais de foi, une foi qui n'est pas l'apanage de quelques savants, philosophes ou théologiens, mais de tous les hommes de bonne volonté. D'après le peu que l'on sache de sa vie intime, Kant a mis lui-même sa foi en pratique, en toute confiance et humilité. Il n'a pas caché, même à ses adversaires, qu'à ses propres yeux il était peut-être un « homme mauvais », *ein böser Mensch* [158]. D'autre part, il est hors de doute qu'il pense à lui-même quand il décrit, dans l'*Anthropologie,* l'expérience de la conversion :

> On peut admettre que l'acte qui fonde ce caractère, à la manière d'une seconde naissance, constitue une promesse solennelle que l'homme se fait à lui-même ; cet acte, et l'instant où il se produit, sont, comme une ère nouvelle, inoubliables pour lui. Cette vigueur et cette fermeté dans les principes ne peuvent pas être produites par l'éducation, les exemples et l'enseignement, mais par une sorte d'explosion, qui résulte tout d'un coup d'un dégoût pour les fluctuations de l'instinct [...] C'est une vaine tentative que de vouloir devenir progressivement meilleur ; car une impression s'efface pendant le temps qu'on s'applique à une autre ; l'acte qui fonde le caractère est l'unité absolue de principe intérieur de la conduite en général [...] En un mot, se donner pour maxime suprême d'être véridique dans l'aveu intérieur et dans la conduite à l'égard des autres, c'est la seule preuve de caractère que peut se donner la conscience d'un homme (p. 142).

À partir de là, on peut comprendre comment se présente le problème du mal. Pour Kant philosophe des Lumières, le mal n'est pas autre que ce qui fait obstacle au progrès : la paresse à penser, l'abdication devant les pouvoirs, la superstition sous toutes ses formes ; le mal est ce qui nous empêche

---

158. Dans sa controverse avec Herder ; cf. KS 45 = PH 125.

d'être adulte [159]. Pour Kant métaphysicien, le mal est l'erreur, une erreur fondamentale, inhérente à la raison humaine, puisque celle-ci est toujours tentée d'outrepasser son pouvoir législatif, ou de le méconnaître. Chez Kant croyant, le mal prend un aspect plus positif et plus tragique : la doctrine du mal radical, si elle résulte de la morale rationnelle, représente pourtant, sinon une faillite, du moins une faille dans cette morale. Au « tu dois donc tu peux » de l'homme autonome [160] répond la misère de l'homme pécheur : je ne fais pas ce que je dois. Kant reprend à son compte la maxime terrible de saint Paul : « Il n'en est pas un seul qui fasse le bien [...] ; non, pas un seul [161]. » Si le philosophe a critiqué de fond en comble la dogmatique luthérienne, n'est-il pas pourtant vrai qu'il part de la même expérience fondamentale que celle de Luther, l'expérience du mal radical ?

159. Voir *Qu'est-ce que les Lumières ?*, début.
160. Cette formule célèbre risque de faire méconnaître la pensée exacte de Kant. Elle n'est vraie qu'au niveau de la conscience et il faudrait dire, comme le philosophe lui-même : j'ai conscience que je peux faire quelque chose *parce* que j'ai conscience que je dois le faire (cf. PR 30) ; la loi morale est la *ratio cognoscendi* de la liberté, la cause qui la fait connaître. Sur le plan de l'être, de l' « Intelligible », la formule n'est plus exacte : c'est la liberté qui est la *ratio essendi* de la loi morale, la cause qui la fait être (cf. PR 2, note 2) : « S'il n'y avait pas de liberté, la loi morale *ne se trouverait nullement en nous* » (*ibid.*, souligné par Kant). C'est en ce sens que les wolffiens ont raison : « La nécessité morale (lisez l'obligation) ne peut exister... là où n'existe pas de liberté... Bien plus, si l'on pose *la loi morale universelle (posita lege morali universalissima),* c'est-à-dire celle qui détermine toutes les actions libres de toutes les substances libres, toutes les actions libres sont soit moralement nécessaires, soit défendues » (Baumgarten, *Metaphysica,* n° 724). Si nous persistons ici à employer la formule « tu dois donc tu peux », c'est uniquement pour abréger.
161. RG 39 = RL 60.

# II

## Genèse et évolution de la doctrine du mal

Kant a étudié la nature et l'origine du mal moral dans un texte essentiel : l'*Essai sur le mal radical* de 1792. Qu'en est-il de ses œuvres antérieures ? Elles n'abordent guère le problème du mal en lui-même, encore qu'il apparaisse souvent en filigrane même dans les écrits qui ne touchent pas à la morale. Peut-on dire que de tous ces textes épars et plus ou moins allusifs se dégage une doctrine du mal, une doctrine qui prépare et annonce celle du mal radical ?

### A. KANT, DISCIPLE DE LEIBNIZ

Dans toutes ses premières œuvres, celles qui sont antérieures à 1763, Kant se tient résolument dans la ligne de Leibniz et de Wolff ; il ne fait que prolonger leur pensée. D'ailleurs, le jeune philosophe est aussi un chercheur, astronome, physicien, géographe, psychologue, enthousiasmé par la science, en particulier par les découvertes de Newton.

On le remarque dès son ouvrage de 1755, *Histoire universelle de la nature et théorie du ciel*, où non seulement il tente de pousser aussi loin que possible l'explication newtonienne, mais où il se livre à des spéculations assez hasardeuses. Il émet l'hypothèse, inspirée par l'attraction universelle, que la

matière est d'autant plus subtile que l'on s'éloigne davantage
du soleil et que, comme la vie de l'âme dépend de la structure
du corps, les planètes éloignées sont habitées par des êtres
purement spirituels et raisonnables : leur perfection « croît
progressivement [...] de Mercure jusqu'à Saturne en proportion
de leur éloignement au soleil [1] ». Si les heureux habitants des
planètes éloignées sont totalement maîtres de leur nature, ceux
de Mercure et de Vénus ont des corps trop épais pour jouir
d'une vie spirituelle raisonnable et responsable. Le péché n'ha-
bite pas plus chez ces brutes que chez les sages de Saturne.
Entre eux se trouve l'homme, dans cet entre-deux redoutable
où l'esprit doit sans cesse lutter contre la matière, la raison
contre les sens, où toute ascension peut être suivie d'un nau-
frage. Doté d'assez d'esprit pour connaître le vrai et le bien,
l'homme ne réussit que rarement à dominer son corps et ses
instincts ; il est coupable et malheureux, alors que l'ange et la
bête atteignent sans effort et sans chute leur destination naturelle.

Cette hypothèse hasardeuse a pourtant une valeur de
symbole ; elle exprime bien l'essence ambiguë et tragique de
la condition humaine, que développera plus tard la morale de
Kant. En attendant, sa théodicée dépend étroitement de celle
de ses prédécesseurs.

La grossièreté relative de notre corps, dit Kant, a pour corollaire
« une force d'inertie de la pensée » (cf. la *vis inertiae* de Wolff) qui est
à l'origine de nos erreurs et de nos vices [2]. Faute de se libérer du sensible, l'esprit tombe dans la précipitation et la passion, elle-même con-
comitante à une représentation obscure [3]. La qualité de la représentation
détermine celle du désir : de l'idée confuse du bien naît un désir sensible, de l'idée distincte une volonté raisonnable. Ainsi toute la morale
dépend-elle d'une connaissance claire et distincte. Le péché n'est que la
faiblesse, l'aveuglement, la folie. Et pourtant l'homme en est coupable,
car il suffit que nos concepts soient assez clairs et distincts pour qu'ils
l'emportent sur les mobiles sensibles [4].

La même année, 1753, Kant publie sa première thèse, la
*Nova dilucidatio*, dont nous parlerons au chapitre iv. Remar-

1. *In* Bohatec, p. 64.
2. *In* Bohatec, p. 66.
3. *In* Bohatec, p. 67.
4. Sur cette œuvre, voir Bohatec, p. 63 à 68, et Delbos, p. 75-76.

quons ici qu'il s'y montre plus rationaliste, je dirais : plus spi-
noziste, que les leibniziens ; il remplace le principe de raison
suffisante par celui, plus mécaniste, de raison déterminante et
refuse la distinction leibnizienne entre nécessité absolue et
nécessité hypothétique. Toute nécessité est absolue, ce qui
n'empêche pas que nos actes ne soient libres du moment qu'ils
découlent d'une nécessité intérieure à nous-mêmes, et que le
mal qui provient de notre nature ne nous soit imputable. Mais
comment concilier l'existence du mal dans le monde avec la
sagesse et la toute-puissance de son Créateur ? C'est que Dieu
a voulu créer un monde comprenant tous les degrés de perfection, et non seulement le degré supérieur ; c'est, d'autre part,
que les biens résultent même des plus grands maux ; aussi le
monde serait-il moins parfait sans le mal qu'il comporte.
D'ailleurs, la faute morale n'est pas voulue par Dieu, elle résulte
de la spontanéité interne du coupable : « En retranchant ainsi
les causes du mal, en les contenant dans la mesure permise par
l'entier respect de la liberté, Dieu fait assez voir qu'il est
ennemi du mal moral, tout en montrant son amour pour les
perfections qui peuvent provenir du mal même [5]. »

Le tremblement de terre de Lisbonne n'ébranlera pas cet
optimisme métaphysique. Dans les trois essais sur les tremble-
ments de terre qu'il publie dans l'année 1756, Kant explique
scientifiquement les causes du phénomène, sans s'en indigner,
en s'étonnant même qu'on puisse s'en indigner. D'ailleurs la
secousse qui a détruit Lisbonne n'a-t-elle pas multiplié à
Téplice, en Bohême, les sources d'eau curative ? « Les habitants de cette dernière ville avaient leurs raisons de chanter
*Te Deum laudamus,* tandis que ceux de Lisbonne entonnaient
de tout autres chants. » Et Kant précise : « L'homme est si
imbu de lui-même qu'il se considère purement et simplement
comme le but unique des arrangements de Dieu, comme si ces
derniers n'avaient que lui seul, pour régler là-dessus les mesures à prendre dans le gouvernement du monde [...]. Nous
sommes une partie de la nature et nous voulons être le tout [6]. »

5. ND, trad. Tissot, p. 49 ; voir Delbos, p. 84ss., et Bohatec, p.
68ss.

6. *In* Delbos, p. 86 ; cf. Ruyssen, p. 7ss.

L'ouvrage le plus leibnizien de Kant est certainement *Quelques considérations sur l'optimisme,* paru en 1759, qui prétend renforcer la *Théodicée* de Leibniz en réfutant les objections qu'on avait pu lui faire après la mort de son auteur. La principale est celle de A. F. REINHARD, qui niait qu'un *seul* monde pût comporter le maximum de perfections, que le meilleur des mondes possibles fût nécessairement unique : « En effet, de même que des sommes égales peuvent être obtenues avec des additions différentes (exemple : $3 + 5 = 2 + 6 = 7 + 1$...), des mondes différents (par les éléments qui les composent) peuvent comporter chacun la plus grande perfection [7]. » Pourquoi donc Dieu a-t-il créé *notre* monde plutôt qu'un autre aussi parfait ? Cela résulte de son choix arbitraire. — Kant répond en invoquant le principe leibnizien des « indiscernables » : deux mondes également parfaits ne différeraient en rien l'un de l'autre ; ils seraient un seul monde ; et même s'ils différaient seulement par leur matière, c'est pourtant que l'un manquerait de quelque chose qui serait dans l'autre ; il serait donc moins parfait [8]. Bref, on ne peut identifier perfection métaphysique à grandeur mathématique. Ce principe va permettre de réduire une autre objection : on dit que le meilleur des mondes ne peut pas plus exister que le nombre le plus grand. Mais le monde le plus réel (ou parfait, c'est pareil) ne veut pas dire le monde le plus grand. La perfection n'est pas une grandeur mathématique : elle est absolue en Dieu et superlative dans le monde créé, qui a toute la réalité qu'il peut avoir sans être Dieu ; voilà ce qui définit sa limite nécessaire : il ne peut comporter l'indépendance, la suffisance, l'ubiquité, la puissance créatrice, etc., — car sinon il serait Dieu [9]. Bref, le meilleur des mondes est logiquement possible, et c'est lui que Dieu a choisi nécessairement. Nécessairement : Kant dénie à Dieu toute liberté d'indifférence, tout arbitraire, toute possibilité de choisir ce qu'il saurait clairement n'être pas le meilleur des choix ; « honnie soit une liberté qui, foulant aux pieds tous les droits de la sagesse, relègue dans un éternel néant la meil-

---

7. *In* Ruyssen, p. 8.
8. *Quelques considérations sur l'optimisme,* trad. Festugière, p. 61-62.
9. Cf. *ibid.,* p. 62 à 65.

leure de toutes les créations possibles, pour commander au mal de parvenir à l'être [10] !» De ce monde le meilleur, l'homme n'est qu'une parcelle infime et indigne mais qui trouve sa joie à contribuer au plan divin en comprenant « que l'ensemble est au mieux, et que tout est bon par rapport à l'ensemble [11] ».

Publié tout à la fin de cette période, en 1763, *l'Unique Fondement possible d'une démonstration de l'existence de Dieu* est plus original ; on y rencontre bien davantage le Kant astronome et physicien, convaincu, avec Spinoza et contre Leibniz, que Dieu est la source des essences, c'est-à-dire des lois naturelles et de leur nécessité, et que l'ordre des choses est bon, même s'il ignore les petites exigences des hommes : « [...] je trouverais même étonnant, dès l'instant qu'une chose a lieu, ou peut avoir lieu, selon le cours naturel des lois générales, que cette chose déplût à Dieu et dût être améliorée par un miracle [12] ». La nécessité des lois scientifiques, l'enchaînement nécessaire des phénomènes et leur réciprocité, l'unité de toute la nature : cela témoigne de l'existence du Créateur autrement mieux que n'importe quel miracle, et même que la finalité des êtres vivants [13].

Il y a donc chez le jeune Kant un leibnizien et un savant newtonien : l'optimisme métaphysique de l'un se conjugue avec le déterminisme de l'autre pour rejeter tout anthropomorphisme et nier la réalité absolue et absolument scandaleuse du mal. Il est remarquable, d'une part, que le jeune Kant démontre son optimisme métaphysique par des arguments entièrement *a priori* et qu'il récuse systématiquement le témoignage des faits.

Bien des années plus tard, peu avant la mort de Kant, Borowski lui demanda, pour les communiquer, ses *Quelques considérations sur l'optimisme* ; or, affirme Borowski, le philosophe « me répondit, avec un sérieux assez solennel, de bien vouloir ne jamais faire mention de ce livre [...], de ne le donner

10. *Quelques considérations sur l'optimisme*, p. 66.
11. *Ibid.*, p. 67.
12. *L'Unique Fondement possible d'une démonstration de l'existence de Dieu*, trad. Festugière, p. 131 ; cf. p. 128 et la note.
13. Cf. *ibid.*, p. 144ss. Rappelons l'importance de ce texte pour comprendre la célèbre réfutation de l'argument ontologique.

à personne ; il me demanda de le détruire au cas où il me
tomberait sous la main [14] ». Cela témoigne d'une transformation profonde de la pensée de Kant sur le mal. En quoi a-t-elle
consisté ?

## B. DES GRANDEURS NÉGATIVES
## À LA POSITIVITÉ DU MAL

On sait que vers 1765 Kant a lu Hume et Rousseau, qui
l'ont « réveillé de son sommeil dogmatique ». C'est très pro-
bablement à ce réveil philosophique que nous devons le petit
ouvrage de 1763 intitulé *Essai pour introduire en philosophie
le concept de grandeur négative*. Ici, pour la première fois, le
philosophe manifeste son opposition à la métaphysique de
l'école leibnizienne, et d'abord à sa logique.

Pour bien comprendre l'enjeu du débat, reportons-nous à
la proposition n° 7 de la *Metaphysica* de Baumgarten sur laquelle repose tout l'édifice de sa métaphysique et même de sa
morale : « Le rien négatif [*nihil negativum*], non représentable,
impossible, absurde, contradictoire, *est A et non-A* ; autrement
dit : de prédicats contradictoires il n'existe pas de sujet ; ou
encore : il n'est rien qui existe tout en n'étant pas.
$0 = A +$ non-$A$. Cette proposition est dite principe de contradiction, principe absolument premier. » L'*Essai* de Kant va
montrer que ce même principe, quelle que soit sa valeur logique, ne suffit pas à rendre compte de la réalité. Car la contradiction logique, le *nihil negativum,* ne signifie pas le non-
existant (zéro) mais l'inconcevable [15]. Or si nous passons du
plan des concepts au plan des réalités, nous voyons qu'il existe
un zéro bien réel ; le repos, par exemple, est un mouvement
nul ; de même on peut parler d'une fortune nulle, d'un plaisir
nul, d'une vertu nulle ; il s'agit ici d'un *nihil privativum* [16]. Le
*rien* existe. Et on peut l'expliquer de deux façons : ou bien par
l'absence de tout principe positif, par exemple il n'y a pas
mouvement parce qu'il n'y a aucun moteur — ou bien par la

14. Cité par Ruyssen, p. 13.
15. GN, trad. Kempf, p. 81.
16. Cf. GN 80.

présence d'un principe contraire au principe positif, dont la coexistence avec ce dernier dans un même sujet n'a rien d'absurde. Ainsi, lorsqu'un bateau reste immobile alors que le vent pousse sa voilure, c'est parce qu'un courant marin de sens contraire, par exemple, vient annuler l'effet du vent [17].

Le rien existe ; le rien peut être l'effet de deux causes contraires qui s'annulent. Cela nous conduit à affirmer la réalité des grandeurs négatives, qui ne se réduit pas à une absence de réalité. Rupture profonde avec la philosophie antérieure : Leibniz en effet refusait toute réalité au négatif, « puisque les négations sont l'unique chose qui soit contraire à la réalité [18] », et que la réalité est faite d'éléments positifs ; or, « tout ce qu'il y a de positif dans la nature ne peut jamais s'annuler, s'entre-détruire, mais seulement s'unir [...] [19] ». Kant admet maintenant qu'il y a de la lutte, du conflit dans le monde [20]. Plus précisément encore, Leibniz déniait toute positivité à ce qui, dans la dynamique, fait obstacle à la force vive ; dans l'exemple des bateaux, la lenteur du plus lourd n'est due qu'à sa « tardivité », à sa moindre réceptivité à la force motrice, à une *vis passiva* qui n'est rien de positif ; ce qui ne fait rien n'est rien [21]. Kant, lui, pose maintenant que l'impénétrabilité est aussi réelle que l'attraction à laquelle elle fait échec, la douleur aussi réelle que le plaisir, le vice aussi réel que la vertu. De là cette proposition fondamentale : partout où un principe positif a pour conséquence zéro, il faut supposer un antagonisme réel, c'est-à-dire l'action d'un principe opposé qui lui fait échec, mais qui n'en est pas moins positif lui aussi : « La destruction de la conséquence d'un principe positif réclame toujours un principe positif [22]. » L'opposition ne se réduit pas à la contradiction logique ; l'opposition est une position.

Ces thèses, inspirées de la physique et des mathématiques, Kant va les appliquer à la psychologie, à la métaphysique et

17. Cf. GN 88.
18. Kant, RP 239.
19. M. Gueroult, cité par Kempf dans l'introduction à GN, p. 38.
20. Voir *ibid.*
21. Cité par Brunschvicg, *les Étapes de la philosophie mathématique,* p. 258, note.
22. GN 88.

à la morale. En psychologie, on ne peut comprendre certains états nuls que par la présence d'une force négative ; ainsi le déplaisir n'est pas le manque de plaisir, mais une force positive qui annule le plaisir [23] ; il y a un « zéro » de plaisir qui est simple indifférence et un autre « zéro » qui résulte de ce que le plaisir est détruit par une peine contraire ; de même l'oubli — et ici on pense à Freud — doit avoir une cause positive : pour expliquer l'absence du souvenir, il faut supposer la présence d'un mobile inconscient qui lui fait obstacle, qui fait qu'on ne peut pas se rappeler [24]. En métaphysique, on ne peut plus voir dans l'univers une somme de forces positives, mais une résultante de forces antagonistes, dont la grandeur est constante, ce qui n'exclut pas la possibilité d'un progrès qualitatif de l'univers [25]. Et Kant énonce le principe dont on sait l'importance qu'il prendra dans sa métaphysique ultérieure : « Il y a toujours un malentendu considérable à identifier la somme de la réalité et la grandeur de la perfection. Le déplaisir aussi bien que le plaisir est positif, mais qui pourrait l'appeler une perfection [26] ? » La rupture est totale avec le cartésianisme, pour qui la perfection est la même chose que l'être — avec Leibniz en particulier qui réduit le mal, sous toutes ses formes, à la privation [27].

Cette rupture est d'une immense importance pour la morale. La faute, le « démérite » ne peuvent plus être considérés comme une simple absence de mérite ; certes, il faut distinguer le péché par omission du péché par commission, qui est plus grave ; mais du moment qu'il existe en tout homme la conscience d'une loi qui est une force positive, le fait d'esquiver son commandement implique la présence en nous d'une autre force, tout aussi réelle et antagoniste. La non-vertu de l'animal est due à son absence de raison ; elle est pure négation. « Imaginez par contre un homme qui abandonne tel autre, dont il voit la détresse, et qu'il pourrait aisément secourir. Il entend dans son cœur la loi positive de l'amour du prochain ; cette loi, il

---

23. GN 92.
24. Sur l'inconscient, voir GN 102ss. et 115.
25. Cf. GN 111 à 114.
26. GN 114.
27. Cf. Boutroux, Introduction à la *Monadologie,* p. 16.

l'étouffe, ce qui suppose une action intérieure réelle engendrée par des mobiles qui rendent l'omission possible. Ce zéro est la conséquence d'une opposition réelle [28]. » Quand l'homme n'entend plus l'appel de la loi, c'est que l'habitude, une force réelle elle aussi, a anesthésié sa conscience. Donc, le péché de commission ne se distingue que par le degré du péché d'omission : ne pas payer ses dettes n'est pas une honnêteté moindre, mais une malhonnêteté, qui ne diffère du vol que par la grandeur et qui découle du même principe ; de même l'« indifférence » n'est pas de l'ordre de l'amour mais de la haine [29]. Donc, dès qu'on peut supposer en l'homme la présence d'un bon principe, le fait qu'aucun acte vertueux n'en résulte implique la présence d'un principe antagoniste. Il en va de même d'ailleurs pour la détermination du mérite. Supposons que chez un avare, à dix degrés d'avarice s'opposent douze degrés de charité ; le résultat sera deux degrés de secours effectif ; si, chez un autre, l'opposition est dans le rapport de trois à sept, on aura quatre degrés de secours effectif, donc deux fois plus. Mais, à juger selon l'intention, la valeur morale du premier est nettement supérieure — de sept degrés ! — puisqu'il a bien plus d'efforts à faire pour surmonter sa passion naturelle. Cette analyse annonce celle des *Fondements,* arithmétique à part ! D'ailleurs Kant remarque dans l'*Essai* que la mesure des degrés de l'intention est impossible à vue humaine ; « il est humainement impossible de juger sainement du degré des intentions vertueuses d'autrui d'après ses actions ; celui-là seul est juge, qui voit au plus profond des cœurs [30] ».

Dès maintenant, Kant a découvert, avec la positivité du mal, le mystère de l'intention qui, pourtant, fait seule la valeur de l'acte. Néanmoins cette découverte était difficile à intégrer dans un système qui n'était pas fait pour l'accueillir. Ainsi dans

28. GN 94-95 ; voir l'introduction de Kempf, p. 39ss.
29. Cf. GN 95.
30. GN 116. Sur cet *Essai* voir, outre l'introduction de R. Kempf, Delbos, p. 95ss. ; Brunschvicg, *les Étapes de la philosophie mathématique,* p. 258ss. ; *l'Expérience humaine et la causalité physique,* p. 280 ; *l'Idée critique et le système kantien, in Études sur Kant,* A. Colin, 1924, p. 145 ; E. Gilson, *l'Être et l'essence,* p. 189ss. ; Bohatec, p. 82ss.

*l'Unique Fondement possible d'une démonstration de l'existence de Dieu*, ouvrage de la même époque, Kant affirme que la douleur est positive et ne se réduit pas à une simple privation de plaisir [31] — mais pour dire un peu plus loin que le mal n'est que privation et limitation nécessaire de la créature [32].

Reportons-nous maintenant à la *Critique de la raison pure*, très précisément à ce chapitre intitulé « De l'amphibologie des concepts de la réflexion », qui est un procès en règle de la métaphysique de Leibniz. Si celui-ci a cru impossible de concevoir une disconvenance entre les réalités, en particulier une opposition dans un même sujet [33], s'il a par là même rendu incompréhensible l'opposition réelle qui peut exister dans les choses, c'est que Leibniz a méconnu une distinction fondamentale : celle des noumènes et des phénomènes. Pour avoir fait de l'entendement la seule source de connaissance, en ne laissant aux sens que « la misérable fonction de confondre et de déformer les représentations de l'entendement [34] », l'auteur de la *Monadologie* a ignoré les principes constitutifs du monde, de *notre* monde ; dans son univers de concepts, l'opposition réelle n'a aucune place : deux attributs contradictoires entraînent la suppression pure et simple du concept de leur sujet, le *nihil negativum* [35]. Dans le monde réel, en revanche, c'est-à-dire dans le monde des phénomènes, il faut bien admettre que deux réalités opposées, c'est-à-dire deux forces antagonistes, peuvent s'annuler dans le même sujet [36]. La mécanique générale en donne une illustration parfaite avec l'opposition des directions. S'en tenir au principe de contradiction comme loi fondamentale non seulement des concepts, mais des réalités, c'est ignorer la réalité, aussi bien en physique qu'en morale, c'est réduire les maux à de simples négations dues aux limites des créatures ; ce qui est vrai au niveau des concepts ne l'est plus à celui des réalités phénoménales [37].

---

31. Trad. Festugière, p. 97.
32. PP 98-99.
33. RP 234.
34. RP 241.
35. RP 248-249.
36. Cf. RP 239.
37. Cf. RP 239.

On le voit : l'apport nouveau est ici la distinction des phénomènes et des choses en soi [38]. Dans le monde des phénomènes, il peut exister des oppositions réelles ; le repos, par exemple, peut résulter non de l'absence de force motrice mais de l'antagonisme de deux forces motrices de sens opposé [39]. Et qu'on n'aille pas dire qu'on peut toujours supposer, derrière les contradictions visibles, une harmonie cachée au niveau des *noumènes*, car, étant dépourvus de toute intuition des noumènes, il nous est impossible d'en faire état [40]. On remarque ici le principe qui sous-tendra la réfutation de la preuve ontologique de l'existence de Dieu : la réalité, ou perfection, ne signifie pas l'existence ; un être parfait qui n'existe pas n'en est pas moins parfait ; inversement une réalité imparfaite qui existe n'en sera pas meilleure pour autant [41] !

Kant a résumé lui-même sa propre pensée dans une page admirable de son livre de 1791 : *les Progrès réels que la métaphysique a réalisés depuis l'époque de Leibniz et de Wolff*. Il y reproche à Leibniz d'avoir ignoré le rôle de l'intuition et, même là où il la reconnaît, de l'intellectualiser aussitôt. Aussi son principe de raison suffisante, hors de toute intuition *a priori*, a-t-il pour conséquence « de faire considérer toutes choses, métaphysiquement conçues, comme composées de réalité et de négation, d'existence et de non-existence [...], et de donner pour raison d'une négation qu'il n'y a pas de raison de poser quelque chose, qu'il n'y a pas de réalité [42] ». Rappelons-nous ce qu'affirmait Leibniz sur le mal : « Le mal est donc comme les ténèbres, et non seulement l'ignorance, mais encore l'erreur et la malice consistent formellement dans une espèce de privation [43]. » Un tel principe méconnaît ce que l'intuition a de positif et d'irremplaçable. « De cette manière, dit Kant, il tira de tout le mal appelé métaphysique, réuni au bien de cette espèce, un monde de lumière et d'ombres, sans songer que pour placer un espace dans les ténèbres, il faut qu'il y ait un corps, par conséquent

38. RV 282 = RP 244.
39. *Ibid.*
40. Cf. RP 244, note et 239.
41. Voir notamment RP 429ss.
42. Trad. Tissot, p. 354-355.
43. Leibniz, *Théodicée*, I, n° 32 ; cf. n° 33, et II, n°153.

quelque chose de réel qui empêche la lumière de pénétrer dans l'espace. Suivant lui, la douleur ne serait que la privation du plaisir, le vice, que l'absence de mobiles vertueux, et le repos d'un corps, que le défaut de force motrice, parce que d'après les simples notions, une réalité $= a$ ne peut être opposée à la non-réalité $= b$, mais seulement à la privation $= 0$. » Si Leibniz avait admis la réalité des grandeurs négatives et le conflit entre grandeurs opposées : « alors aurait disparu le principe qui choque le bon sens, et même la morale, à savoir que tout mal comme cause $= 0$ [44] ».

Cette belle page, trop peu connue, contient deux précisions essentielles : 1° le conflit, incompréhensible sur le plan des purs concepts, est sur le plan des phénomènes une réalité qu'on constate ; 2° le mal n'est pas pour autant un simple phénomène, un apparaître qui s'évanouirait avec l'intuition des choses telles qu'elles sont en soi ; Kant laisse entendre clairement que le principe du mal appartient aux choses en soi. La *Critique de la raison pure* restait muette sur cette question [45], disant seulement que nous ne pouvons rien connaître du monde nouménal ; elle indiquait pourtant : « Quand la réalité ne nous est représentée que par l'entendement pur [*realitas noumenon*] il est impossible de concevoir entre les réalités une disconvenance », alors que la *realitas phenomenon* contient des oppositions réelles dans un même sujet [46]. Bref, Leibniz pourrait bien avoir raison sur le plan des noumènes... ; on n'en sait rien ! Plus tard, la réflexion sur la morale a conduit Kant à une conception moins négative du noumène : l'obligation morale nous donne un accès non pas théorique, mais pratique, au monde nouménal ; et le terme de noumène va d'ailleurs faire place à celui, nettement plus positif, d'*intelligible* : la loi morale nous révèle, avec notre liberté, la présence en nous d'une « causalité intelligible », d'un « caractère intelligible [47] » qui, à défaut d'une connaissance objective, reste néanmoins une certitude absolue.

44. Kant, *les Progrès de la métaphysique depuis Leibniz et Wolff*, p. 354-355 ; cf. aussi p. 386 ; sur le « formel », voir Baumgarten, *Metaphysica*, n⁰ 914, cité dans notre chap. i.
45. Du moins dans l'« Amphibologie ».
46. RP 234.
47. Voir notre chap. iv, et R. Daval, *la Métaphysique de Kant*, p. 213-214.

Or, dans ce monde intelligible, auquel la vie morale nous donne accès, ne faut-il pas admettre *aussi* la réalité du mal moral ? Il y a du mal dans l'être.

## C. LA RÉALITÉ POSITIVE
## DE LA DOULEUR ET DE LA FAUTE

Telles sont les conséquences métaphysiques de la découverte du principe des grandeurs négatives. Voyons maintenant quelles en sont les applications pratiques.

D'abord au sujet de la *douleur*. Pour Leibniz, la douleur est soit le châtiment mérité d'une faute, soit « le sentiment d'une imperfection dans l'âme », qui exprime une imperfection du corps ; dans tous les cas elle est justifiée ; il n'y a pas de scandale de la souffrance [48]. Il en va tout autrement chez Kant. Dans l'*Anthropologie,* il reprend le principe que plaisir et douleur s'opposent non comme $a$ et 0, mais comme $a$ et $-a$, non comme des contradictoires mais comme des contraires : « La jouissance est le sentiment d'une promotion de la vie, la douleur celui d'une entrave à la vie [49] » ; et la vie elle-même, en tant qu'animale, est le jeu continu de leur antagonisme. De là trois conséquences, plutôt pessimistes : 1) La douleur est indispensable à la vie ; sans elle, le progrès continu de la force vitale nous ferait bientôt mourir par son excès même : « la douleur est l'aiguillon de l'activité ; c'est en elle, avant tout, que nous éprouvons notre vie ; sans la douleur la vie viendrait à s'éteindre [50] ». 2) La douleur précède le plaisir : « elle est toujours la première [51] » ; car sans elle le plaisir ne serait même pas senti, tout plaisir étant le sentiment d'être délivré d'une douleur ; de nombreux exemples le montrent, ne serait-ce que le rôle de la souffrance dans l'amour : « la fin des douleurs de l'amour, c'est la fin de l'amour lui-même », dit Kant avant Proust [52] ! 3) La douleur n'engendre pourtant pas toujours le

48. Voir *Théodicée*, III, n° 342, et notre chap. I.
49. *Anthropologie*, p. 93.
50. AN 94.
51. AN 94.
52. AN 95.

plaisir, et c'est ici que l'équilibre est rompu ; dans les peines qui sont longues à passer, comme dans la convalescence ou dans la reconstitution d'une fortune, la transition est trop lente pour être sentie comme un plaisir [53].) De là une théorie de l'ennui et du « divertissement » qui rappelle Pascal et Schopenhauer : « Sentir sa vie, éprouver une jouissance, n'est donc rien d'autre que se sentir continuellement poussé à sortir de l'état présent, ce qui doit amener chaque fois le retour de la douleur [54]. » De l'absence de toute douleur naît l'ennui, douleur négative qui peut aller jusqu'à l'angoisse du vide. D'où le besoin de divertissement qui croît avec la culture. Pourquoi veut-on « passer le temps » ? N'est-ce pas parce que l'attention au temps est « une attention à la douleur par-dessus laquelle on essaie de passer [55] » ? Le bonheur n'est donc qu'une façon de remplir sa vie par la pensée et l'action.

Ce pessimisme est certes plus nuancé que celui d'un Pascal. Ainsi, dans ce même passage, Kant nous donne une véritable « déontologie » du plaisir [56]. Il reste que l'équilibre entre les deux contraires : plaisir et douleur, $a$ et $-a$, n'est pas respecté dans la vie, où douleur et malheur ont nettement plus de poids que leurs contraires. La vie peut bien cesser d'être agréable, et c'est même souvent le cas ; elle ne peut cesser d'être *insatisfaite* : ce serait pour elle cesser d'être [57].

D'autre part, si la douleur a une fonction biologique et psychologique, elle n'est pas pour autant justifiée. Dans *Sur l'insuccès...* qui date de 1791, Kant réfute les arguments de la théodicée leibnizienne. Celle-ci nous dit que dans la vie la somme des plaisirs excède celle des peines ; la preuve, c'est qu'un homme n'hésiterait pas à demander à revenir au monde, pourvu qu'on lui permît de jouer un nouveau rôle [58]. Eh bien ! non, répond Kant : nul homme de bon sens ne serait disposé à recommencer sa vie, même en pouvant en changer à son gré les conditions, du moment que cette vie se jouerait dans ce

53. AN 94.
54. AN 95.
55. AN 96.
56. Cf. AN 98-99.
57. Cf. AN 96.
58. Voir Leibniz, *Théodicée*, p. 279 : III, n° 253.

*monde-ci* [59]. On nous dit d'autre part que l'excédent de la douleur est inhérent à notre nature animale ; mais alors, pourquoi l'auteur de notre vie nous a-t-il appelé à une existence si peu désirable ? On nous dit enfin que la douleur présente est la condition du bonheur futur ; mais peut-on admettre « que cette épreuve temporelle, à laquelle la plupart des hommes succombent et sous laquelle l'homme même le meilleur n'est pas satisfait de la vie, soit au regard de la souveraine sagesse la condition nécessaire et absolue du bonheur futur [60] » ? Dieu n'aurait-il vraiment pas pu s'y prendre autrement ? En tout cas, la vie, malgré tous les instants de bonheur qu'elle peut comporter, reste foncièrement malheureuse. Et le troisième postulat de la raison pratique, l'existence de Dieu, prend tout son sens du fait que le bonheur, le bonheur mérité, n'est pas de ce monde. Dans ce monde, « il ne reste en définitive que la valeur que nous donnons nous-même à notre vie [61] », il ne reste que l'exigence du progrès à l'infini.

Ce jeu des contraires et ce déséquilibre en faveur du terme négatif, nous le rencontrons aussi en morale, quand il s'agit de déterminer le *mérite* et la *faute*. Dans la *Métaphysique des mœurs* de 1797, le dernier des grands livres de Kant, on trouve une application pratique du principe des grandeurs négatives. Kant distingue d'abord deux grands types de devoirs : les devoirs de droit, susceptibles d'une formulation juridique, qui sont toujours stricts et négatifs — par exemple, ne pas mentir, ne pas voler, ne pas traiter autrui comme un simple moyen — et les devoirs de vertu, qui sont déterminés d'après une fin positive ; ces « fins-devoirs [62] », qui se déduisent elles-mêmes de la loi morale, se ramènent toutes à la perfection quand il s'agit de soi-même et au bonheur quand il s'agit d'autrui. On aura donc deux sortes de devoirs de vertu : devoirs envers soi-même, comme cultiver sa perfection propre, aussi bien physique et intellectuelle que morale ; devoirs envers autrui, qui consistent

---

59. Cf. TH 200 et FJ 243 note.
60. TH 201.
61. FJ 243 note.
62. Cf. MS 389 (pagination de l'Académie indiquée en marge).

à prendre pour siennes ses fins légitimes ; ce sont les devoirs
de bienveillance, de bienfaisance, de reconnaissance, de sympathie [63]. Tous ces devoirs de vertu sont positifs, et par là
même « larges et imparfaits », ce qui ne veut pas dire qu'ils
soient facultatifs ; simplement, parce qu'ils ne prescrivent pas
des actes précis, mais la maxime de nos actes, ils nous laissent
« une marge de jeu » — *ein Spielraum* — quant à la manière
de les mettre en pratique. Par exemple : il faut aider les autres
dans le besoin ; mais qui, mais quand, mais comment ? Voilà
ce que la loi morale ne peut nous dire ; c'est à chacun d'inventer son devoir concret. Ajoutons que l'homme moral n'admet
ce caractère imparfait du devoir de vertu que comme un stade
à dépasser et qu'il est d'autant plus vertueux qu'il comprend
le devoir large comme un devoir strict [64].

Qu'en est-il alors du mérite et de la faute ? 1) S'agissant
des devoirs de vertu, les accomplir est un mérite, puisqu'ils
ne sont pas exigibles en droit strict et puisque le mérite est
« ce que l'homme fait, conformément au devoir, en sus de ce
à quoi le contraint la loi [65] ». 2) Manquer à ces devoirs ne
constitue pas une faute, un « démérite », mais une simple
absence de mérite, une non-valeur : par exemple, ne pas aider
son semblable, ne pas se cultiver ; si la vertu est *a*, cette non-
vertu ne s'y oppose pas comme = − *a*, mais comme = 0 ;
elle ne peut donc être blâmée [66]. 3) Quant aux devoirs de droit,
les observer ne constitue pas un mérite, puisqu'ils sont exigibles ;
c'est ici que nous sommes non les volontaires mais les soldats
du devoir. Un homme qui ne se suicide pas ou qui ne triche pas
ne fait *que* ce qu'il doit ; même si cela lui coûte, il ne s'acquiert
aucun droit à une récompense. Ici encore, il se trouve dans un
état moralement égal à zéro, que Kant nomme « le dû » (*Schul-
digkeit, debitum*) : quand on a fait son dû, on ne mérite ni
récompense ni blâme [67]. 4) La transgression d'un devoir de

---

63. Pour tout ceci je me permets de renvoyer à mon article :
« Prescription ou proscription... », paru dans la *Revue de métaphysique
et de morale*, octobre 1967.
64. MS 390 ; voir l'article cité, p. 297ss.
65. MS 227.
66. Cf. MS 390.
67. Cf. MS 227-228 et 448.

droit signifie en revanche une faute positive (*Verschuldung, demeritum*). Mérite contre démérite, ce n'est pas *a* contre 0, mais *a* contre − *a* [68]. On peut donc dresser le tableau suivant :

|  | *Accomplissement* | *Non-accomplissement* |
|---|---|---|
| Devoirs de vertu | mérite = + *a* | non-valeur =    0 |
| Devoirs de droit | dû    =    0 | culpabilité = − *a* |

Ainsi le vice n'est pas un manque de vertu, la faute un manque de mérite, le mal une absence de bien. Kant réfutera ainsi la thèse scolastique que la vertu est un degré moyen entre deux vices ; ce qui distingue la vertu du vice n'est pas le degré d'intensité de l'acte mais la maxime dont l'acte résulte. La générosité n'est pas un degré situé au milieu de l'échelle qui va de l'avarice à la prodigalité ; être généreux, ce n'est pas moins garder, ni moins abandonner, c'est donner [69].

Néanmoins cette question du mérite est loin d'être claire. Qu'en est-il du « zéro » en morale, qui se situe entre le positif du mérite et le positif opposé de la faute, et qui consiste aussi bien dans l'accomplissement d'un devoir strict, le simple « dû », que dans le non-accomplissement d'un devoir large ? Du point de vue juridique ces distinctions sont nécessaires, mais ne sont-elles pas trop juridiques, justement ? Peut-on dire qu'accomplir un devoir de droit soit sans mérite ? Oui certes, puisqu'on y est contraint : par exemple, à payer ses impôts ou à ne pas voler. Mais s'il s'agit de l'accomplissement moral d'un devoir de droit, si l'on est civique ou honnête non par intérêt ou par crainte, mais parce qu'on se donne pour but le droit de l'humanité, alors oui, ce respect du droit est méritoire car il représente quelque chose de plus que ce que la société peut exiger de nous [70]. Quant aux devoirs de vertu, peut-on dire que s'en abstenir constitue une faute ? Cela reviendrait à en faire des devoirs facultatifs, ce que Kant refuse formellement. En fait, si les devoirs de vertu ne sont pas exigibles de celui qui en bénéficie — personne n'a droit à la bienfaisance ni même à la reconnaissance d'un autre — ils sont pourtant prescrits à l'agent

68. Cf. MS 227-228.
69. Sur toute cette question, voir *Doctrine de la vertu*, no 10, *in* MS 432ss. et note.
70. MS 390-391.

par la raison pratique elle-même ; c'est la justice et rien que
la justice qui m'impose d'aider celui qui est dans le besoin,
puisque je serais en droit d'en attendre autant si j'étais dans
son cas ; et faire valoir ce secours comme méritoire, c'est faire
de l'autre mon « obligé », l'humilier et détruire aussitôt toute
la valeur de l'acte. L'homme généreux doit donc « bien plutôt
se montrer obligé et honoré par l'acceptation de l'autre, donc
reconnaître qu'il n'a fait que son dû, ou encore, ce qui vaut
bien mieux, accomplir en secret son acte de bienfaisance »,
« assumer en silence le mal qu'il épargne à l'autre [71] ». Le mérite n'a plus rien d'un droit à la récompense, voire à la reconnaissance d'autrui. La seule, la vraie récompense de notre bienfaisance est qu'elle constitue notre vraie richesse morale [72].
Mais ne constitue-t-elle pas au moins un mérite envers Dieu ?
Non : « Envers Dieu nous ne pouvons jamais faire plus que
ce qui lui est dû [73] » ; l'homme ne possède aucun droit sur
son Créateur, pas même celui à la récompense, et il serait
absurde de l'exiger de sa justice ; celle-ci, qui est d'ailleurs tout
impersonnelle, ne peut que châtier nos transgressions ; et si
nous avons quelque bonheur à attendre, ce n'est pas de la justice
de Dieu, mais de sa bienveillance gratuite ; car « Dieu a créé
des êtres raisonnables comme par besoin d'avoir en dehors de
lui quelque chose qu'il puisse aimer, ou dont il puisse être
aimé [74] ».

Il semble donc bien que pour Kant le mérite reste un
concept juridique plutôt qu'éthique. Nécessaire en droit, cette
notion s'évanouit au fur et à mesure que progresse la conscience
morale. Kant ne nie pas les mérites, mais exclut cette notion
de la théologie comme de la pédagogie, puisqu'il faut montrer
aux enfants qu'ils n'ont aucun mérite à faire leur devoir, que
la bienfaisance elle-même n'est qu'un « dû », puisque la fortune
est un privilège [75]. Il l'exclut surtout de la morale, puisque le
propre de la conscience est d'être insatisfaite [76] : ce qui est réel

71. MS 453.
72. Cf. MS 453.
73. ED 491.
74. MS 488 ; voir la fin de notre chap. VI.
75. ED 490-491.
76. Cf. AN 96.

pour elle n'est pas le mérite, mais la faute ; et le mérite n'est au fond qu'un terme de référence, une valeur qu'on devrait avoir, mais dont on n'a jamais le droit de penser qu'on la possède. La conscience n'est jamais consciente de nos mérites et le saint, s'il existe, est celui qui ne voit pas son auréole.

## D. LA MORALE DE KANT ET LE PROBLÈME DU MAL

Au cours de son œuvre, Kant n'a donc cessé d'approfondir cette réalité du mal qu'il avait découverte dans l'*Essai* de 1763. La douleur et la faute sont aussi réelles que leurs contraires, peut-être même bien davantage à vue humaine. Le lecteur pourra demander ici pourquoi il a fallu au philosophe tant de recherches pour découvrir ce que tout le monde savait déjà... À vrai dire, c'est souvent le cas en philosophie ; c'est peut-être même toujours le cas. Les vérités les plus sublimes sur la condition humaine sont celles que tout homme porte en lui. Le philosophe ne fait que les reprendre, leur donner « une nouvelle formule [77] », une formule telle que ces vérités deviennent communicables et fondées en raison. Il n'est pas un inventeur, mais un témoin.

Il nous reste à voir maintenant comment cette découverte du mal s'accorde avec ce qu'on a coutume d'appeler la morale de Kant. À vrai dire, dans les deux grandes œuvres morales de la période critique, les *Fondements* et la *Critique de la raison pratique,* le mal apparaît surtout comme le revers de la médaille ; il est l'exception qui confirme la règle, l'infraction qui donne son sens au devoir. Car si l'homme était purement raisonnable, si sa volonté n'avait à vaincre aucun obstacle intime, elle serait une volonté sainte, et la loi serait alors la loi de sa nature ; l'homme serait spontanément moral, et il n'y aurait pas besoin d'impératif. C'est parce qu'il y a en nous une résistance à la loi morale et une tentation constante de la transgresser que cette loi se présente à nous comme un devoir.

77. Cf. PR 6, note 1 ; c'est ainsi que Michel Alexandre écrivait de l'Esthétique transcendantale : « Elle n'est pas « kantienne », car les grands esprits, vraiment grands, n'ont pas d'idées à eux » (*Lecture de Kant,* p. 9).

Quelle est alors cette résistance ? Si la bonne volonté est
par essence désintéressée, si elle consiste à n'agir que « par
devoir », le mal est ce qui s'oppose à cette pureté du vouloir,
il est l'ensemble de nos *inclinations* sensibles. La vie morale
consiste avant tout à s'affranchir de sa sensibilité, à pouvoir
se déterminer sans elle sinon contre elle : si c'est par peur que
je renonce au suicide ou par prudence que je rembourse mes
dettes, mon intention n'est pas pure. N'est-il pas vrai d'ailleurs
que la plupart de nos actions conformes au devoir ne sont pas
faites réellement par devoir, mais qu'elles s'inspirent d'un mobile intéressé plus ou moins conscient ? D'ailleurs ce ne sont
pas seulement nos mobiles inférieurs que récuse le formalisme
de Kant, mais aussi les aspects les plus nobles de la sensibilité :
la sympathie, l'amour, l'enthousiasme, « toute émotion comme
telle méritant blâme [78] ». Basse ou noble, passionnelle ou pas-
sionnante, la sensibilité est tout entière « pathologique », c'est-à-
dire subjective et conditionnée ; elle ne peut donc fournir aucun
principe moral universellement valable. Ainsi la compassion ou
l'amour du prochain peuvent être partiaux et injustes ; l'exemple
qui nous exalte peut n'être qu'un mauvais exemple ; le héros
qui nous « appelle » peut n'être qu'un sinistre aventurier. La
sensibilité est toujours ce qui résiste à la volonté, ou encore ce
qui l'entache d'impureté et lui ôte ainsi toute valeur [79]. Est-ce
à dire que la sensibilité soit le mal ? Non, Kant n'a jamais
prétendu rien de tel. Nos inclinations sont aussi naturelles que
notre corps, aussi inévitables. Le mal n'est pas d'avoir une
sensibilité, c'est d'en faire un absolu.

Cet absolu est l'*égoïsme,* que Kant dénonce sous toutes
ses formes, même les plus subtiles. La sensibilité est en elle-
même involontaire ; l'égoïsme y ajoute une maxime, et celle-ci
s'oppose à la loi morale. Le propre de la bonne volonté est en
effet de se déterminer par une maxime, c'est-à-dire par une
règle subjective, qui puisse en même temps se qualifier comme
loi universelle. Le mal, c'est au rebours le particulier, la préfé-
rence donnée au moi sur la loi. À la question : existe-t-il dans
le monde une seule action accomplie par devoir ?, Kant répond,

78. CO 102 ; cf. MS 408-409.
79. Cf. FM 108, 123, 195, etc.

après La Rochefoucauld, qu'on peut toujours supposer « une secrète impulsion de l'amour-propre qui, sous le simple mirage de cette idée [du devoir], ait été la vraie cause déterminante de la volonté [80] ». Et il ajoute : « On se heurte partout au cher moi, qui toujours finit par ressortir [81]. » Le moi est haïssable, non parce qu'il est aimé, mais parce qu'il est préféré. Le désir humain, inférieur ou supérieur, n'a d'autre loi que celle de l'égoïsme [82]. Si notre devoir primordial est d'être désintéressé, notre nature est de ne pas l'être. Et l'utilitarisme, si blâmable sur le plan moral, n'a que trop raison sur le plan de l'expérience psychologique. Dans tous les exemples moraux que donne Kant, on remarque que la force qu'il s'agit de combattre est toujours celle de l'égoïsme : le mensonge, la fausse promesse, le suicide, la débauche, l'avarice, autant de manifestations de l'égoïsme qui s'oppose à l'universalité de la loi. Il en va de même pour les fautes envers autrui : l'envie, l'ingratitude, la joie sadique, le mépris, l'orgueil, la calomnie ; c'est toujours par un amour de soi injuste qu'on pèche [83]. Car si l'égoïsme est le principe de toute transgression de la loi morale, il est par là même ce qui m'empêche de traiter l'humanité, aussi bien en autrui qu'en moi-même, comme une fin en soi ; c'est lui qui fait que j'utilise l'homme (et ma propre humanité) comme un outil ou un obstacle, comme une chose donc, sans respecter son éminente dignité. En faisant, par exemple, une fausse promesse à quelqu'un, je le traite comme un simple moyen, je lui dénie toute liberté, « puisqu'il ne peut absolument pas adhérer à ma façon d'en user avec lui et contenir ainsi lui-même la fin de cette action [84] » ; autrement dit ma volonté pose une fin qu'il est impossible à sa volonté à lui de poser, je m'arroge un droit que je lui dénie, je prends une liberté qui détruit la sienne. Si la loi universelle fonde la dignité

80. FM 112.
81. FM 113.
82. Cf. PR, chap. I ; voir en particulier, p. 21 à 24, la réfutation de Baumgarten.
83. Sur les vices, voir *Doctrine de la vertu*, n[os] 6, 7, 8, 9, 36, 42, 43, 44, *in* MS.
84. GM 430 = FM 152.

humaine, l'égoïsme, en privilégiant le moi particulier, détruit
cette dignité ; il ôte à l'homme sa valeur, le ramène à un prix [85].

Si le bien est l'universel, le mal ne consiste pas à opposer
une autre universalité à celle du bien, ce qui est impossible.
Disons qu'il se présente toujours comme l'*exception*. Rousseau
écrivait déjà : « Le vice est l'amour de l'ordre, pris dans un
sens différent. Il y a quelque ordre moral partout où il y a
sentiment et intelligence. La différence est que le bon s'ordonne
par rapport au tout, et que le méchant ordonne le tout par
rapport à lui [86]. » Toute faute est tentative de se soustraire à
l'universalité de la loi morale ; cette universalité, on l'admet,
on la respecte, on l'approuve pour elle-même mais non pour
soi-même. L'acte coupable est celui dont la maxime ne peut
être érigée en loi universelle : « C'est bien plutôt la maxime
opposée qui doit rester universellement une loi ; seulement nous
prenons la liberté d'y faire une *exception* pour nous [...], en
faveur de notre inclination », — simplement pour cette fois,
d'ailleurs [87]. Si nous nous placions du point de vue de la raison,
la contradiction nous sauterait aux yeux : vouloir en soi ce qu'on
ne veut pas pour soi. Mais nous nous plaçons tantôt au point
de vue de la raison, tantôt à celui de l'intérêt ; alors la contradiction se réduit à une simple opposition entre raison et sensibilité, alors l'universalité du principe se réduit à une simple
généralité, et le devoir fait place au compromis [88]. Oui, nous
reconnaissons la loi morale, mais nous nous permettons quelque
infraction momentanée, à laquelle nous nous estimons contraints,
ou encore que nous jugeons sans importance. Là est le sophisme
de la faute [89]. Ainsi, par exemple, si je suis dans une nécessité
criante, ne puis-je pas emprunter une somme que je sais ne
pas pouvoir rembourser ? Là où la morale répond *non*, la
prudence répond *peut-être* : le tout est de savoir si un tel expédient n'aura pas, à long terme, moins d'avantages que d'incon-
vénients [90] ; mais, que j'aie ou non recours à cet expédient, je

85. Cf. RL 60.
86. *Émile*, IV, p. 356.
87. FM 143.
88. FM 143.
89. Cf. *ibid.*
90. Cf. FM 103-104.

raisonne « comme si » je n'avais plus le pouvoir d'être honnête, « comme si » la nécessité était une contrainte inévitable : *Not kennt kein Gebot !* Cette mentalité si fréquente est d'ailleurs ce qui rend nécessaire l'ordre social : « L'homme [...] a besoin d'un maître. Car il abuse à coup sûr de sa liberté à l'égard de ses semblables ; et, quoique, en tant que créature raisonnable, il souhaite une loi qui limite la liberté de tous, son penchant animal à l'égoïsme l'incite toutefois à se réserver dans toute la mesure du possible un régime d'exception pour lui-même [91]. »

Si dans son contenu le mal est l'égoïsme, dans sa forme il est ce qui s'oppose à l'autonomie. La volonté qui se soumet à la loi morale est autonome, c'est-à-dire indépendante de tout mobile sensible et mieux encore : positivement libre, puisque la loi qui la détermine c'est elle-même qui la pose [92]. Loin d'être soumise à des causes extérieures, « la volonté est donc la raison pratique elle-même en tant que celle-ci peut déterminer le libre arbitre [93] ». La volonté est par essence bonne volonté ; sa loi propre est la loi morale [94] et, inversement, la loi morale ne peut être la loi que d'une libre volonté [95]. Le mal est alors l'*hétéronomie*, autrement dit le fait d'un libre arbitre qui se détermine par des mobiles sensibles, étrangers à la raison, et perd ainsi son indépendance, puisqu'il subit une loi étrangère, celle de la sensibilité ; le libre arbitre devient un serf arbitre ! Ainsi : « toute hétéronomie du libre arbitre, loin d'être le fondement d'aucune obligation, est opposée au principe de l'obligation et à la moralité de la volonté [96] ». Est hétéronome toute intention impure, qui se détermine par un autre mobile que la loi morale ; que ce mobile soit le plaisir, la crainte, l'habitude [97], l'émotion, la passion, l'intérêt, il se ramène tou-

---

91. *Idée d'une histoire universelle*, de 1784, VI, in PH 67-68 ; sur l'exception, voir la *Doctrine du droit*, I, A, in MS 321-322, note, et le beau commentaire d'Alquié dans *la Morale de Kant*, p. 53.
92. Introduction à la *Métaphysique des mœurs*, MS 213. J'ai traduit *Belieben* par spontanéité ; c'est le *lubitus* des wolffiens : le gré, le bon plaisir ; voir la *Metaphysica* de Baumgarten, nᵒˢ 712ss.
93. *Ibid.*
94. Cf. PR, « problèmes », I et II, p. 28.
95. Cf. *ibid.*
96. PV 59 = PR 33.
97. Cf. MS 383-384.

jours au principe de l'égoïsme. L'hétéronomie est donc mauvaise parce qu'elle attente à la pureté et à l'universalité de la volonté. Pureté et universalité : ces deux termes sont pour Kant solidaires. Il prouve ainsi que le respect est le seul sentiment « pratique » et non « pathologique » par le fait qu'il est absolument désintéressé [98]. De même c'est le désintéressement du plaisir esthétique qui fait son universalité, qui le distingue de ce qui n'est qu'agréable pour tel ou tel individu [99]. Nous verrons de même que la foi morale tire sa certitude de son désintéressement [100]. L'hétéronomie est le triomphe de l'impur sur le désintéressé, du particulier sur l'universel.

Remarquons que le concept d'hétéronomie a chez Kant trois sens un peu différents : 1° c'est le caractère de la nécessité naturelle qui s'oppose à la liberté, puisque chaque phénomène est déterminé par des causes antérieures (cf. GM 446 = FM 178) ; 2° c'est le caractère d'une volonté déterminée par un mobile étranger à la loi morale ; la raison, qui est alors « pragmatique », n'est plus qu'un instrument au service de cet intérêt, et la volonté n'est plus libre (cf. GM 433 = FM 157) ; 3° c'est le caractère de toute morale qui cherche ses principes dans un objet extérieur à la volonté (le bonheur, par exemple), et non dans la pure forme de celle-ci : « ce n'est pas alors la volonté qui se donne à elle-même sa loi, c'est l'objet qui la lui donne par son rapport à elle » (GM 441 = FM 170) ; la raison pratique est alors subordonnée à un intérêt, et la moralité perd toute objectivité (cf. GM 460 = FM 205). Dans les trois cas, hétéronomie signifie absence de liberté, mais c'est surtout dans le troisième qu'elle est synonyme d'immoralité.

Maintenant, l'hétéronomie est-elle une servitude qu'on subit et qu'on déplore, une « passion » au sens classique du terme ? On voit mal alors comment on pourrait nous l'imputer. Dans *la Religion*, Kant dit que les stoïciens n'ont pas vu que l'ennemi que la vertu doit combattre n'est pas la folie (*Torheit*), mais une méchanceté autrement redoutable [101]. La *Critique de la raison pratique* nous en donne déjà une indication avec l'analyse du respect [102] ; ce sentiment moral est douloureux parce qu'il fait échec à notre égoïsme ; mais il faut aller plus

98. Cf. PR 81ss.
99. Cf. FJ, n° 6, p. 56, et n° 8, p. 60.
100. Cf. FJ, n° 86, p. 253, et notre chap. v. Voir aussi PR 139.
101. Cf. RL 81ss.
102. Cf. PV 137 = PR 81 ; le mot respect (*Achtung*) a un sens plus fort qu'en français.

loin : le premier effet du respect (*Achtung*) sur notre sensibilité est l'humiliation, le mépris (*Verachtung*) de soi-même [103]. Pourquoi ? Parce que si le respect limite, sans le détruire, l'amour de soi, s'il nous oblige à nous aimer sans nous préférer, il « terrasse complètement » cette autre forme de l'égoïsme qu'est la « présomption » (*Eigendünkel*), c'est-à-dire l'amour de soi « qui se donne pour législateur et principe pratique inconditionné [104] ». La *présomption*, c'est le plus terrible des égoïsmes, celui qui se déguise en moralité, qui utilise la loi morale pour la violer [105]. La faute par excellence consiste à déclarer qu'on agit par devoir, alors qu'on est mû par des mobiles étrangers au devoir.

C'est à dessein que nous avons employé le terme *déclarer*. Dans son *Projet de paix perpétuelle*, Kant introduit en effet une notion capitale pour définir la morale et son contraire. Ce qui caractérise le droit, du moins quant à sa forme, c'est la *Publizität*, le fait d'être publié [106] ; autrement dit, une maxime perd toute valeur juridique dès qu'elle n'est pas susceptible d'être rendue publique, « déclarée ». Telle est l'essence du droit public : « Toutes les actions relatives au droit d'autrui, dont la maxime ne peut être publiée, sont injustes [107]. » On dira qu'il s'agit de droit, non de morale. Mais, outre que le droit est lui-même du ressort de la raison pratique, la morale elle-même serait inconcevable en dehors de tout principe juridique. Dans tous les exemples de fautes donnés par Kant : le suicide, la malhonnêteté, la paresse à se cultiver, le refus d'aider autrui, l'acte est coupable parce que sa maxime est « impubliable », non susceptible d'être déclarée comme telle, inavouable. Seule est avouable une maxime qu'on peut ériger en loi universelle. Kant le précise lui-même :

> Ce principe [de la publicité] doit être considéré non seulement du point de vue *éthique*, mais *juridique* [...]. Car une maxime que je ne puis *divulguer* sans faire échouer du même coup mon propre dessein, qu'il me faut absolu-

103. PV 133 = PR 79.
104. PV 131 = PR 78.
105. Voir aussi PR 77-78, 81ss., 87, 89, 92, 164 ; MS 437.
106. KS 163 = PP 75.
107. KS 163 = PP 76.

ment dissimuler pour réussir, et que je ne puis *reconnaître publiquement* sans provoquer aussitôt la résistance inévitable de tous à mon projet, une telle maxime, dis-je, fera naître l'opposition nécessaire, universelle, de tous à mon projet, et ceci uniquement à cause de l'injustice dont elle menace chacun [108].

*L'impubliable*, sur le plan juridique, *l'inavouable*, sur le plan éthique : voilà ce qui caractérise le mal moral.

Et c'est pourquoi la faute des fautes est le mensonge. C'est sur le *mensonge* en effet que convergent tous les aspects du mal moral. Il est non seulement une faute grave, mais ce qui est grave dans toute faute : l'impossibilité ou nous nous mettons d'en avouer les motifs et la nécessité d'en alléguer d'autres qui ne sont pas les vrais, ou du moins pas les seuls. Nous y reviendrons au chapitre suivant. Disons ici que le mensonge résume tout ce qui caractérise le mal moral : le triomphe du « pathologique », l'égoïsme, l'exception, l'hétéronomie, la présomption, l'inavouable. Et l'on voit déjà ce qui distingue Kant du stoïcisme, qu'il admirait pourtant. S'il affirme lui aussi que la vertu est un combat incessant contre la sensibilité [109], que l'*apatheia* est une valeur positive, il montre aussitôt qu'un principe mauvais se cache non pas « dans » mais « derrière » la sensibilité, un principe qui rend possible et l'égoïsme, et l'hétéronomie, et le mensonge. Pour les stoïciens, la faute se réduit à une faiblesse, une erreur, une passion. Pour Kant, la faute est positive, et *nous en sommes coupables*.

## E. PURETÉ, LIBERTÉ, PASSIONS

Ainsi la morale de Kant contient-elle une doctrine du mal aussi riche que profonde. Mais cette richesse ne va pas sans de sérieuses ambiguïtés. La première porte sur la pureté, la seconde sur la liberté.

Au sujet de la pureté, on a pu reprocher à Kant son excès de rigorisme. Max Scheler l'accuse ainsi d'avoir « vidé le bébé avec l'eau du bain » ; en voulant laver la morale de toute impu-

108. KS 163-164 = PP 76.
109. MS 383 ; PR 89, 137.

reté, Kant lui aurait ôté tout contenu humain. Il est certain que lorsqu'il aborde les devoirs concrets dans sa *Doctrine de la vertu*, il se montre d'une intransigeance excessive : le mensonge, par exemple, est toujours condamné, même quand il est motivé par la bienveillance ou par égard aux intérêts d'autrui [110]. De même le plaisir sexuel, hors de sa fonction procréatrice, est impitoyablement réprouvé, même dans le mariage : « Ce vice, où l'on se livre tout entier à l'inclination bestiale, fait de l'homme un instrument de jouissance, ce qui est contre nature, et un objet de dégoût, ce qui lui ôte tout respect pour lui-même [111]. » On voit que dans une morale aussi stricte il n'est pas facile d'être vertueux ! On le voit mieux encore quand on remonte de l'acte à l'intention. Kant s'acharne à dénoncer tout ce que celle-ci peut avoir d'impur ; il interdit à notre conscience toute facilité, même celle de l'enthousiasme, de la sympathie, de l'amour. On connaît l'épigramme de Schiller : « C'est volontiers que j'aide mes amis, mais j'éprouve de l'inclination à le faire ; aussi me tourmente le scrupule de n'être pas vertueux... [112] ».

À vrai dire ces critiques sont injustes, du moins si on prend les analyses de Kant pour ce qu'elles sont, pour de simples analyses. Le problème des œuvres critiques n'est pas de déterminer ce qu'il faut faire ou ne pas faire, mais d'établir ce qui constitue le principe fondamental de la morale. Les stoïciens refusaient la sensibilité comme étant la source de toute souffrance et de toute servitude. Kant lui ne condamne pas la sensibilité : il récuse les théories morales qui s'appuient sur elle pour fonder le devoir. Pour savoir ce que signifie « agir par devoir », je n'ai qu'à me demander si je ferais la même chose sans intérêt et même contre tout intérêt, sans élan et même contre tout élan. Cela ne veut pas dire, mais pas du tout ! qu'on n'est vertueux qu'à contre cœur, *ungern*. La pratique de la vertu, dit Kant, implique « un cœur joyeux et empressé à accomplir son devoir. Car la vertu a à combattre des obstacles qu'elle ne peut vaincre qu'en rassemblant ses forces,

110. Cf. **MS** 429 à 431.
111. Cf. **MS** 425.
112. Cité par Boutroux, *la Philosophie de Kant*, p. 308.

et il lui faut aussi sacrifier bien des plaisirs, dont la perte risque
de rendre l'âme triste et hargneuse ; or ce qu'on fait sans envie
et simplement comme une corvée n'a aucune valeur intime » ;
au lieu d'aimer son devoir, on fera son possible pour l'esquiver [113]. Et *la Religion* répondra justement à Schiller qu' « un
cœur joyeux dans l'accomplissement de son devoir [...] est un
indice de l'intention vertueuse [114] ». Récusés comme principes
du devoir, les sentiments moraux ne sont pas exclus de la
morale : la *Doctrine de la vertu* nous montre au contraire que
le sens moral [115], la bienveillance [116], la reconnaissance [117] et
même la sympathie [118] sont indispensables pour déterminer les
« fins-devoirs », à condition d'être toujours soumis au contrôle
de la raison pratique et de ne jamais prétendre légiférer à sa
place. Comme l'a bien montré M.-A. Bloch dans son beau
livre : *les Tendances et la vie morale,* la doctrine kantienne de
l'affectivité est loin d'être simple : si les tendances et les sentiments jouent le rôle d'obstacles à vaincre, ils peuvent devenir
aussi une énergie qui supplée à la volonté et qui peut même lui
proposer des fins qu'elle n'aurait pu poser d'elle-même [119].
Disons que, chez Kant, la rigueur de l'analyse morale ne permet
pas de conclure à une morale de la rigueur ; ce qui est écarté
par la réflexion critique peut fort bien être intégré au niveau
de la moralité concrète [120].

La seconde ambiguïté nous retiendra moins ici, puisque
c'est elle au fond qui commande tout ce livre. Si le mal est
hétéronomie, il cesse d'être libre ; il cesse alors de nous être
imputable ; alors il n'est plus un mal ! Certains passages des
*Fondements* autorisent cette interprétation ; on nous parle par
exemple de ce scélérat à qui on met sous les yeux des exemples
de loyauté, etc. : « il souhaite pouvoir, lui aussi, être animé des

113. *Doctrine de la vertu,* n° 53, *in* MS 484.
114. RG 12 A = RL 43 note. Kant en a surtout ici contre l'ascé-
tisme religieux ; cf. ED 485.
115. Introduction à la *Doctrine de la vertu,* XIIa, *in* MS 399.
116. *Ibid.,* XIIc, *in* MS 401-402.
117. *Doctrine de la vertu,* n° 31b, *in* MS 454-456.
118. *Ibid.,* n° 34, *in* MS 456-458.
119. Bloch, *op. cit.,* chap. I, II et III.
120. Voir sur ce point Alquié, *la Morale de Kant,* p. 28.

mêmes sentiments. Il ne peut pas sans doute, uniquement [*nur*] à cause de ses inclinations et de ses passions, réaliser cet idéal en sa personne ; mais avec cela il n'en souhaite pas moins en même temps être affranchi de ces inclinations qui lui pèsent à lui-même [121].» Ici le mal semble se réduire à la résistance de la sensibilité contre la raison ; il serait l'empirique opposé au rationnel, la nécessité naturelle opposée à la liberté.

En fait, une telle conception a bien été celle de Kant dans sa période wolffienne, et elle inspire encore les *Réflexions* datant de 1775 environ. Nous lisons ainsi : « La conformité de la liberté à la loi est la condition suprême du bien, et l'absence de loi est le mal véritable, le mal absolu [122].» La faute n'est jamais intentionnelle (*aus freyen Vorsatz bestimmt*) ; elle s'explique par la passion, qui n'est pas une volonté mauvaise mais une éclipse de la volonté [123] ; éclipse qui permet la prépondérance (*superpondium*) du sensible sur le rationnel [124]. Mais peut-on encore nous imputer nos fautes ? Ici la réponse de Kant reste obscure : « Si les mauvaises actions dépendent [*stehen unter*] de la liberté, ce n'est pourtant pas elle qui les produit [125].»

Mais, dès les *Fondements,* on trouve une conception bien différente de la faute : « L'action qui peut s'accorder avec l'autonomie de la liberté est *permise* ; celle qui ne le peut pas est *défendue* [126] » — ce qui laisse entendre que cette dernière, il dépend de nous de la faire *ou* de ne pas la faire ; on ne défend pas ce qui est inévitable ! Kant précise lui-même que les inclinations ne peuvent porter atteinte à la législation de notre volonté, qui est intelligible [127]. Et, au même endroit, il ajoute : L'homme « ne prend pas la responsabilité de ces inclinations et de ces penchants, il ne les impute pas à son véritable moi, c'est-à-dire à sa volonté ; il ne s'attribue que la complaisance qu'il pourrait avoir à leur endroit, s'il leur accordait une influence sur ses maximes au préjudice des lois rationnelles de la volonté [128] ». Ce texte montre clairement : 1) que les incli-

---

121. GM 454 = FM 195.
122. *Réflexion* n° 7196 ; cf. aussi *Réflexion* n° 6895, citées par Bohatec, p. 135.
123. *Réflexions* nᵒˢ 3868 et 3856, citées par Bohatec, p. 123.
124. Cf. *ibid.*, p. 125-126.
125. *Réflexion* n° 3868, *in* Bohatec, p. 125.
126. GM 439 = FM 168.
127. GM 458-459 = FM 201.
128. *Ibid.*

nations sensibles ne sont pas notre moi libre et volontaire ;
2) qu'elles ne sont pas en elles-mêmes mauvaises et que la
faute est dans la complaisance (*Nachsicht*) du moi volontaire à
leur endroit.

La *Critique de la raison pratique* nous donne une indication supplémentaire dans le chapitre II. Kant nous montre
que le Mal, comme le Bien, s'entend en deux sens : l'un,
*Uebel*, qui correspond au mal subi, l'autre, *Böse*, qui correspond au mal commis. Le premier, la souffrance, n'est jamais
qu'un état empirique, alors que le second, comme le Bien
(*Gute*), « indique toujours un rapport *à la volonté*, en tant
qu'elle est déterminée par la *loi de la raison* à se donner quelque
chose comme objet [129] ». Il est clair que l'auteur pense ici
davantage au Bien qu'au Mal, qui n'apparaît que pour la symétrie ; son propos est de réfuter les morales eudémonistes. Mais
la logique le pousse à un singulier développement sur le mal
moral ; la volonté en effet «n'est jamais déterminée immédiatement par l'objet et par la représentation de l'objet ; elle est au
contraire la faculté de se donner comme motif d'agir une règle
de raison, en réalisant par là un objet [130]». On sait que la
volonté n'est autre « que la raison pratique en tant qu'elle peut
déterminer le libre arbitre [131] ». Le Bien (*das Gute*) est donc le
propre de ce qui est voulu, c'est-à-dire autonome et raisonnable.
Qu'en est-il alors du Mal (*das Böse*) ? À moins de le ravaler
au mal subi — la souffrance, la maladie, l'échec —, il faut
admettre qu'il est voulu, lui aussi, et dans les mêmes conditions : « *Gute* ou *Böse*, Bien ou Mal se rapportent donc proprement à des actions, non à l'affectivité de la personne ; et, si
quelque chose devait être simplement bon ou mauvais (à tous
égards et sans condition), ou tenu pour tel, ce serait seulement
la manière d'agir [132]. » On dira : l'action bonne témoigne d'une
intention pure, d'une maxime capable d'être universalisée ; l'action mauvaise provient de l'absence d'une telle maxime. Mais
s'agit-il d'une absence ? Notre texte poursuit : « Ce serait seu-

129. PV 105 = PR 62.
130. *Ibid.*
131. MS 213.
132. PV 105 = PR 62.

lement la manière d'agir, la maxime de la volonté et ainsi la personne même qui agit, en tant qu'homme bon ou mauvais, et non une chose, qu'on pourrait nommer ainsi [133]. » Bien moral ou Mal moral : dans les deux cas il y a *volonté*, il y a *maxime*, il y a *personne* — en un mot : *liberté*. Telle est la conséquence lointaine, mais logique, de la théorie des grandeurs négatives.

Un dernier problème peut se poser au sujet du mal moral, de son rapport à l'affectivité et à la liberté, c'est celui de la *passion*. Cette réalité ambiguë semble échapper en effet aux cadres de la morale de Kant. La passion est subie, « fatale », et pourtant coupable. Elle est mauvaise, en tout cas au sens de « passionnel », mais ce mal est autant *Uebel* que *Böse,* autant une torture subie qu'une faute commise.

En fait, Kant entend le mot passion dans un sens plus moderne que les cartésiens, qui voyaient en elle l'affectivité en général, ou du moins l'affectivité en tant qu'elle prédomine sur la volonté et la raison. Wolff lui-même, s'il a su décrire de façon pénétrante le conflit passionnel et les fausses raisons que se donne la passion contre la vraie [134], Wolff ne distingue guère la passion de l'émotion : « Les désirs et répulsions dominants qui naissent d'une connaissance confuse sont les émotions [*affectus*] : passions, affections, troubles de l'âme ; leur science est la psychologie *pathologique* [135]. » On sait l'usage que fait Kant de ce dernier terme. Et pourtant, il ne confond pas la passion avec le « pathologique » en général ; il lui donne un sens plus limité. Ce qui caractérise la passion, c'est d'abord qu'elle *dure* ; elle est « le désir sensible devenu inclination [136] », une inclination qui doit sa force à l'habitude. L'émotion (*Affekt*) ne dure pas ; elle « agit comme une eau qui rompt la digue ; la passion comme un courant qui creuse toujours plus profondément son lit [137] ». La durée explique un second caractère :

133. PV 106 = PR 62.
134. Cf. Bohatec, p. 246, note.
135. Baumgarten, *Metaphysica*, n° 678.
136. MS 408 ; cf. AN 109.
137. AN 110.

l'émotion est irréfléchie ; elle fait violence à la raison, mais
seulement pour un bref instant ; « elle a la mémoire courte [138] » ;
la passion *pense* ; par sa durée même, elle « laisse le loisir de
la réflexion et permet à l'âme de s'en donner les principes [139] »,
des principes constants qui peuvent s'opposer à la loi morale
et rendent ainsi la passion bien plus dangereuse et plus coupable que l'émotion. Oui, la passion est irrationnelle, puisqu'elle est une tendance exacerbée qui empêche la raison de
juger impartialement entre elle et les autres ; et pourtant
elle ne va pas sans la raison ; elle « présuppose toujours chez
le sujet la maxime d'agir selon un but prédéterminé par l'inclination ; elle est donc toujours associée à la raison [140] ». On
le voit dans la haine, qui n'est durable que par le principe qui
l'anime, l'idée du droit, « le désir légitime de justice [141] » ; c'est
précisément cette instance rationnelle qui rend la haine implacable. Enfin la passion *veut* ; alors que l'émotion suspend la
raison, la passion l'enchaîne, ce qui est bien plus grave : « Pour
autant que les mobiles [*stimuli*] n'entravent pas seulement la
liberté, mais la dominent, ils se nomment passion [142]. » Celle-ci
est donc plus près du vice que l'émotion, qui n'est guère qu'une
faiblesse, compatible avec la meilleure volonté [143].

Une autre originalité de Kant est d'avoir souligné ce
contexte social et culturel de la passion qu'avaient méconnu
les cartésiens. Inspiré de Rousseau, il analyse en particulier les
passions liées à la vie sociale : l'amour-propre, ou passion du
« valoir » (*Ehrsucht*), l'ambition, ou passion du pouvoir
(*Herrschsucht*), et la cupidité, ou passion de l'avoir (*Hab-
sucht*) [144]. En reprenant cette analyse, Paul Ricœur affirme :
« Il faut retrouver, derrière ce triple *Sucht,* un *suchen* authentique, derrière la poursuite passionnelle la requête d'humanité,
la quête non plus folle et serve, mais constitutive de la praxis

138. AN 109.
139. MS 408.
140. AN 120 ; cf. 119.
141. AN 123.
142. *Leçons de métaphysique,* citées par Bohatec, p. 246, note.
143. Cf. MS 407-408.
144. Cf. AN 124 à 126.

humaine et du Soi humain [145] » — en un mot comprendre *cela* dont la passion n'est qu'une perversion. C'est bien ainsi que raisonne Kant, d'ailleurs ; dans *la Religion*, il montre que les passions les plus terribles dérivent toutes d'une disposition (*Anlage*) originaire, qui est naturelle, donc innocente et même bonne. Après Rousseau, il affirme que les passions d'amour-propre sont une corruption de l'amour de soi, qui est foncièrement bon [146] : ce qui rend la passion d'autant plus coupable, puisqu'elle pervertit ce que la nature a mis en nous.

Remarquons d'ailleurs que les mots en *sucht* sont en général apparentés à *Seuche* (la peste), et non à *Suchen* (désirer). Comme le dit le dictionnaire étymologique *Duden*, le suffixe *sucht* provient d'un verbe *siechen* : être malade. « Dans des mots comme... *Tobsucht* (rage), on pouvait prendre le radical dans le sens de « désir morbide », même s'il prit très tôt le sens de péché, passion. » Mais l'allemand moderne a tôt fait la contamination de *sucht* et de *Suchen* : « On le remarque dans des formations comme... *Selbstsucht* (égoïsme), *Herrschsucht* (ambition), qu'on interprète dans ce sens, de même que dans des formes plus anciennes comme *Eifersucht* (jalousie) et *Sehnsucht* (nostalgie) [147]. » Kant lui-même a d'ailleurs rattaché *sucht* à *Suchen*, mais tout en retenant le sens primitif de désir morbide et cruel. Ainsi dans ce passage des *Leçons de morale* : « La jalousie [*Eifersucht*] est certes naturelle, mais ce n'est pas une excuse pour la cultiver ; elle n'est qu'une réserve d'énergie affective... Étant des être destinés à agir, bien des mobiles nous sont donnés, comme l'ambition et aussi la jalousie. Mais, dès que la raison règne, nous ne devons plus *désirer* nous accomplir par jalousie, mais de façon désintéressée. » De même dans l'envie : « l'homme cherche [*sucht*] à savourer le bonheur dans le fait qu'il est seul à en jouir et que tous les autres sont malheureux ; elle est diabolique [148] ».

Cette part de liberté que comporte la passion est justement ce qui la rend coupable, « irrécupérable » ; et Kant refuse l'idée d'Helvétius que rien ne se fait de grand sans passion [149]. Même quand celle-ci nous pousse à des actes vertueux, comme la bienfaisance, elle est mauvaise. Pourquoi ? Parce qu'elle nuit non seulement à notre bonheur, mais à la moralité, du fait même qu'elle est servitude : « Les passions sont une gangrène

145. P. Ricœur, *Finitude et culpabilité*, I, « L'homme faillible », p. 127.
146. Cf. RL 46-47, et AN 120.
147. Art. *sucht*, p. 694.
148. *In* Bohatec, p. 230.
149. Cf. AN 120.

pour la raison pure pratique et la plupart du temps elles sont
inguérissables ; car le malade ne veut pas être guéri » ; esclave,
« il trouve plaisir et satisfaction dans l'esclavage [150] ».

En fait, la passion, qui nous rend à la fois malheureux
et coupable, apparaît un peu comme une cote mal taillée dans
cette morale où malheureux et coupable sont soigneusement
distingués, pour ne pas dire opposés. Mais la responsabilité
dans la passion ne laisse aucun doute : quelque irrépressible
que soit la force de l'habitude acquise, c'est bien nous pourtant
qui l'avons acquise. Entre la disposition innocente et la passion dévastatrice, le passage ne va pas de soi ; il suppose un
terme intermédiaire, qui ne ressortit pas à l'explication psychologique, et qui est le mal moral. Ici Paul Ricœur rejoint
tout à fait Kant lorsqu'il écrit : « La psychologie ne me mon-
trera jamais la naissance de l'impur [151]. »

*
*  *

Quelle conclusion tirer de tout cela ? Une doctrine du
mal se dégage-t-elle de cet ensemble de textes épars, glanés
dans toute l'œuvre de Kant ? Peut-être, mais alors une doctrine qui apporte plus de problèmes que de solutions.

Le premier apport de Kant est en tout cas sa conception
de la *positivité* du mal, on ose presque dire : de la positivité du
négatif. La faute, la souffrance sont aussi réelles que leurs
contraires ; à l'optimisme absolu des métaphysiciens, Kant
oppose un pessimisme relatif qui proteste, au nom de l'expérience, contre toute tentative de réduire la réalité du mal à une
négation et une relation nécessaire entre concepts.

Le mal moral est d'autre part le fait de notre *liberté*.
Ici encore, la rupture est totale avec tous les rationalistes
antérieurs. Si Kant ne parle pas expressément d'une volonté
mauvaise, il mentionne souvent le mauvais usage de notre libre
arbitre qui nous fait coupable ; dans la faute notre liberté elle-
même peut s'enchaîner, comme on le voit avec la passion. Or
cette seconde découverte ne va pas de soi. La morale, en

150. AN 120 ; sur la passion, voir aussi FJ 108.
151. P. Ricœur, *op. cit.*, p. 132.

effet, a conduit Kant à admettre une application au moins pratique des catégories au monde « intelligible », une ouverture sur le monde de nouménal [152]. Or voici que dans ce monde intelligible surgit quelque chose de parfaitement inintelligible : une volonté qui transgresse la loi sans laquelle elle n'est rien. N'est-ce pas absurde ?

Or c'est là peut-être le troisième aspect du mal, et le plus fondamental. Reprenons ce paradoxe de l'homme coupable qui reconnaît l'autorité de la loi tout en la violant [153], qui se considère comme l'exception à une règle qu'il respecte par ailleurs ; en fait cet homme se place tour à tour à deux points de vue : il juge tantôt l'acte coupable en le confrontant à la loi universelle, tantôt excusable en arguant la force des circonstances ou des inclinations. Il est moraliste dans le cas général et psychologue dans son cas à lui. Alors, de son point de vue, « il n'y a réellement pas de contradiction, mais bien une résistance de l'inclination aux prescriptions de la raison ». Seulement, « ce compromis ne peut être justifié [154] ». Que veut dire ce texte ? Que, dans le monde intelligible, le mal n'est pas seulement conflit (*Widerstand*), mais contradiction (*Widerspruch*) : la contradiction qu'il y a à poser comme universel ce qui n'est et ne peut être que particulier. À ce qui est antagonisme sur le plan des phénomènes correspond, sur le plan nouménal, la contradiction. L'existence empirique de la faute nous renvoie à une contradiction ontologique, qui dépasse toute raison. Par l'existence du mal moral, on est en droit d'affirmer la réalité du *Nihil absurdum,* une réalité qui est le fait de l'homme.

152. Voir notamment la *Critique de la raison pratique*, préface, p. 3-4, analytique, chap. I, p. 50 à 58, examen critique de l'analytique, p. 110 ; et *Critique de la raison pure*, 2ᵉ préface, p. 21 et 22. Il semble que Kant, tout en maintenant que l'homme ne peut pas *connaître* les choses en soi, admet désormais qu'il a la possibilité de les *penser* (voir RP 22). Sans cette précision, la liberté serait non seulement inconnaissable, mais absurde.
153. Cf. FM 196.
154. GM 424 = FM 143.

# III

## Le mal radical

Le *Nihil absurdum* : c'est bien ainsi que nous apparaît le mal radical tel que l'expose Kant dans la première partie de *la Religion dans les limites de la simple raison*. Comment cet absurde, cette réalité mystérieuse et scandaleuse peut-elle s'intégrer à la philosophie de Kant, entrer dans les limites de la simple raison, voilà le problème !

Je commencerai par exposer aussi fidèlement que possible ce texte trop méconnu des lecteurs français, desservi d'ailleurs par une traduction embarrassée et parfois fautive [1]. Je tenterai ensuite d'en dégager les implications philosophiques et religieuses.

### A. LA NATURE HUMAINE ET LE PENCHANT AU MAL

L'homme est-il bon ? Est-il mauvais ? Commençons par renvoyer dos à dos la thèse de la chute et celle du perfectionnement indéfini du genre humain, les mythes du regret et le mythe du progrès. L'expérience reste muette sur ce sujet, elle

---

1. Elle n'est ni élégante ni exacte ; on lit par exemple « I Moïse » pour Genèse : le traducteur d'un livre sur la religion devrait pourtant connaître la Bible !

ne peut rien nous apprendre sur la valeur foncière de l'homme. En fait, la question si souvent débattue au XVIIIᵉ siècle : l'homme est-il bon ou méchant « par nature », n'a pas de sens, du moins si *nature* signifie l'homme empirique, car le mal comme le bien doit provenir de notre liberté pour nous être imputé. Appelons alors « nature » de l'homme « le principe subjectif de l'usage de sa liberté en général, laquelle est soumise à des lois objectives ² », à la loi morale en d'autres termes. Issu d'un principe subjectif, le mal moral a au fond le même statut que la bonne volonté ; son principe n'est pas « dans un objet déterminant le libre arbitre au moyen de l'inclination, dans un instinct naturel, mais uniquement dans une règle que le libre arbitre se donne à lui-même pour l'usage de sa liberté, c'est-à-dire dans une maxime ³ ».

Pour le dire autrement, une liberté déterminée par des purs instincts ne serait plus une liberté du tout. Un mobile, bon ou mauvais, peu importe, ne peut déterminer notre libre arbitre à agir que si nous l'adoptons dans notre maxime, si nous en faisons une règle générale subjective ; ce n'est que par cette forme rationnelle que nous lui donnons que le mobile peut agir sur « l'absolue spontanéité du libre arbitre ⁴ ». Supposez ainsi qu'une colère violente nous pousse irrésistiblement à quelque chose ; ce quelque chose ne sera pas une action, mais une simple réaction, une décharge sans qualification morale. Si maintenant la colère devient haine, c'est-à-dire passion, c'est que nous nous sommes donné une « maxime » pour sanctionner le mobile, pour changer l'impulsion aveugle en exigence de justice, d'honneur, de réparation, etc. Et la passion est par là même, par la part de raison qu'elle comporte, responsable et coupable ⁵. Donc, si l'homme est mauvais par nature, ce n'est pas à cause de je ne sais quel instinct, c'est qu'il adopte de mauvaises maximes, contraires à la loi morale, en vertu d'un « principe insondable pour nous » — *uns unerforschlich* ⁶. En

  2. RG 6 = RL 39 ; sur l'homme bon ou mauvais par nature, voir aussi ED 492.
  3. RG 7 = RL 39.
  4. RG 12 = RL 42.
  5. Voir la fin du précédent chapitre.
  6. RG 8 A. = RL 39 note.

effet, que j'aie adopté une mauvaise maxime au lieu d'une bonne ne s'explique pas par un mobile, car dans ce cas il faudrait trouver une seconde maxime pour expliquer que j'ai admis ce mobile, puis une troisième, et ainsi de suite à l'infini [7] ! Si l'homme est bon ou mauvais par nature, la nature n'y est pour rien. C'est l'homme, en tant qu'être libre, qui est l'auteur unique du bien ou du mal qui le qualifie. Le mot *nature* n'est acceptable ici qu'au sens de caractère intelligible, de liberté.

Maintenant, peut-on enfermer l'homme dans une alternative aussi tranchée ? Ne peut-on admettre qu'il est à la fois bon et mauvais, ou encore tantôt bon, tantôt mauvais ? Solution de bon sens, qui ne résiste pourtant pas à l'analyse. La loi morale n'est pas en effet une règle extérieure — comme par exemple une loi juridique — à laquelle il faudrait ajouter un mobile comme l'intérêt ou la crainte pour qu'elle se fasse obéir [8]. Non : la loi morale est par elle-même un mobile qui suffit à déterminer notre vouloir ; le simple fait de ne pas lui obéir implique donc une cause réelle, un mobile positif mauvais capable de tenir en échec celui de la loi morale, selon le principe des *grandeurs négatives* : « Le manque d'accord du libre arbitre avec elle ( = 0) n'est possible que comme conséquence d'une détermination du libre arbitre qui la contredise *realiter,* c'est-à-dire d'une répugnance de celui-ci ( = − *a*), c'est-à-dire seulement par un libre arbitre mauvais. Ainsi, entre une bonne et une mauvaise intention — l'intention étant le principe intérieur des maximes — [...] il n'y a pas de milieu [9]. » Autrement dit, il n'y a pas de « zéro » en morale ; la neutralité de nos

---

7. Cf. RG 8 A. = RL 39 note. Dans FM 155-156, Kant employait le même argument pour prouver que la volonté autonome est indépendante de tout mobile.
8. Voir l'introduction à la *Métaphysique des mœurs*, II, MS 218ss.
9. RG 9-10 A. = RL 41 note ; la traduction est ici très fautive. D'autre part, dans ce passage comme dans tous ceux qui suivent, Kant emploie à dessein le terme *Triebfeder,* mobile, et non *Bewegursache,* motif ; la loi morale n'a de force que si elle nous « pousse » à agir ; c'est ainsi seulement qu'elle peut faire contrepoids aux inclinations sensibles. J'estime donc qu'il faut traduire dans tous les cas *Triebfeder* par mobile. Pour plus de détails, voir Bohatec, p. 124, 129, 131.

actes n'est qu'apparente ; et la loi morale pourrait dire, comme l'Évangile : « qui n'est pas pour moi est contre moi » ! En droit, il pourrait exister des actes moralement indifférents [10]. En fait, et il s'agit d'un « fait » qui n'a rien d'empirique, qui est l'acte même de notre libre arbitre, ce moyen terme est à exclure. Cette solution radicale a pour nom *rigorisme.*

Le rigorisme est la doctrine selon laquelle l'homme est totalement bon ou totalement mauvais. Il ne peut être l'un *et* l'autre ; ou encore l'un *ou* l'autre : tantôt l'un, tantôt l'autre, puisque la maxime, bonne ou mauvaise, est adoptée par un choix « intelligible », donc intemporel et qui engage toute notre existence. Dans ce domaine, qui n'est pas celui des actes mais de l'intention la plus intime, *une fois* signifie *une fois pour toutes.* Si j'ai une fois admis la loi, et elle seule, dans ma maxime, je ne puis admettre en même temps une maxime qui la transgresse. Ici encore, parler d'une disposition « naturelle » au bien ou au mal, c'est indiquer que cette disposition est due elle-même à un acte libre auquel on ne peut assigner aucune origine temporelle et empirique [11]. Aussi bien, si l'on juge l'homme à ses actes, on pourra à coup sûr le trouver moralement « quelconque », ou « plus ou moins bon », ou « tantôt l'un, tantôt l'autre ». Mais si l'on remonte de l'acte extérieur à l'intention, l'alternative du rigorisme devient inéluctable : « Son intention, par rapport à la loi morale, n'est jamais indifférente [12]. »

Ayant ainsi posé le problème, il s'agit de le résoudre. L'homme est-il fondamentalement bon ou mauvais ? Ici l'anthropologie nous convainc qu'il n'existe en nous aucune tendance primitive et irrépressible au mal. L'homme a d'abord une disposition (*Anlage*) à l'animalité, constituée par les grands instincts naturels : instinct de conservation, instinct sexuel, instinct grégaire ; inhérents à notre nature, ils sont donc inno-

---

10. Voir notre chapitre II.
11. Cf. RL 43ss.
12. RG 13 = RL 43. Le rigorisme semble bien avoir été inspiré par le théologien luthérien du XVIII<sup>e</sup> siècle, Heilmann : voir Bohatec, p. 177.

cents ; et si des vices peuvent se greffer sur l'animalité, comme l'intempérance, la lascivité, ils ne trouvent en elle ni leur cause ni leur excuse ; la bestialité n'est pas le propre de la bête, mais de l'homme qui fait la bête [13]. L'homme a ensuite une disposition à l'*humanité* : il n'est pas seulement un vivant, mais un vivant raisonnable ; et la raison est ce qui rend l'instinct dramatique ; comme l'a montré Rousseau, elle crée la communication sociale, qui amène chacun à se comparer, à trouver son bonheur ou sa misère dans le regard d'autrui ; alors l'amour de soi naturel se transforme en « amour-propre ». Ainsi la raison, par le déséquilibre qu'elle provoque en l'homme, est à l'origine des passions les plus terribles : rivalité, envie, jalousie, joie sadique (*Schadenfreude*), qui sont autant de figures dans la lutte pour la reconnaissance. Mais enfin, avoir une raison et s'en servir ne constitue pas un mal, bien au contraire ; Rousseau n'a pas vu que la civilisation, avec toutes les perversions qu'elle comporte, n'est pas en elle-même une perversion. Certes, dans ces passions de rivalité et dans les vices qui en résultent (envie, ingratitude, joie sadique), nous voyons la raison au service des pulsions naturelles : on « ne sait pas qu'inventer » pour nuire à son semblable ; mais ce n'est pas cette subordination qui fait la passion et le vice ; la culture sociale, avec ce qu'elle comporte d'habileté et de prudence, est une chose nécessaire et bonne [14] ; la raison, même « pragmatique », est un bien, et l'on ne peut pas plus chercher la cause du mal moral dans notre nature raisonnable que dans notre nature tout court [15]. Rousseau a cru à tort que si l'humanité est pervertie, cette perversion est la conséquence d'une histoire, qui aurait faussé notre nature et notre raison ; non, nature et raison sont toujours bonnes et, s'il y a perversion, elle vient d'ailleurs. Reste la disposition à la *personnalité*, ce qu'il y a de sublime en nous, puisque par elle nous sommes enclins à considérer notre raison non seulement comme un moyen d'agir et de

---

13. Cf. RG 16ss. = RL 45-46. Kant développe l'étude de ces vices dans la *Doctrine de la vertu,* nos 5 à 9. Sur l'influence de Rousseau et de Shaftesbury, voir Bohatec, p. 225ss.
14. Voir notre chapitre VI.
15. Sur l'humanité, voir RG 17-18 = RL 46-47 ; sur les vices issus de l'amour-propre, voir aussi *Doctrine de la vertu,* n° 36ss., MS 458ss. ; pour les sources, voir Bohatec, p. 228ss.

réussir, mais comme pratique par elle-même ; la personnalité, c'est l'homme sujet de la loi morale avec le respect qu'elle provoque en lui ; or l'homme, en tant qu'être naturel, a en lui une disposition à admettre cette loi comme sa propre loi, à « ressentir le respect de la loi morale *comme mobile en soi suffisant du libre arbitre* [16] » : une disposition à être pleinement désintéressé [17]. Ainsi, « le principe subjectif qui nous fait adopter dans nos maximes ce respect comme mobile semble être une adjonction [*Zusatz*] à la personnalité et mériter par là le nom de disposition à l'acquérir [18] ». Donc, il existe aussi en nous une disposition à être moral ; elle ne peut certes être mauvaise ou source de vice !

Ainsi, l'existence humaine s'explique par trois dispositions originaires, en soi innocentes et bonnes ; et nous verrons que l'éducation bien comprise consiste à les développer toutes les trois [19]. L'homme, être animal, être psycho-social, être moral, est prédisposé au bien. Sa « nature » ne se situe pas dans je ne sais quel passé ; elle est toujours là, innocente et bonne comme au premier jour. Seulement cet éloge de la nature humaine est aussi ce qui autorise la plus terrible accusation portée contre l'homme réel : il signifie que le mal vient d'ailleurs. Quel *ailleurs* ? Ici on pourrait répondre, comme Spinoza ou comme Leibniz, que le mal consiste à n'être pas soi-même, à subir une détermination extérieure au lieu d'agir selon sa propre spontanéité, c'est-à-dire sa raison. Mais cette « passion » ne nous est imputable que si le principe en est en nous, si c'est nous qui nous laissons aller à n'être pas nous. Oui, le mal vient d'ailleurs, mais cet *ailleurs* a son origine en nous.

Disons que le mal ne vient pas de notre nature, mais d'un « penchant » étranger à notre nature. Penchant (*Hang*) signifie en fait la tendance brute à une certaine jouissance, et il devient

---

16. RG 18 = RL 47.
17. Cf. *ibid.* et RG 15-16 A. = RL 45 note ; sur les sources et les variations de Kant au sujet de la personnalité, voir Bohatec, p. 232 à 240.
18. RG 19 = RL 47.
19. Voir ED 492 et notre chapitre VI.

« inclination » (*Neigung*) quand le sujet a fait l'expérience effective de cette jouissance, quand le penchant a trouvé son objet [20].

Par exemple, les peuples qui ignorent l'alcool ont pourtant un penchant naturel à l'intoxication, qui deviendra inclination s'ils découvrent les boissons alcooliques et en abusent. Un penchant naturel n'est ni bon ni mauvais ; il n'est qualifié moralement que s'il résulte de la liberté, s'il est une détermination du libre arbitre qui se donne une maxime bonne ou mauvaise [21]. À ce compte, il peut encore être dit « naturel », mais cela signifie seulement qu'il appartient universellement à l'homme. Or, pour en revenir aux trois « dispositions » de tout à l'heure, on voit que le penchant au mal, en tant qu'il est la corruption de chacune d'elles, peut comporter trois niveaux.

Au plus bas, la fragilité (*Gebrechlichkeit*), ou faiblesse de la nature humaine devant la tentation. Elle est positive ; dans les *Leçons sur l'éthique*, on pouvait lire : « La fragilité de la nature humaine ne vient pas seulement d'un manque de valeur morale en l'homme, mais aussi de la présence en lui de mobiles qui le poussent fortement à mal faire [22] » ; elle est très proche de ce que les classiques nommaient « concupiscence ». À un niveau supérieur, l'impureté (*Unlauterkeit*) du cœur, ou penchant à mêler des mobiles immoraux aux moraux ; ici la maxime est assez efficace pour repousser les tentations inférieures, mais cette efficacité n'est pas purement morale : la maxime « n'a pas, comme elle devait, accueilli en soi la loi seule comme mobile suffisant [23] » ; ainsi chez l'homme qui est tempérant par crainte de la maladie, honnête par souci du qu'en-dira-t-on : il lui faut des mobiles étrangers au devoir pour faire son devoir ; dans l'impureté, le penchant au mal ne s'oppose plus à la volonté, il la contamine. Enfin, au dernier niveau, la malignité (*Bösartigkeit*), cette perversion du cœur humain, ce penchant du libre arbitre qui lui fait adopter comme

---

20. Cf. RG 20 A. = RL 48 note. On pourrait aussi bien traduire *Hang* par propension et *Neigung* par tendance ; mieux vaut pourtant respecter l'usage. Sur l'inclination, voir aussi FM 123 note = GM 418 A.
21. Cf. RG 21 = RL 49.
22. Cité par Bohatec, p. 244.
23. RG 22 = RL 50. Sur l'impureté, voir Bohatec, p. 250, et *infra*.

maxime de subordonner le mobile de la loi morale à d'autres mobiles. Qu'est-ce qui distingue la malignité de l'impureté ? Ce n'est pas encore très clair ; du moins voit-on que la première n'est pas le simple mélange de mobiles moraux et non moraux, mais un renversement. C'est pourquoi cette malignité peut aussi s'appeler « perversité » (*Verkehrtheit*), car elle substitue hypo-critement la simple légalité à la moralité et fait qu'on s'honore soi-même de ses actes vertueux sans s'avouer que les mobiles dont ils découlent ne le sont pas.

Les théologiens du XVIIIe siècle, en particulier Heilmann, dénon-çaient ainsi les vertus extérieures, les « vertus bourgeoises » : « Ceux qui répriment les effets extérieurs du péché sont des hommes d'appa-rence vertueuse [*honesta specie*], et les plus vicieux d'entre eux sont ceux qui vont jusqu'à s'efforcer de simuler l'apparence de la vertu[24].» Mais pour ces théologiens, la simulation de la vertu n'est qu'un cas par-ticulièrement grave du péché ; chez Kant, elle est *le* péché.

Bref, le penchant au mal peut fort bien se trouver dans le cœur d'un homme extérieurement bon. Il est de ces phari-siens, de ces « sépulcres blanchis » qui se conforment stricte-ment à la loi dans leurs actes mais sans faire de la loi morale leur mobile suffisant. Le mal moral est là : dans la légalité prise pour la moralité. La légalité est le fait de suivre la loi pour des mobiles étrangers à la loi, comme l'intérêt, la crainte du gendarme ou de l'enfer, ce qui rend la volonté hétéronome. En soi la légalité n'est pas mauvaise ; elle est même excellente sur son propre plan, qui est celui de la vie sociale. Ce qui est mauvais est de confondre les plans ; car si j'obéis à la loi morale pour des mobiles qui lui sont étrangers, l'ambition, l'égoïsme, voire la compassion, mon obéissance cessera avec la disparition de ces mobiles. Celui qui est honnête par intérêt ne sera-t-il pas malhonnête le jour où son intérêt le lui prescrira ? Celui qui se conforme à la loi « suivant la lettre » en trahit l'esprit ; et, comme dit saint Paul : « Ce qui ne procède pas de la bonne foi est péché[25]. » Pourquoi péché ? Peut-être parce qu'à la bonne foi se substitue une autre conviction : celle qu'il suffit de bien faire pour être en règle. L'impureté n'est qu'un état

24. *In* Bohatec, p. 244.
25. Romains, XIV, 23, cité par Kant *in* RG 24 = RL 51 ; voir aussi K. Jaspers, *le Mal radical chez Kant*, p. 230-231.

de fait ; la perversité est l'acceptation coupable de cet état de fait ; elle est infiniment plus grave.

Nous avons décrit les niveaux du penchant au mal ; nous ne l'avons pas expliqué pour autant. D'ailleurs, pourquoi employer ici ce terme de « penchant au mal » (*Hang zum Böse*), alors que le penchant n'est qu'une simple virtualité de notre nature, et que le bien et le mal se situent en fait au niveau de l'inclination, ou penchant devenu habitude ? Ce n'est pas le penchant à boire qui est coupable, c'est l'ivrognerie.

Notons ici que le mot penchant traduit la *dispositio* des théologiens du XVIIIᵉ siècle. Le penchant au mal est pour eux la conséquence de la chute. Schultz définit ainsi le péché originel : « Un penchant au mal provoquant l'inclination à pécher [26]. » Le grand problème est de savoir si ce penchant est oui ou non une habitude (*habitus*). Oui, répond Heilmann : le péché originel est dit justement *peccatum habituale* parce qu'il corrompt toutes les tendances de l'âme, qu'il nous pousse vers les biens apparents au lieu des vrais. Non, répond Michælis, qui voit (comme Kant plus tard) dans le péché originel un étrange penchant (*Hang*) au mal moral qui nous fait commettre ce que nous reconnaissons nous-même être déraisonnable et contraire à la loi ; or ce penchant ne peut être habituel, car il n'y a aucune raison pour que la faute d'Adam, si désastreuse pour lui, soit devenue une habitude chez lui, encore moins chez ses descendants [27] ! Schultz est plus nuancé : il place le péché originel, ou *dispositio ad prava*, entre la simple possibilité et l'habitude ; il est plus qu'une simple possibilité de pécher, car celle-ci n'est rien d'autre que l'imperfection de l'homme, limité par nature puisque distinct de Dieu, ce qu'on ne saurait lui imputer ; il n'est pas non plus l'habitude acquise, car celle-ci, due à l'imitation ou aux mauvais exemples, est contingente et n'exprime pas le caractère universel et radical du péché originel [28]. Mais ce qui rassemble tous ces théologiens est qu'ils assimilent plus ou moins le péché à la concupiscence.

Le débat le plus grave, à cette époque, portait sur le caractère héréditaire du péché originel, en allemand *Erbsünde*. Est-il inné ? Alors il ne peut logiquement nous être imputé. Est-il acquis ? Alors comment peut-il être universel, inhérent au genre humain ? En fait les théologiens du Siècle des Lumières semblent empêtrés dans cette contradiction. C'est ainsi que Schultz écrit : « Un tel penchant nous appartient par nature » ; mais aussi : « Nous avons contracté ce penchant à pécher. » On s'en tire en précisant que naturel, ou inné, ne veut pas dire essentiel : le

26. *In* Bohatec, p. 242 ; tous ces théologiens ont été lus par Kant.
27. Cf. Bohatec, p. 247.
28. Cf. Bohatec, p. 243.

péché originel peut n'être qu'un accident de notre nature. Heilmann
dit ainsi : « Cette perversion nous est naturelle et congénitale, mais non
essentielle, car il s'est trouvé des hommes soustraits à la chute [29]. » Kant
entre à son tour dans le débat, mais il le tranche à sa manière, puisqu'au départ il distingue la « disposition », qui est naturelle et bonne,
du « penchant », et qu'il donne au mot *nature* le sens de choix intemporel, nouménal.

En fait, le mot penchant a ceci d'utile qu'il indique que
le bien (ou le mal) moral ne résulte d'aucune virtualité ou
prédisposition antérieure, qu'il est absolument originaire : « Tout
penchant est soit physique, c'est-à-dire inhérent au libre arbitre
de l'homme comme être naturel, soit moral, c'est-à-dire inhérent
à son libre arbitre comme être moral. Dans le premier sens,
il n'y a pas penchant au mal moral, puisque ce dernier ne peut
provenir que de la liberté [...] Il doit être notre fait [*Tat*]
propre pour nous être imputé [30]. » On objectera que le mot
« penchant » signifie une disposition du vouloir antérieure au
fait lui-même. Il faut répondre que « fait » peut désigner deux
choses différentes : d'une part l'action, en tant qu'elle nous est
imputable ; d'autre part « cet usage de la liberté par lequel la
maxime suprême (conforme ou contraire à la loi) est accueillie
dans le libre arbitre [31] ». Ainsi est-il absurde de faire du penchant au mal un instinct naturel ou congénital, car le mal ne
peut provenir que du libre arbitre. Origine et condition de tous
nos actes, ce penchant est lui-même un acte *(Tat, actus)*, la
décision intime de notre liberté ; il n'est pas antérieur à nos
fautes, il est le *préalable* qui les qualifie comme fautes, il en
est l'âme. Loin d'être une simple disposition, le penchant au
mal est donc ce choix intemporel qui fait de tous nos actes,
même bons extérieurement, les actes d'un coupable [32]. Loin
d'être une tendance à agir, il est l'*acte par excellence*, celui par
lequel nous jouons notre destinée.

En définitive, le mal moral est radical comme la bonne
volonté elle-même ; comme elle, il se distingue des actes qui

29. Peut-être veut-il dire le Christ ; *in* Bohatec, p. 264-265.
30. RG 24-25 = RL 51.
31. *Ibid.* Pour la définition de *Tat,* l'acte en tant que responsable, voir l'introduction à la *Métaphysique des mœurs,* IV, MS 223.
32. Cf. aussi RL 60 note. Pour les sources, voir Bohatec, p. 281ss.

l'expriment et se situe au niveau de l'intention ; comme elle, il est absolument inconditionné ; comme elle, originaire, c'est-à-dire inexplicable ; comme elle, il est l'expression de notre liberté.

## B. LE MAL EST-IL UNIVERSEL ?

Est-ce à dire que le mal moral soit inconnaissable, qu'on ne puisse pas dire si l'homme est effectivement mauvais, de même qu'on ne peut pas savoir s'il existe réellement des actes de bonne volonté ? Ou bien peut-on faire un pas de plus et passer de l'essence du mal à l'existence de l'homme effectivement mauvais ?

Car l'*homme est réellement mauvais* : « Il a conscience de la loi morale et il a pourtant admis dans sa maxime de s'en écarter si l'occasion s'en présente [33]. » Et cette transgression « occasionnelle » (*gelegentliche*), loin d'être une exception, suffit à détruire toute valeur en l'homme. Or, ici nous nous trouvons devant un double problème : d'abord, comment prouver que tout homme est réellement mauvais ? Ensuite, comment concilier cette universalité du mal moral avec la liberté du fautif : cette universalité même ne pose-t-elle pas le mal comme une nature, comme un destin ?

Comment prouver que l'homme est mauvais ? Il suffit de s'en remettre à l'expérience, dit Kant ; mais il s'agit d'une expérience systématique, procédant par dénombrements entiers. Si nous considérons d'abord les mœurs des primitifs, des « bons sauvages » chers au XVIIIᵉ siècle, nous y trouvons d'innombrables exemples de cruauté absolument gratuite, qui ne nous édifient guère sur la bonté « naturelle » de l'homme. Si maintenant nous nous tournons vers les peuples dits civilisés, nous voyons que la culture n'a pas détruit cette méchanceté foncière ; en la refoulant, elle n'a fait que la rendre plus hypocrite ; l'homme est si peu bon que la défiance dans les relations sociales passe toujours pour prudence, que ses vertus ne sont guère que « des vices déguisés » ; n'est-il pas vrai par exemple

33. RG 26 = RL 52.

que chacun de nous trouve toujours quelque plaisir intime dans
le malheur de ses meilleurs amis — ne serait-ce que le plaisir
assez pervers de pouvoir l'« obliger », de sentir qu'il dépend
de moi ? D'ailleurs le vice n'a même pas besoin de se déguiser,
et nous trouvons qu'un homme est déjà bien bon s'il n'est un
méchant homme qu'au sens commun du terme. Si maintenant
on réplique, avec l'*Aufklärung*, que ces vices sont des restes
de barbarie que le progrès éliminera peu à peu, il suffira, pour
se convaincre du contraire, de regarder l'homme moderne là
où il n'est plus tenu par la contrainte du droit : dans le domaine
des relations internationales. Chaque État n'essaie-t-il pas de
s'accroître au détriment de ses voisins, tout en supposant que
ceux-ci en font autant ? Entre toutes ces nations civilisées, les
rapports ne sont-ils pas réellement et foncièrement barbares ?
Et ceux qui croient en un monde où morale et politique pourraient s'accorder et où régnerait la paix perpétuelle ne passent-
ils pas pour d'aimables utopistes ? Depuis le xviiie siècle, nous
n'avons pas de motifs d'être moins pessimistes ; le droit inter-
national a certes progressé, les organisations se sont multipliées ;
mais du moment que toutes les puissances, dans la mesure où
elles sont réellement puissantes, n'hésitent pas à recourir à la
guerre ou à la menace de guerre pour faire valoir leur droit,
on peut dire que la barbarie subsiste intégralement entre les
États civilisés. Plus généralement, rien ne nous laisse croire
que le progrès des techniques, des sciences et même des mœurs
puisse extirper « cette perversité enracinée dans la nature humaine [34] ».

En tout ceci, l'expérience semble donner raison à Kant.
Seulement, Kant a-t-il raison de recourir à l'expérience ? Après
avoir récusé toute preuve empirique au début de son *Essai* [35],
avait-il le droit de conclure, à partir d'exemples empiriques,
que l'homme est fondamentalement mauvais ? Car, notons-le,
il procède ici à une double induction : 1) D'abord, il conclut
du particulier à l'universel, des exemples, si nombreux soient-
ils, à une loi qu'ils ne suffisent pas à établir. Mais, dira Kant,
c'est justement qu'on remonte des faits à leur principe, des

34. KS 157 = PP 65.
35. Cf. RL 38 ; c'est la critique de Ruyssen, voir p. 66.

exemples d'actes ou de mobiles mauvais à l'intention intelligible
qui permet seule d'en rendre compte. 2) Et c'est là justement
qu'est la seconde induction : du sensible à l'intelligible. Est-elle
légitime ? Kant affirme que « cette foule d'exemples parlants
que nous présente l'expérience des *actions* humaines » nous
dispense de chercher plus avant une preuve formelle de l'existence d'un penchant mauvais dans la nature humaine [36]. On
se souvient pourtant qu'il affirmait dans les *Fondements* que
tous les exemples d'actes vertueux qu'on peut constater ne
peuvent prouver « que quelque véritable vertu se rencontre
réellement dans le monde [37] » ; car on n'a pas le droit de conclure de la valeur de l'acte à celle de l'intention, nul ne pouvant
sonder le fond des cœurs. Comment comprendre alors cette
dissymétrie dans la méthode, qui permet d'affirmer que l'homme
est mauvais d'après une preuve empirique que l'on récuse lorsqu'il s'agit d'affirmer sa bonté ? On pourrait répondre que, si
l'acte vertueux ne prouve pas l'intention vertueuse, l'acte coupable, lui, témoigne aussitôt d'une intention coupable, contraire
à la loi [38]. Mais Kant écrit lui-même : « On appelle un homme
*mauvais* non pas parce qu'il commet des actions mauvaises
(contraires à la loi), mais parce que ces actions sont telles
qu'elles permettent de conclure à de mauvaises maximes en lui.
Or on peut certes constater, d'après l'expérience, des actions
contraires à la loi, et même consciemment contraires (du moins
à juger sur son propre cas), mais les maximes, on ne peut pas
toujours les observer, même en soi-même ; ainsi, on ne peut
pas fonder avec certitude sur l'expérience ce jugement : l'auteur
de ces actes est un homme mauvais [39]. » Mais Kant ajoute aussitôt que, d'une seule action contraire à la loi, on « devrait conclure » à l'existence, dans le sujet, d'une mauvaise maxime, et
de là à un principe qui le pervertit tout entier [40] ; « on devrait
[*müsste*] conclure : pour passer de ce conditionnel à un indi-
catif, pour affirmer que l'homme est réellement mauvais, il
faudrait connaître non seulement les actes, ou même les maxi-

---

36. RG 27 = RL 53.
37. FM 113.
38. Voir notamment RL 51 ; FM 94 ; AN 163.
39. RG 6 = RL 38.
40. *Ibid.*

mes, mais la décision intelligible qui les adopte, « ce fondement
universel de toutes les maximes mauvaises particulières, qui est
lui-même une maxime [41] ». Or Dieu seul peut sonder ce fond
des cœurs...

Il y a donc, semble-t-il, une contradiction ; Kant nous
dit d'une part qu'on n'a pas le droit de conclure d'un acte
mauvais au caractère mauvais de l'agent ; mais d'autre part il
s'arroge lui-même ce droit et s'appuie sur certains actes empiriques pour prouver le caractère mauvais de tout le genre humain. J.-L. Bruch répond ici qu'il n'y a pas de symétrie entre
l'acte vertueux et l'acte mauvais dans leur rapport à l'intention
et à la qualité morale de l'agent : si l'acte extérieurement bon
peut fort bien n'être qu'une contrefaçon, « on ne contrefait pas
le mal, on ne peut que l'accomplir » (p. 64). C'est indéniable.
Seulement, lorsqu'il traite du mal, Kant ne l'illustre que très
rarement par des actes franchement mauvais (crimes, mensonges, etc.) ; il part plutôt d'actes ambigus : le suicide par
désespoir, la promesse non tenue en cas de détresse, le dépôt
non rendu parce que personne ne le réclame, la dénonciation
sous la contrainte ; ces actes ont toujours un « parce que »,
une bonne raison de les accomplir qui les innocente ou les
justifie : et pourtant la maxime qui les accepte est mauvaise,
car elle plie la loi morale à nos désirs ou à nos craintes, elle
fait de la loi un simple moyen. Le mal moral n'est pas dans
l'acte mais dans l'agent. La vraie preuve du mal universel tient
peut-être au caractère même de l'obligation morale qu'il transgresse : elle est si haute qu'il est impossible à l'homme d'être
certain de l'avoir satisfaite, et le seul fait de s'en croire certain
suffit à nous rendre coupable de « présomption », la pire forme
de l'amour de soi. Et c'est pourquoi, lorsque Kant nous donne
des exemples de transgression de la loi morale, il ne parle pas
de crime, de sadisme, de vices scandaleux, mais seulement
d'actes qui peuvent paraître justifiés : garder un dépôt non
réclamé, faire un emprunt excessif en cas de détresse, etc. ;
de même, il ne cite pas en exemple des nations agressives,
« bellicistes » pour illustrer la violence dans les relations inter-

41. RG 6 = RL 39.

nationales ; il parle des nations normales, qui trouvent toutes
« normal » de recourir à la violence ou à la menace pour faire
valoir leur droit.

Si Kant part de l'expérience pour prouver l'universalité
du mal moral, il s'agit bien d'une expérience systématique ;
dans ce domaine, la seule expérience probante est celle qui nous
révèle la méchanceté des hommes de bien ; la seule corruption
de fait qui soit significative est la *corruption du meilleur* ! Et
c'est bien ce que dit Kant lui-même : si on établit l'existence
du « penchant au mal chez l'homme le meilleur (d'après ses
actes) », on aura « prouvé l'universalité du penchant au mal
chez les hommes ou, ce qui revient au même [...] son inhérence
à la nature humaine [42] ». Il n'y a pas contradiction, comme le
veut Bruch, entre ce texte et le passage où Kant affirme que
l'homme mauvais par nature n'est pas tel individu mais toute
l'espèce. Il me semble au contraire que la corruption de l'homme le meilleur est la preuve *a fortiori* de celle de tous les
autres : si le meilleur des hommes est lui-même mauvais, mauvais au fond de lui-même, qu'en sera-t-il des autres ! Il se
peut que pour nous, qui avons lu Nietzsche et Freud, cette
preuve soit moins convaincante que pour Kant ; il n'est pas
évident que la corruption secrète de « l'homme de bien » démontre *a fortiori* celle du genre humain tout entier... Il n'en
reste pas moins que cette méthode permet à Kant une description singulièrement profonde et « moderne » du mal moral en
l'homme.

## C. EN QUOI SOMMES-NOUS COUPABLES ?

Admettons que nous ayons prouvé que le mal est universel, parce que inhérent à la nature humaine. Nous nous
heurtons aussitôt à un autre problème : sommes-nous encore
responsables de n'être pas bons ? Si le mal appartient à notre
nature intelligible, peut-on nous reprocher de ne pas l'éviter ?
On se heurte ici à la même difficulté que les théologiens avec
le péché originel, cette faute inévitable et pourtant coupable.

42. RG 23 = RL 50 ; cf. RL 52 et 42 à RL 44 ; cf. Bruch, *la Philosophie religieuse de Kant*, p. 62.

Ainsi du mal chez Kant : il est universel tout en étant contingent, inhérent à notre nature tout en étant libre [43] : « Lié à l'humanité et en quelque sorte [...] enraciné en elle, nous pourrons appeler ce penchant un penchant naturel au mal ; et, comme il faut qu'il soit toujours coupable par sa propre faute, un *mal* radical inné dans la nature humaine, — que nous avons néanmoins contracté nous-même [44]. »

Pour sortir de cette contradiction, il faut examiner à nouveau l'essentiel de ce mauvais principe, de cette méchanceté qui tient à la racine de nous-même. Le mal ne vient pas, on ne le dira jamais assez, de notre nature sensible ; nos dispositions naturelles ne sont ni bonnes ni mauvaises et, si elles sont une occasion de pécher, elles le sont aussi d'exercer notre vertu. Surtout, si le mal se réduisait à une affection sensible, il ne serait plus qu'une maladie ou un malheur, il ne serait plus une faute ; le mal n'est mal (*Böse*) que parce qu'il peut nous être imputé, et ceci « malgré sa racine profonde dans le libre arbitre, qui nous contraint de dire qu'il se trouve par nature dans l'homme [45] ». Il est utile de citer à ce propos une note de la *Doctrine du droit* sur le crime :

> Toute transgression de la loi peut et doit s'expliquer uniquement de cette manière : elle provient d'une maxime du criminel, celle de se donner pour règle un tel forfait ; car, si on la dérivait d'une impulsion sensible, elle ne serait pas commise par lui en tant qu'être libre et ne pourrait lui être imputée. Seulement, comment est-il possible de prendre une maxime à l'encontre du commandement explicite [*Klare Verbot*] de la raison législatrice : voilà ce qui est simplement inexplicable. Car on ne peut expliquer que ce qui arrive selon le mécanisme de la nature [46].

Faut-il alors attribuer le mal à une dépravation (*Verderbnis*) de cette même raison législatrice ? La note citée plus haut laisse entendre le contraire ; le criminel considère son acte comme une exception à la loi morale, tout en répugnant à la transgression en tant que telle ; il ne peut pas poser la maxime

43. Cf. RG 26ss. = RL 52ss.
44. RG 27 = RL 53.
45. RG 31 = RL 56.
46. MS 321.

du crime comme loi universelle, opposer délibérément une
autre universalité à l'universalité de la loi morale, se poser en
ennemi de cette dernière. « À vue humaine [*Soviel wir einse-
hen*], il est impossible de commettre un tel crime, d'une méchanceté aussi gratuite [*ganz nutzlosen*], mais il est impossible
de l'omettre pourtant dans un système de morale, du moins à
titre de simple idée du mal extérieur [47]. » Autrement dit, la
morale peut bien admettre le diable, au moins à titre d'hypothèse, mais non que l'homme soit diabolique. Notre raison
pratique ne peut anéantir sa propre loi ; une volonté mauvaise
qui refuserait délibérément la loi morale, c'est absurde ; car
une telle volonté, transcendant les lois empiriques parce que
libre et opposée néanmoins à la loi morale, serait une volonté
sans structure, une causalité agissant hors de toute loi, ce qui
est impossible ; ainsi, une volonté délibérément mauvaise
s'anéantirait en tant que volonté. Bref, notre nature sensible
contient trop peu pour expliquer le mal ; en revanche, assigner
celui-ci à une nature intelligible, à « une volonté purement et
simplement mauvaise », c'est demander trop ; l'anthropologie
admet le cas où l'homme prend la loi morale elle-même comme
mobile et le cas où il obéit à cette loi pour des mobiles qui lui
sont étrangers, ou encore se considère lui-même comme exception à cette loi qu'il respecte ; elle n'admet pas que « l'opposition à la loi soit elle-même érigée en mobile », car « le sujet
deviendrait ainsi un *être diabolique* [48] ».

Est-ce à dire qu'il faille renoncer au principe des grandeurs
négatives et revenir à la position traditionnelle qui voit dans
le mal une simple absence de bien, dans la volonté mauvaise
un simple manque de volonté ? En un sens oui, mais en précisant bien que la position traditionnelle elle-même ne peut être
maintenue qu'à partir du principe des grandeurs négatives.
L'homme est à la fois raisonnable et sensible ; il faut donc
admettre que pour tous ses actes deux mobiles sont toujours
présents à la fois, deux dont un seul suffirait à expliquer l'acte :
le mobile sensible, en soi innocent, et la loi morale elle-même.
La différence entre le bien et le mal tient uniquement à la

47. MS 322.
48. RG 32 = RL 56 ; cf. 58.

*subordination* de ces mobiles : lequel des deux est-il la condition de l'autre, lequel ferait-on passer d'abord ? Si le mobile sensible, l'amour de soi, est la condition de l'obéissance à la loi morale, au lieu de lui être subordonné comme à sa condition suprême, alors tout en l'homme est perverti et foncièrement mauvais. Malgré ce renversement, les actes peuvent rester conformes à la loi ; d'ailleurs les actes immoraux eux-mêmes ne témoignent pas d'un mobile contraire à la loi, puisqu'un tel mobile est impossible chez l'homme. Alors où est le mal ? Le mal est dans ce *renversement* lui-même, où la raison pratique en quelque sorte dévoyée donne aux mobiles sensibles une unité qu'ils n'ont pas par eux-mêmes, sous le nom de principe du bonheur. Et le pire est que l'homme agit ainsi comme si ses actions provenaient de principes authentiquement moraux, alors qu'en réalité il n'est franc que par peur des ennuis, courageux par crainte du qu'en-dira-t-on, vertueux pour des mobiles qui n'ont rien de vertueux [49].

Remarquons-le, cette analyse est tout à fait dans la ligne de la philosophie wolffienne. Baumgarten affirme ainsi que la volonté humaine n'est jamais purement rationnelle, mais toujours mêlée de mobiles sensibles [50] : « Parmi les motifs (rationnels) qui me déterminent à vouloir ou à repousser, on trouve toujours aussi des mobiles. Or, si des mobiles coexistant avec des motifs nous poussent à faire le contraire de ce à quoi les motifs nous déterminent, il naît une dissension, un combat entre la faculté appétitive inférieure et la supérieure [51]. » Cette coexistence et ce conflit apparaissent aussi dans la théologie morale de l'époque. Ainsi, Stapfer écrit : « Les mobiles sensibles doivent toujours être soumis aux raisonnables. Au lieu de quoi, les plaisirs sensibles dominent, ils l'emportent sur la raison, ils l'étouffent ; [ainsi s'est] instituée une superdomination des désirs sensibles sur les représentations raisonnables [52]. » On voit d'emblée la profonde originalité de Kant par rapport à ces penseurs, dont il s'est pourtant inspiré jusque dans les termes.

D'abord il refuse leur intellectualisme ; la raison, d'après lui, n'est jamais étouffée par le sensible ; le péché originel l'a laissée intacte [53]. Il repousse surtout ce que leur explication a de mécaniste ; chez Wolff et

49. Cf. RG 33 à 36 = RL 57-58.
50. Cf. *Metaphysica,* n° 692.
51. N° 693.
52. Cité par Bohatec, p. 281 ; j'ai tâché de respecter en traduisant le caractère populaire du style de Stapfer ; pour les autres sources, voir Bohatec, p. 276ss.
53. Cf. Bohatec, p. 277.

les théologiens qui s'en inspirent, le mal moral est dû à un aveuglement, à une méconnaissance de la loi universelle ou de la volonté de Dieu, qui s'explique par une prédominance (*superpondium*) quasi mécanique des mobiles sensibles sur les motifs raisonnables. Pour Kant, nous sommes nous-même la cause de ce « renversement ».

Ce *renversement* des mobiles, cette perversion est bien ce qui constitue le mal radical ; je dis mal, et mal imputable, car la raison gardant toute sa force et toute sa lumière, le renversement n'était pas fatal. Le mal est notre faute, puisqu'il ne peut venir ni du mobile sensible, ni du mobile rationnel, mais de notre seul libre arbitre qui les intervertit. Il est radical, puisqu'il corrompt le principe de toutes les maximes, le libre arbitre. Il est inextirpable, puisqu'il ne peut être surmonté que par de bonnes maximes et que le principe suprême de celles-ci est corrompu. Il est coupable, puisqu'il est le fait de notre seule liberté [54].

Dans un sens, donc, la philosophie rationaliste a raison : il n'existe pas de volonté positivement mauvaise, et nul ne fait le mal volontairement. « L'homme, même le plus méchant, quelles que soient ses maximes, ne repousse pas la loi morale en rebelle. Cette loi s'impose à lui, au contraire, à cause de la disposition morale qui est en lui, d'une façon irrésistible [55]. » L'homme n'est pas assez diabolique pour violer délibérément la loi, pour être méchant volontairement. Il n'en est pas bon pour autant ! Car cette subordination en lui de la loi morale à l'intérêt égoïste, ce penchant à se servir de la loi pour se justifier au lieu de la servir, constitue une véritable perversion du cœur (*Verkehrtheit des Herzens*). Or cette perversion, qui n'est pas une mauvaise volonté positive, mais l'absence d'une bonne volonté toujours exigible, implique elle-même une cause positive, un principe mauvais. Voilà ce que les rationalistes n'ont pas compris [56].

Quel est alors ce principe mauvais ? Ici il faut revenir aux trois niveaux du penchant du mal. D'abord la « fragilité » de la nature humaine, qui est trop faible pour suivre les prin-

54. RG 35 = RL 58.
55. RG 33 = RL 57.
56. Cf. RG 36 = RL 58.

cipes qu'elle s'est donnés dès qu'ils sont battus en brèche par
les inclinations sensibles [57]. Ensuite l'« impureté », qui consiste
à mêler au mobile moral des mobiles intéressés. Notons que
ce terme, *Unlauterkeit*, n'évoque pas la concupiscence ou l'éro-
tisme, comme c'est souvent le cas en français pour le mot
impureté ; il signifie le fait d'agir moralement pour des mobiles
qui ne sont pas exclusivement moraux, un certain manque de
désintéressement et de droiture ; et son équivalent latin est
aussi bien *improbitas* qu'*impuritas* [58]. Est-elle coupable ? Non,
car elle est inévitable, tout comme la fragilité. Rappelons la
célèbre formule de Kant, que l'homme n'est pas capable d'une
volonté *sainte,* mais seulement d'une volonté *pure* ; la sainteté,
c'est le propre d'une volonté qui est pure par essence, qui ne
peut être que désintéressée ; la volonté humaine peut tout au
plus être « pure », précisément parce qu'elle est par essence
impure, toujours entachée de mobiles étrangers à la loi. Être
pure, pour elle, c'est être purifiée. Et cette purification ne va
jamais de soi ; elle est toujours coûteuse et toujours douteuse [59]. L'impureté n'est donc pas le contraire de la vertu,
mais de la sainteté [60]. Or personne, en tout cas pas Kant, ne
nous reproche de n'être pas des saints ! Remarquons ici que
la fragilité et l'impureté sont exactement ce qui constitue le mal
moral chez les wolffiens, un mal qui n'en est pas un puisqu'on
ne peut nous l'imputer. Comment Kant peut-il alors y voir des
« degrés » du penchant au mal ?

Certains, comme Krueger, ont pu dire que Kant hésite
entre une définition du mal comme acte de la raison, et une
autre, tirée de l'expérience, comme impuissance de la vertu en
face de la fragilité et de l'impureté. Bruch, au contraire, réduit
ces trois niveaux à un seul : « En réalité, dit-il, cette progression est illusoire, car il n'est pas possible de juxtaposer des

---

57. Cf. RG 36 = RL 58.

58. RG 22.

59. Sur *volonté pure* et *volonté sainte,* voir notamment : GM 414
= FM 124 ; GM 439 = FM 168-169 ; PV 57-58 = PR 32-33 ;
PV 127 = PR 75 ; PV 151 = PR 89 ; PV 231 = PR 137 ; RG 84 =
RL 92 ; RG 52-53 = RL 70 ; *Doctrine de la vertu,* introduction, X,
*in* MS 396-397, — et n° 21, MS 446.

60. Bohatec, p. 250.

maximes hétérogènes : l'impureté implique déjà la perversion des maximes. C'est dire que ces trois prétendus degrés du penchant au mal constituent en réalité l'explicitation progressive de ce penchant. Et l'impureté — c'est-à-dire le mensonge — en est la forme essentielle... [61] ». On pourrait répondre à Krueger comme à Bruch que Kant ne qualifie pas la fragilité et l'impureté de *coupables*, mais simplement de *mauvaises*. Dans la *Doctrine de la vertu*, il définit l'impureté comme le fait de tromper sa conscience, quand par exemple on prend ses désirs pour des réalités, comme l'amoureux qui prête à sa dame des qualités imaginaires ; il n'y a là qu'une faiblesse (*Schwacheit*), qui toutefois devient gravement coupable et pourrit tout en nous dès qu'elle constitue une illusion sur nous-même, sur notre propre valeur [62]. Bref, fragilité et impureté, tout en étant mauvaises, ne sont pas coupables du moment qu'elles ne sont pas *intentionnelles* [63]. Elles ne sont au fond que la « matière » du mal moral.

Le mal moral, c'est de *consentir* à la fragilité et surtout à l'impureté. Se résigner à abdiquer devant la tentation, et pire encore accepter sans autre ses mobiles, les admettre comme purs sans s'interroger sur ce qu'ils peuvent avoir d'intéressé, se contenter d'obéir à la « lettre » de la loi tout en trahissant son esprit : cela « doit être appelé une perversion radicale dans le cœur humain [64] ». Cette perversion est le mal moral par excellence. Car elle seule est imputable à notre libre arbitre. Or, en apparence, cette doctrine est très proche du rationalisme traditionnel, pour qui le mal n'est pas une révolte, mais une erreur, un aveuglement sur la valeur et sur soi-même. Et pourtant l'originalité de Kant saute aux yeux. Ce qui est pour les autres *erreur*, il le nomme *mensonge*.

C'est un aveuglement, oui, mais par refus de voir, de se voir ; le mal radical consiste en ceci : non pas dans l'impuissance

61. Voir Krueger, *Critique et morale chez Kant*, p. 248-249 ; encore un beau livre dont la traduction est un pur scandale ! Il suffit de lire la page citée ici pour s'en rendre compte. Voir aussi Bruch, p. 68, cf. p. 70.
62. Cf. MS 430-431.
63. Cf. RF 37 = RL 59, et notre chap. IV.
64. RG 37 = RL 59.

à bien faire, qui nous excuserait plutôt, ni dans une révolte
contre la loi, dont nous sommes bien incapables, mais dans le
mensonge à soi, la mauvaise foi : « Cette faute innée [...] a
pour caractère une certaine perfidie [*Tücke*] du cœur humain
[...] qui se dupe lui-même sur ses intentions, bonnes ou mauvaises et qui, pourvu que les actions n'entraînent pas le mal
que leurs maximes pourraient produire, est sans inquiétude
quant à son intention et se contente d'être justifié [*gerechtfertigt*] devant la loi [65]. » Le mal radical apparaît moins dans les
crimes scandaleux que dans la conscience paisible de la plupart
des hommes, qui se contentent d'une innocence qui n'est due
qu'aux circonstances [66].

Car l'homme est rarement cynique. Il peut l'être parfois
dans ses actes, commettre des crimes « sadiques », d'une méchanceté absolument gratuite [67] ; mais il trouvera toujours de
bonnes raisons pour se justifier, pour mettre la loi morale de
son côté. Au niveau de l'intention, l'homme n'est pas méchant
*volontiers*. Certes l'égoïsme est au fond de toutes nos actions
mauvaises, et même des bonnes peut-être ; mais a-t-on jamais
vu quelqu'un choisir délibérément d'être égoïste et s'affirmer
comme tel ? S'il est des hommes qui se « choisissent » égoïstes,
vicieux, sadiques, ce sont bien plutôt des malades ou des déses-
pérés que des méchants volontaires. Les vrais coupables sont
d'une autre trempe ; ils s'arrangent pour avoir leur conscience
avec eux, pour mettre la loi morale à leur service, pour se
justifier, ce qui est l'essence même de l'« injustifiable ». En
un mot, le mal radical est mensonge, et mensonge à sa propre
conscience.

On sait que le *mensonge* n'est pas pour Kant un vice
parmi d'autres : il est le vice fondamental. Cette horreur du
mensonge tenait sans doute à son caractère et à son éducation
protestante, mais elle s'explique aussi par son rationalisme mo-

65. RG 37 = RL 59 ; une première esquisse de ce texte se
trouve au début du chap. III de l'analytique de la *Critique de la raison
pratique*, PR 75ss.
66. Cf. RL 59.
67. Cf. RG 28 = RL 53.

ral. Car l'homme est pour Kant l'être du « logos », l'être dont
la vocation est de communiquer et de comprendre. Une maxime
immorale est celle qu'on ne peut vouloir universellement sans
se contredire ; elle est donc l'« alogos », l'inexplicable, l'inavouable. Ainsi, la véracité est « le trait principal et l'essentiel
d'un caractère [68] » ; elle est le signe que nous sommes les
auteurs de notre destinée morale ; le mensonge est au rebours
la destruction de tout caractère : il fait qu'on ne peut plus
compter sur quelqu'un. Il est donc d'abord une faute envers
autrui ; nuisible ou utile, mal ou bien intentionné, peu importe : le mensonge à autrui consiste à le traiter comme un
simple moyen. Il porte donc atteinte non seulement à tel ou
tel homme, mais à l'humanité en général [69]. Enfin et surtout,
c'est contre lui-même, contre l'humanité en lui que l'homme
qui ment commet l'attentat : « Le mensonge fait de l'homme
un objet de mépris général et il est le moyen par lequel
l'homme s'ôte à ses propres yeux le respect et la confiance
que chacun devrait avoir à l'égard de soi-même [70]. » Un homme
qui ment se méprise et se ravale lui-même au-dessous d'une
chose, car on peut se fier à une chose en tant qu'elle est réelle ;
elle a au moins l'humble dignité d'exister ; alors que le menteur fait de sa propre humanité, de son « logos », une simple
apparence, un trompe-l'œil [71]. Même utile, même bien intentionné, le mensonge reste dans sa forme pure et simple un
crime de l'homme envers sa propre personne [72].

Maintenant, est-il vraiment possible de *se mentir à soi-
même* ? Dans un ouvrage de 1797, donc postérieur de cinq
ans à l'*Essai sur le mal radical*, Kant dit qu'il est facile de le
constater, mais difficile de l'expliquer [73]. Il résout pourtant le
problème en affirmant que l'homme, être nouménal, peut se
servir de lui-même comme être phénoménal, ainsi que d'une
simple machine à parler, sans mettre ses dires en accord avec
ses pensées. C'est de mon être empirique que je me sers pour

68. ED 484.
69. Cf. KS 202.
70. ED 490 ; cf. MS 429ss.
71. Cf. *Doctrine de la vertu*, nᵒ 9, *in* MS 429.
72. *Ibid.*, MS 430 ; sur le mensonge, voir aussi AN 169.
73. *Ibid.*, 430.

me tromper moi-même, car cette mauvaise foi est comme
l'oblitération de la conscience dans le temps, par l'habitude
et par l'oubli ; mais l'auteur de cette duperie est bien le moi
intelligible, qui se sert de son moi empirique mais raisonnable
comme d'un simple moyen, qui fait de l'être de son « logos »
un instrument non de communication mais de trahison [74]. Mais
comment mentir à sa propre conscience si cette dernière est
« infaillible » ? Car elle l'est : en tant que jugement sur nos
actes extérieurs, elle peut bien être incertaine, mais en tant
que jugement sur notre propre sincérité, en tant que « juge du
juge » [75] en nous, elle ne se trompe pas. Et pourtant on la
trompe, on « manque de conscience »... Ce manque n'est que
la fuite devant son verdict inéluctable, le refus de savoir ce
qu'on sait, comme le dit si bien l'expression : je ne veux pas
le savoir ! En fait, rien n'est plus facile que d'éluder le verdict
de la conscience, de s'enfermer dans sa mauvaise foi et de la
changer en foi tout court. Telle est la faute des fautes, le
mensonge à soi-même, qui en détruisant le principe de toute
vie morale, la sincérité, « fait perdre à l'homme tout caractère
et engendre tous les mensonges (extérieurs), et finalement tous
les vices [76] ».

Kant affirme d'ailleurs, en s'appuyant sur Genèse, III, 4,
que la première faute ne fut pas le crime (de Caïn), mais le
mensonge et que le diable est nommé à juste titre le Menteur [77].
Rien n'est plus chrétien que de voir dans le mal radical la
bonne conscience de l'homme qui se croit *justifié* par son obéissance extérieure à la loi. Et pourtant, il est remarquable que
Kant retourne presque toujours cette accusation contre la religion elle-même. Quand il cherche un exemple de *mauvaise
foi*, il le trouve en général dans ce que les hommes appellent
leur *foi*. Il affirme que celui qui confesse l'existence d'un Dieu
révélé, sans avoir regardé dans son for intérieur pour savoir
s'il a vraiment la moindre conscience de cette conviction,
« celui-là commet le mensonge non seulement le plus inepte

74. *Doctrine de la vertu,* no 9, *in* MS 430.
75. Cf. RG 288 = RL 242.
76. TH 213 ; cf. 210ss. et note ; 400ss. et 430ss.
77. Cf. MS 431, RL 64 note ; voir Jean, III, 18-20 et VIII, 44.

à l'égard de Celui qui sonde les cœurs, mais encore le plus criminel. Un tel mensonge sape par la base la sincérité, fondement de toute résolution vertueuse [78]. » Cette critique n'est pas un dénigrement de la religion en général, loin de là ! Elle montre une fois de plus que la pire corruption est la corruption du meilleur...

Pour le dire en d'autres mots, *le mal, c'est le pharisaïsme*, le fait de se croire justifié par ses actes, ses « bonnes œuvres », ou de prendre sa non-culpabilité extérieure pour de l'innocence [79]. « L'homme sait mentir à sa propre conscience [80] » : il suffirait d'interroger celle-ci pour qu'elle nous dise sans ambages si, oui ou non, nous avons fait tout ce que nous pouvions ; mais il suffit aussi de ne pas lui prêter l'oreille pour réussir à simuler une conviction que l'on n'a pas [81].

Cette mauvaise foi *[Unredlichkeit]*, qui consiste à se mystifier soi-même, et qui empêche que naisse en nous une authentique intention morale, finit par se traduire au dehors par la fausseté et la duperie d'autrui. Si on ne doit pas la nommer méchanceté, elle mérite bien d'être appelée bassesse, infamie ; elle s'identifie au mal inhérent à la nature humaine — et ce mal qui, en faussant le jugement moral quant à l'opinion qu'on doit se faire d'un homme et en rendant l'imputation externe ou interne tout à fait incertaine, constitue la souillure de notre espèce [82].

Comme le dit fort bien J.-L. Bruch, si Kant a choisi le mensonge comme type de la faute, c'est qu'il présente une gravité qui le distingue de toutes les autres défaillances ; celles-ci, par exemple la cruauté, ne trompent ni leur victime ni leur auteur : « Seul le mensonge est impardonnable, car en mimant la véracité, il la ruine. Il suffit qu'un homme mente parfois pour que soit irrémédiablement compromise la confiance que nous lui portons [83]. »

78. TH 211-212. La *Doctrine de la vertu* étudie également le mensonge à soi : cf. MS 430. Sur la conscience et la foi religieuse, cf. Cohen, *Kant's Begründung der Ethik*, p. 486-487.
79. Cf. RL 37-38, 59-60.
80. TH 213 ; cf. RG 45 = RL 64 et la note.
81. Cf. TH 213.
82. RG 38 = RL 60.
83. Bruch, p. 48.

C'est précisément parce que le mal radical est mauvaise foi, mensonge à soi-même, pharisaïsme, qu'il est *inextirpable*. Si l'homme violait délibérément la loi, s'il péchait franchement, il saurait au moins à quoi s'en tenir sur lui-même ! Mais la faute réelle est par essence ambiguë ; le drame est qu'elle se cache, et d'abord au coupable lui-même. Il est rare qu'un homme soit assez lucide pour s'avouer qu'il n'est pas vraiment moral, qu'il est vertueux ou innocent pour des causes qui n'ont rien à voir avec la vertu authentique. Et la faute n'est-elle pas justement ce qui étouffe cette lucidité ? N'est-il pas significatif que le serpent commence par *mentir* à Ève, et qu'elle ira au fruit défendu avec une conscience trompée, mystifiée ? « Pas du tout, vous ne mourrez pas [...], vous serez comme des Dieux. » Cette bonne conscience du coupable est ce qui rend le mal inextirpable, puisqu'elle empêche de le voir et rend ainsi toute conversion morale impossible, puisqu'elle « étouffe [en nous] le germe du bien [84] ».

Le lecteur pourra trouver cette doctrine du mal bien désuète, avec je ne sais quel relent de jansénisme ou de « piétisme ». Je me demande si, au contraire, les grands maux dont souffre notre époque ne lui donnent pas une confirmation éclatante. Le mal, ce n'est pas seulement la bombe atomique, c'est le fait que tant d'hommes fort respectables acceptent l'éventualité d'une guerre nucléaire. Le mal, ce n'est pas seulement le sous-développement, c'est le fait que les masses s'y résignent et que les responsables, par leur « autosatisfaction » intéressée et puérile, le rendent presque irrémédiable. Le mal, ce n'est pas seulement Adolf Hitler, avec ses projets démoniaques et démentiels, c'est le fait que ces projets aient failli aboutir grâce à l'adhésion de millions de braves gens...

Nous sommes tous de braves gens, honnêtes, dévoués, vertueux, du moins la plupart du temps. Mais n'est-ce pas au fond parce que nous y trouvons notre compte, parce que le vice serait plus dangereux ou plus coûteux [85] ? Le mal radical,

84. RG 38 = RL 60 ; cf. Genèse, III, 4-5.
85. Voir TH 214.

c'est le fait qu'on est vertueux parce qu'on a intérêt à l'être et qu'on ne veut pas s'avouer ce genre d'intérêt. Ainsi toute vertu est-elle finalement suspecte et toute innocence douteuse. Et c'est ici que Kant cite Robert Walpole : « Tout homme a son prix, pour lequel il se vend [86]. » Et Kant ajoute :

Si cela est vrai — et chacun peut en convenir pour lui-même — s'il n'existe absolument aucune vertu pour laquelle on ne puisse trouver un degré de tentation assez forte pour la renverser ; si, pour que le mauvais esprit ou le bon nous gagne à son parti, il suffit qu'il offre davantage et paie plus vite : alors les paroles de l'Apôtre pourraient bien s'appliquer à toute l'humanité : « Il n'y a ici aucune différence ; ils sont tous également pécheurs ; il n'en est pas un qui fasse le bien [selon l'esprit de la loi], pas même un seul [87]. »

## D. LE « PÉCHÉ ORIGINEL » ET LA « CONVERSION »

Cette référence à saint Paul marque un tournant dans l'étude du mal radical. Elle nous fait entrer dans le domaine théologique. Et ceci de deux manières : par le recours au récit de la chute d'Adam, et par la doctrine de la « nouvelle naissance ».

Quelle est l'*origine du mal dans l'homme* ? On ne peut l'expliquer médicalement, comme une maladie héréditaire, ni juridiquement, comme une dette transmise par les parents. Les théologiens semblent plus près de la vérité en définissant le péché comme la faute d'un rebelle qui aurait volé un bien (le diable), bien dont nous profiterions actuellement d'une manière tout à fait illicite [88]. En fait, le mal radical étant libre, donc nouménal, on ne peut lui assigner d'origine temporelle ; il n'est pas susceptible d'une explication par les causes ; son origine est purement rationnelle [89]. Or, comme aucune repré-

---

86. RG 38 = RL 60.
87. RG 38-39 = RL 60 ; la citation est de Romains, III, 9ss. ; la parenthèse est de Kant.
88. Cf. RG 41 A. = RL 62 note ; les théologiens en question seraient Heilmann et Stapfer ; voir Bohatec, p. 212-213.
89. RG 43 = RL 63.

sentation objective ne correspond à ce genre d'origine, l'auteur
introduit d'une façon inattendue le récit de la chute, tel qu'on
le trouve dans Genèse II et III. Il l'introduit, mais non pas
comme un récit historique : comme une « fable », un mythe
dirions-nous aujourd'hui, le mythe étant ce qui relate sous une
forme temporelle, mais hors de l'histoire et de l'enchaînement
des causes, un fait universel qu'on ne peut comprendre autrement : l'histoire d'Adam, c'est l'histoire de chacun de nous
(*mutato nomine de te fabula narratur*) [90]. Le mythe représente
le péché comme un « commencement », ce qui signifie qu'il est
premier logiquement, qu'il n'est pas précédé par une disposition
coupable, ce qui exclurait la responsabilité et la liberté du pécheur. Autrement dit, le mal radical est contingent ; il est un
surgissement absolu, chez chacun de nous comme chez Adam ;
et à chaque fois, comme à la première fois, il détruit un état d'innocence : « Je puis toujours dire dans l'instant présent : pour
moi, la série des causes antérieures n'est rien. Je commence
maintenant mon état comme je le veux [91]. » Car on ne peut
comprendre la responsabilité totale du pécheur que si l'on
présuppose qu'il sort, à chaque fois, de l'état d'innocence, qu'il
n'est pas lié par son passé ; même si tout son passé, ses habitudes, etc., le pousse à commettre la faute, « il aurait dû ne
pas la commettre [...], puisque aucune cause au monde ne fera
qu'il cesse d'être un être agissant librement [92] ». Même si cet
homme est assez perverti pour que le mal soit devenu en lui
une habitude invétérée, son devoir, au moment d'accomplir
son acte, était pourtant de s'arracher à son vice : « il faut donc
qu'il le puisse et, s'il ne le fait pas, il est aussi coupable au
moment où il agit que [...] s'il était passé de l'état d'innocence
au mal [93]. » L'innocence est synonyme de disposition au bien,
de liberté positive, que la faute, à chaque fois, vient détruire.
Cette antériorité logique de l'état d'innocence, la Bible en fait
un *avant* chronologique, le jardin [94].

90. RG 45 = RL 64.
91. *Réflexion* nᵒ 4338, citée par Bohatec, p. 317 ; cf. PR 105.
92. RG 42 = RL 63.
93. RG 43 = RL 63.
94. Cf. RG 42 à 44 = RL 62-64.

Dans ce jardin, Dieu défend à Adam de manger du fruit d'un certain arbre ; on peut l'interpréter ainsi : « La loi morale se présente d'abord comme une *interdiction*, ce qui correspond au fait que l'homme n'est pas un être pur, mais un être tenté [95]. » Comment la tentation va-t-elle opérer ? On lit dans la Genèse : « La femme vit que l'arbre était bon à manger et séduisant à voir, et qu'il était, cet arbre, désirable pour acquérir l'entendement. Elle prit de son fruit et le mangea. Elle en donna aussi à son mari [96]. » Cela signifie que l'humanité, mue par un amour de soi impur, tente aussitôt d'esquiver la rigueur du commandement ; à ce qui doit être pour lui le bien absolu, « l'arbre de vie » de 9, l'homme oppose un autre bien, son amour-propre ; mais le plus grave est qu'il prétend aussi donner à ce faux bien une justification morale : l'arbre défendu est « bon », « séduisant », « désirable pour acquérir l'entendement ». L'homme ne se révolte pas contre la loi, il l'utilise en la tournant : « Ainsi, il commença à mettre en doute la rigueur du commandement, qui exclut tout autre mobile, puis à faire descendre par des raisonnements subtils l'obéissance à ce commandement au rang de simple obéissance conditionnée par l'amour de soi, le réduisant à un pur moyen ; de là, il admit finalement dans sa maxime la prépondérance [*Uebergewicht*] des impulsions sensibles sur le mobile venant de la loi ; et ce fut le péché [97]. » Cette prépondérance — littéralement : « surpoids », force additionnelle, le *superpondium* des wolfiens — n'est pas subie ; elle est l'acte même du sujet coupable ; on pourrait traduire aussi bien : « Il admit dans sa maxime d'action de faire pencher la balance en faveur des impulsions sensibles »... Ce n'est pas d'elles-mêmes que celles-ci l'emportent sur la loi morale. Le péché n'était pas fatal.

Cette histoire est donc notre histoire. Et Kant n'hésite pas à dire avec saint Paul : « En Adam tous ont péché [98]. » Pourtant on remarque une différence entre Adam et nous ; alors

---

95. RG 44 = RL 64.
96. Genèse, III, 6.
97. RG 44-45 = RL 64.
98. RG 45 = RL 64.

que chez lui le mal est précédé d'une innocence absolue, chez nous on peut toujours trouver des causes à la transgression même consciente dans notre passé, de proche en proche jusqu'à l'enfance ; au point de vue chronologique, il n'y a pas de premier commencement ; toujours, le mal était *déjà là*, un *déjà* qui est inhérent à notre existence d'êtres conscients. Seulement, il ne faut pas retomber dans la théorie absurde d'une faute héréditaire. L'explication chronologique est toujours possible, mais elle n'a aucune valeur morale : parce que nous sommes responsables du mal commis, il est irréductible à ses antécédents empiriques ; son existence est radicalement *contingente* [99]. Ainsi l'origine empirique de la faute ne l'explique jamais ; et son origine « rationnelle » (lisez : nouménale) « demeure pour nous insondable précisément parce qu'elle doit nous être imputée [100] ». Voilà ce qui explique le recours au mythe : « C'est pourquoi aussi l'Écriture, tenant compte de cette faiblesse [de notre intelligence], a pu le représenter ainsi [101]. »

On le voit : malgré son apparence irrationnelle, la Bible est ici infiniment plus vraie que tous les philosophes rationalistes ; elle nous dit que par un seul homme le péché est entré dans le monde [102], et que cet homme, c'est nous : « Ce n'est pas de la simple finitude de notre nature, c'est du mal moral seul que le mal a pu provenir [103]. »

L'affirmation d'un mal radical en l'homme appelle logiquement cette autre doctrine chrétienne : celle de la *conversion*, ou *nouvelle naissance*. Cette doctrine est vivante surtout chez les chrétiens qui ont senti le plus profondément la force du péché et la misère humaine, Paul, Augustin, Luther, Pascal, les piétistes, les méthodistes et plus tard tous les mouvements du « Réveil », sans parler des sectes. Ainsi l'*Essai sur le mal radical* se termine par un appel à la conversion, conçue comme

99. Kant dit *Zufälliges Dasein* : RG 46 = RL 65.
100. RG 46 = RL 65.
101. *Ibid.*
102. Romains, v, 12.
103. RG 46 = RL 65. Pour les sources, voir Bohatec, p. 320 à 326.

une régénération, une création nouvelle. Et l'auteur cite lui-même la parole de Jésus à Nicodème (Jean, III, 5) : « En vérité, en vérité, je vous le dis, à moins de naître d'eau et d'esprit, nul ne peut entrer au royaume de Dieu [104]. »

Si le mal consiste dans le renversement (*Umkehrung*) des mobiles, la perversion, la conversion (*Bekehrung*) ne peut pas signifier l'apparition en nous d'un mobile nouveau, mais le rétablissement dans sa pureté du bon mobile, que le mal n'avait pas détruit mais subjugué et sans lequel aucun amendement vrai ne serait possible [105]. Autrement dit ce rétablissement — *Wiederaufstehen* : au sens où un malade se rétablit — consiste à remettre à la première place le respect pour la loi morale, à en faire notre mobile, non pas unique, certes, mais inconditionné [106]. Pourquoi *la Religion* parle-t-elle alors de « conversion », et non pas simplement, comme les écrits antérieurs, de progrès à l'infini ?

Parce que le mal radical est la négation même du progrès à l'infini. Il en exclut la possibilité même. Comme la plupart des philosophes de notre siècle, mais à l'encontre de ses contemporains, Kant affirme que le progrès scientifique, technique, pédagogique, tout en étant possible et nécessaire, ne répond pas au problème posé par le mal moral [107]. Une amélioration des connaissances et même des mœurs peut changer nos actes, mais non notre être. La vertu elle-même est ici impuissante ; l'homme mauvais peut bien acquérir de bonnes habitudes ; mais sont-elles plus que d'honorables paravents ? Car tout dépend du mobile : l'ivrogne peut devenir sobre par crainte de la maladie, le menteur véridique par crainte du qu'en-dira-t-on, etc.[108]. On ne sort pas de l'amour de soi, on change ses mœurs sans changer son cœur. La conversion est d'une autre nature ; elle doit consister à se rendre bon moralement et non légalement, à faire de la représentation du devoir son seul mobile décisif. Elle ne peut résulter d'une « réforme progressive », mais d'une « révolution » de notre intention fondamentale.

104. RG 54 = RL 71.
105. RG 52 = RL 69.
106. Cf. *ibid.*
107. Voir notre chap. VI.
108. RG 53 = RL 70.

Ainsi, « on ne peut devenir un homme nouveau que par une sorte de nouvelle naissance, produite comme par une nouvelle création [109] » (Jean, III, 5 ; cf. Genèse, I, 2). Le progrès à l'infini vers le mieux n'est pas exclu, mais il n'est que la traduction sur le plan empirique de cette conversion de notre caractère intelligible. En termes moins techniques, la révolution dans la « manière de penser » s'exprimera concrètement par une réforme graduelle dans la « manière de sentir », qui résiste toujours et sans cesse à la première. Le progrès à l'infini n'est donc que le signe de la conversion, ce qui en témoigne à vue humaine. Pour Dieu, « qui sonde le fond intelligible du cœur [de toutes les maximes du libre arbitre] », cette infinité temporelle du progrès forme unité et il voit la réforme graduelle comme une révolution achevée, il voit notre cheminement moral dans sa totalité. L'homme, lui, n'en peut connaître que l'aspect phénoménal : « Une réforme graduelle du penchant au mal en tant que manière de penser pervertie [110]. » Ce passage sur la conversion est peut-être le texte de Kant qui fait le mieux comprendre le sens du mot « intelligible » : notre caractère intelligible, l'acte intemporel qui détermine la valeur de notre vie, c'est notre moi tel que Dieu le voit...

Ici, nous sommes très près de la théologie luthérienne. Comme elle, Kant s'oppose à l'illusion optimiste qui place le salut de l'homme dans un progrès indéfini de ses connaissances et de sa vertu ; comme elle aussi, il s'oppose à ces chrétiens sectaires qui font de la conversion un événement expérimenté et daté : un jour, à telle heure, voire à telle minute, je serai devenu un homme nouveau, délivré de la misère humaine, incapable de pécher [111]. Heilmann, au XVIIIe siècle, écrivait ainsi : « Parce que la régénération résulte en quelque sorte de plusieurs actes, on comprend facilement qu'elle ne se produit pas d'un seul coup [*non unius momenti*], mais peu à peu, et qu'elle s'accomplit plus ou moins vite, selon la manière dont on utilise les premiers élans de l'âme. » C'est dans ce sens que

109. RG 54 = RL 71. Les références bibliques sont données par Kant. Cf. RL 125ss.
110. RG 54 = RL 71 ; cf. FC 226.
111. Voir Bohatec, p. 332 à 334.

Luther lui-même écrivait : « De l'ébauche [*inchoatione*] de la sanctification jusqu'à sa perfection, il y a une infinité de degrés[112].» La conversion pour Luther ne supprime pas le péché mais ce que le péché a de mortel pour nous ; et le converti n'est pas un homme arrivé mais un combattant perpétuel, *semper in fieri*[113] — ce qu'exprime bien la formule célèbre : *simul peccator ac paenitens ac justus* : à la fois pécheur et repentant et juste. C'est bien à tort, à mon avis, que J.-L. Bruch oppose à cette doctrine celle de Kant, pour qui « la conversion efface tellement la chute qu'il est bien difficile de reconnaître encore comme pécheur l'homme régénéré[114] ». Kant affirme pourtant lui aussi que la conversion ne fait pas d'emblée du pécheur un homme bon, mais « un sujet ouvert au bien » — *ein für's Gute empfängliches Subjekt*[115] ? Et il précisera dans la *Doctrine de la vertu* : « La vertu est toujours en progrès et part toujours à zéro[116]. »

Il ne faut pourtant pas sous-estimer les différences entre Kant et la Réforme. D'abord, en accord avec sa théorie de la liberté, il fait de la conversion un acte intelligible, donc intemporel. Ensuite, il maintient sa théorie du progrès à l'infini *post mortem*, ce qui est tout à fait étranger au christianisme. Enfin et surtout, bien qu'il n'exclue pas la possibilité théorique de la grâce divine, d'autant plus nécessaire que le mal radical semble rendre impossible toute conversion, il nous interdit, au nom de la morale, de faire fond d'un tel secours : « Ce qui est essentiel et donc nécessaire à chacun n'est pas de savoir ce que Dieu fait ou a fait pour notre salut, mais bien ce qu'il a à faire lui-même pour se rendre digne de ce secours[117]. » Plutôt que de se tourner vers la grâce divine, Kant fonde la conversion sur la seule certitude *éthique* qui reste à l'homme livré à lui-même : le fait qu'un « germe de bien » (*Keim des Guten*) demeure en nous malgré le mal radical ; ce germe n'est

---

112. *In* Bohatec, p. 332.
113. *In* Strohl, *la Pensée de la Réforme*, p. 89 ; cf. aussi p. 31, 35 et 88 note.
114. Bruch, p. 89.
115. RG 55 = RL 71.
116. MS 409.
117. RG 63 = RL 76.

certes pas un reste de vertu ou de mérite ; il n'est rien d'autre
que le respect pour la loi morale que ressent même le pécheur
le plus endurci [118]. Finalement l'homme a l'assurance de *pouvoir*
se convertir parce qu'il sait que cette conversion est pour lui
un *devoir* [119]. Ce principe ne constitue pas la négation absolue
de la grâce, mais néanmoins l'affirmation, semi-pélagienne,
d'une source de rénovation propre à l'homme, indépendante
de la grâce, ce qui est contraire à l'esprit de la Réforme.

Ce qui rapproche toutefois Kant du christianisme, c'est
son refus d'expliquer, et l'origine du mal moral, et la possibilité
de la conversion. Et cette incompréhensibilité même est comme
une ouverture sur l'au-delà : « L'incompréhensibilité même de
cette disposition [au respect de la loi] qui annonce une origine
divine, doit ébranler l'âme jusqu'à l'enthousiasme et l'encou-
rager à ce don de soi que le respect envers son devoir peut
seul exiger d'elle [120]. »

## E. *L'ORIGINALITÉ DE LA DOCTRINE DU MAL RADICAL*

Ce qui frappe en lisant ces pages admirables de l'*Essai
sur le mal radical*, c'est l'originalité de Kant, tant par rapport
à ses devanciers que par rapport à ses successeurs, aussi bien
philosophes que théologiens.

Nous avons comparé sa position à celle de ses précur-
seurs wolffiens ; mais on peut généraliser et dire qu'elle se
sépare de tous les rationalismes qui font du mal une simple
absence, une privation de lumière et de vouloir — ce qui revient
finalement à le rendre irresponsable, à le nier en tant que mal.
Kant insistera lui-même sur ce point au sujet des stoïciens,
au début de la deuxième partie de *la Religion* : ces philosophes
ont bien compris que la vertu est un courage, une lutte constante
contre un ennemi ; mais, pour avoir cherché cet ennemi « dans
les inclinations naturelles, simplement non disciplinées, et qui

118. Gf. RL p. 68 et 60.
119. Cf. RL 74.
120. RG 59 = RL 73.

se présentent sans mystère à la conscience de chacun », ils n'ont pas vu son vrai visage. Il s'agit d'un ennemi invisible qui, « se cachant derrière la raison n'en est que plus redoutable ». Cet ennemi n'est pas la « folie » : *Torheit,* cette même folie dont Érasme a fait l'éloge... — mais la malignité, — *Bösheit* — « qui mine secrètement l'intention avec ses principes corrupteurs ». Les inclinations sont en elles-mêmes innocentes, et il serait plutôt nuisible de vouloir les extirper ; le tout est que la raison les contrôle [121]. Autre conséquence : on ne peut expliquer le mal négativement, comme une abstention de la lutte contre les inclinations ; car cette abstention est elle-même coupable ; elle n'a donc pas sa cause dans les inclinations ; elle est très réellement un acte positif du libre arbitre. Le mal n'est donc pas une simple *faiblesse,* une impuissance du mobile rationnel devant la force des mobiles sensibles : si ce triomphe des mobiles inférieurs nous est imputable, il ne peut s'expliquer mécaniquement — ce qui revient à dire qu'il ne peut pas s'expliquer du tout ; il ressortit à la contingence absolue de notre libre arbitre [122].

Certes Kant ne repousse pas purement et simplement ses prédécesseurs : il les intègre à un niveau plus élevé qui est le sien. Ainsi admet-il comme les wolffiens que la faute n'est pas une rébellion délibérée contre la loi morale, mais la « prépondérance » (*superpondium, Uebergewicht*) des mobiles sensibles sur ceux qu'inspire la raison, une prépondérance qui se traduit par une erreur de jugement, un aveuglement [123]. Mais cette prépondérance, nous en sommes responsables ; elle est un résultat, non une cause. L'*erreur* n'est pas plus alors une « passion », mais une faute positive, un *mensonge.* Et ce mensonge chez un être que tout prédisposait au bien résulte d'un principe positif, d'un penchant au mal. Le caractère mystérieux, « voilé de ténèbres » de ce mauvais principe rend compréhensible (sinon justifiée) la manière dont on le représente comme un

121. RG 68 = RL 81-82.
122. RG 72 A. = RL 84 note, et notre note 99, *supra* ; voir aussi MS 380 A.
123. Sur le *superpondium* (ou *suprapondium*) voir RG 45, et Bohatec p. 125-126, p. 321. Chez Baumgarten, voir notre chap. IV, note 22.

ennemi extérieur à nous, le tentateur, le diable. Et après avoir cité saint Paul une fois de plus : « Car ce n'est pas contre des adversaires de chair et de sang que nous avons à lutter... » (Éphésiens, VI, 12), Kant précise : cette expression (le Malin) « ne semble pas mise ici pour étendre notre connaissance au-delà du monde sensible, mais afin de nous représenter concrète-ment, pour l'*usage pratique,* le concept de ce qui est pour nous insondable » — *des für uns Unergründlichen* [124] : l'origine du mal dans le monde.

Si Kant a fait œuvre originale à l'égard de la philosophie antérieure, il en est de même à l'égard de la théologie anté-rieure, voire postérieure. Il semble bien qu'il insiste beaucoup plus fortement sur la réalité mystérieuse du mal radical que les théologiens luthériens du XVIIIe siècle, effrayés par le caractère scandaleux du péché originel. S'il emploie leur terminologie : « penchant naturel et moral », « péché originaire et dérivé », il refuse leurs *distinguo* et déclare que le penchant au mal, préalable à tous nos actes, est lui-même un acte [125]. N'est-ce pas un retour à la pensée des grands réformateurs, qui refu-saient eux aussi toute distinction entre le *peccatum originale* et les *peccata actualia* ? « Le péché originel, disait Mélanch-ton, est en effet une convoitise tout à fait actuelle » ; et il précisait que l'élément coupable dans nos péchés actuels réside « dans la *curvitas* ou l'*iniquitas* que nous appelons *peccatum originale* [126] ».

Comment surtout ne pas remarquer l'affinité avec LUTHER, en particulier lorsque Kant identifie le mal radical au phari-saïsme, à la bonne conscience de l'homme qui s'estime justifié (*gerechtfertigt*) par la conformité de ses actes — de ses œuvres, disait Luther — à la loi [127] ? Disons davantage : même là où Kant rompt nettement et consciemment avec l'orthodoxie luthé-rienne, n'est-il pas au fond beaucoup plus fidèle que celle-ci à l'esprit du christianisme ? Ainsi, contre les dogmaticiens, il

124. RG 72 = RL 84.
125. Voir les analyses de Bohatec, p. 265ss., 281 à 284.
126. Cité par K. Barth, *Dogmatique*, t. 18, p. 154.
127. *Gerechtfertigt* : voir RG 37 = RL 59.

refuse d'admettre que le péché ait perverti, aveuglé notre raison, nous rendant impossible toute connaissance naturelle de la loi divine [128] : non, les limites de notre raison sont inhérentes à notre nature même, et d'autre part, chez l'homme coupable, la raison pratique garde intact son pouvoir législateur ; sinon l'homme coupable serait tout excusé, ce serait trop facile [129] ! Surtout Kant refuse de voir dans le mal radical une faute héréditaire, ce qui serait encore une manière d'excuse ; le mal est radical parce qu'il est la faute de chacun de nous ; le péché d'Adam n'est pas une souillure dont nous porterions la tare congénitale, mais un acte qui *se répète* à chaque fois en chacun de nous. Il est remarquable que Karl Barth ait donné raison à Kant sur ce point : « Adam n'est pas un destin que Dieu a suspendu au-dessus de nous. Il est la vérité sur nous-mêmes, que Dieu connaît et qu'il nous dit [130]. » Ses descendants n'ont pas été condamnés à l'imiter, à devenir un nouvel Adam : « Nous le devenons tous sous notre propre responsabilité et de notre propre mouvement [131]. »

La théologie protestante libérale du XIXᵉ siècle, dont Kant est en général un précurseur, ne l'a pourtant pas suivi sur ce point. Elle n'a pas voulu voir le caractère tragique, le scandale du mal radical. Influencée par Hegel, elle tend à faire du péché une contradiction nécessaire au progrès, ou encore un retard à l'avènement de l'esprit, retard dû à la finitude humaine et pourtant indispensable pour qu'il y ait lutte et libre progrès [132]. Tout à la fin du XIXᵉ siècle, Ernst TROELTSCH, qui fut aussi un historien de Kant, est revenu explicitement à sa doctrine du mal radical ; mais il a, si j'ose dire, « noyé le poisson » en subordonnant cette doctrine à l'optimisme de l'époque : « Dieu, écrit-il, Dieu lui-même a institué le péché comme une possibilité et une probabilité ; il a donné pour cadre à l'homme la lutte, la peine et la tentation, afin de lui faire dépasser par là les limites d'une mondanité satisfaite d'elle-même

---

128. Cf. Bohatec, p. 52-53 et 253.
129. K. Barth reprend cette affirmation bien qu'en termes différents ; *loc. cit.* p. 146.
130. K. Barth, *op. cit.*, p. 166 ; cf. p. 146, 155, 164ss.
131. *Ibid.*, p. 165.
132. Voir l'exposé de K. Barth, *op. cit.*, p. 19 à 32.

et de lui apprendre aussi à connaître les limites de sa propre force » ; « la possibilité de pécher est elle-même le moyen d'élever l'homme au vrai bien [133]. » N'est-ce pas revenir à Leibniz et à Wolff ?

Au XIXe siècle, cet optimisme évolutionniste a pourtant connu un adversaire de taille ! Point n'est besoin d'insister sur la parenté frappante de la pensée de KIERKEGAARD avec celle de Kant. Mais l'auteur de *Crainte et tremblement* n'hésite pas, lui, à sortir des limites de la simple raison... ; il voit dans l'expérience du péché la rupture avec le « stade éthique » et le passage au « stade religieux ». D'autre part, Kierkegaard a lui-même reproché à Kant de n'avoir pas vu la portée de sa découverte : « La théorie kantienne du mal radical n'a qu'un seul défaut, écrit-il dans son *Journal*, celui de ne pas établir fermement que l'inexplicable est une catégorie, que le paradoxe est une catégorie [...] Le paradoxe n'est pas une concession, mais une catégorie, une détermination ontologique qui exprime le rapport d'un esprit existant, connaissant, à la vérité éternelle [134]. » Demander à Kant de faire du paradoxe une catégorie, c'est lui demander de n'être plus Kant !

Le théologien qui a vraiment compris et repris la doctrine du mal radical, c'est Karl BARTH. Et c'est d'autant plus curieux qu'on connaît son mépris pour tout ce qui touche à la philosophie religieuse ! Dans le volume de sa *Dogmatique* consacré au péché, il se recommande explicitement de Kant :

> Dans le domaine de la transgression et de la corruption humaines, il n'y a pas d' « avant », de temps où l'homme ne serait pas encore pécheur, c'est-à-dire serait encore innocent. L'homme vit, au contraire, selon les formules de Kant, à partir d'un « mauvais principe », dans une « propension au mal », en fonction d'un « mal radical » dont la virulence et les effets sont manifestes ; d'une manière complètement incompréhensible, mais effective, il se fait solidaire du mal, et, bien qu'il ne lui soit certainement pas identique, il se lie à lui et lui est lié [...] Parce qu'il est, la transgression se produit : contre lui-même, sans doute, mais toujours par lui-même, en vertu de la

---

133. Cité par K. Barth, *in op. cit.*, p. 29.
134. Kierkegaard, *Journal*, VIII, A, II ; trad. Ferlov et Gareau, t. II, p. 92-93.

négation et de la perte de sa liberté, laquelle est sa liberté
pour Dieu et le prochain, et rien d'autre ; mais la voie
de la servitude qu'il a empruntée en fait résulte de son
action, de son être [135].

Avec Kant, Barth admet qu'il n'y a pas d'actes neutres,
indifférents [136] ; il affirme que l'origine du mal est inexplicable [137], et que l'homme est pourtant responsable de sa transgression [138] ; que la corruption qui permet de mesurer toutes les
autres est la *corruptio optimi* [139] ; enfin et surtout que le mal
est dans son essence ambigu, toujours enveloppé de bien : « Le
mal se gardera bien de se présenter jamais comme étant le
mal. Il saura toujours, au contraire, se cacher non seulement
sous le voile de l'innocence, mais aussi sous celui de la recti-
tude [140]. » Mais Barth ajoute aussitôt, ce qui fait toute la différence : « Il faudra toujours la Parole de Dieu pour le démas-
quer »...

*

\*     \*

Finalement, le chapitre sur le mal radical est bien la
réponse aux problèmes que l'œuvre antérieure laissait en sus-
pens. D'abord il affirme avec force la réalité métaphysique,
« nouménale » du mal moral, et son hétérogénéité absolue au
principe du bien. Il faut citer ici la fameuse note sur l'enfer :

C'est un trait caractéristique de la morale chrétienne de
représenter la différence entre le bien et le mal moral non
comme celle qui sépare le ciel de la *terre*, mais le ciel de
l'*enfer* ; représentation imagée, certes, et comme telle révoltante, mais dont le sens n'en est pas moins philoso-
phiquement juste. Elle sert en effet à nous empêcher d'imaginer le bien et le mal, le royaume de la lumière et le
royaume des ténèbres, comme voisins l'un de l'autre et
se perdant peu à peu l'un dans l'autre (selon les degrés
de clarté plus ou moins grande) ; elle les représente au
contraire comme séparés par un abîme incommensurable.

135. K. Barth, *Dogmatique*, t. 18, p. 149-150. Souligné par l'auteur ; cf. p. 87.
136. Cf. *ibid.*, p. 150.
137. Cf. p. 57, 58 et 72.
138. Cf. p. 138 et 139.
139. Cf. p. 152.
140. *Ibid.*, p. 84 ; cf. p. 44.

L'hétérogénéité absolue des principes qui font de nous les
sujets de l'un ou l'autre de ces deux royaumes, et aussi le
danger qui résulte d'une proche parenté entre les caractères
qui nous qualifient pour l'un ou l'autre : voilà ce qui
autorise ce genre de représentation qui, avec ce qu'elle
a de terrible, ne manque pas d'être sublime [141].

Cette « proche parenté » est évidemment celle des maximes ;
Kant semble vouloir dire qu'elle serait dangereuse si elle était
réelle ; mais elle n'est qu'apparente, et le « mythe » de l'enfer
vient dissiper cette apparence en montrant que, derrière les
bonnes et les mauvaises maximes, se cachent deux principes
totalement opposés.

2) Ces principes découlent du libre arbitre. L'origine du mal
est dans notre liberté ; et Kant affirme, contre toute la philosophie rationaliste : « Le mal n'a pu provenir que du mal
moral, et non des simples limites de notre nature [142]. » La finitude de l'homme, la présence en lui de mobiles sensibles, explique la fragilité et l'impureté, mais non cette perversion du
vouloir qui nous est imputable. Mieux encore : la sagesse, théorique et pratique, consiste justement à accepter ses limites, et
la faute réside *toujours* dans leur transgression. La transgression, dans le mal radical, est l'illusion d'être justifié, le pharisaïsme. Et ce mensonge à soi-même est le « fait » de ce qui
est en moi la source de tout bien, la liberté.

3) Le mal est donc *radical* car, provenant de la « racine »
de nous-mêmes, de notre liberté, « il pervertit le principe de
toutes les maximes [143] ». Du point de vue théorique, cela signifie que le mal est *insondable* [144], car expliquer la faute par une
cause antérieure, ce serait la nier en tant que faute, ce serait
l'excuser. Au point de vue pratique, cela signifie que le mal
est *inextirpable* ; en effet, il n'est possible que par ce qui rend
possible la bonne volonté : la présence en nous de la loi
morale ; on ne pèche pas contre elle, mais avec elle, et la

141. RG 72-73 A. = RL 84 note.
142. RG 46 = RL 65.
143. RG 35 = RL 58.
144. RG 8 A. = RL 39 note. Remarquons que Baumgarten
attribue ce terme (*imperscrutabilis*) à la volonté divine ; voir *Metaphysica*, nᵒ 900. Voir aussi RG 43 = RL 63.

volonté coupable ne peut être que mauvaise foi, ce qui exclut ce retour à soi, cette « descente aux enfers » qui seule nous ouvrirait la voie du salut ; la maxime de toutes les maximes est irrémédiablement viciée précisément parce que nous ne voulons pas admettre qu'elle l'est. Ce qui montre bien que cette illusion mortelle sur nous-mêmes n'était pas fatale ; nous en sommes responsables, précisément parce que le plus impérieux de nos devoirs est d'être au clair sur nous-mêmes [145] et que *si nous le devons, nous le pouvons* [146]. Tel est le paradoxe auquel aboutit, dans sa logique implacable, la morale de Kant : le « tu dois donc tu peux » n'est plus ce qui nous rend libre, mais ce qui nous accuse et nous condamne.

Et c'est aussi ce qui fonde notre espérance. Car la conversion, l'obligation faite à l'homme coupable de devenir un homme nouveau, demeure, en même temps qu'un devoir, une possibilité qui nous est ouverte.

Peut-on sortir de ces contradictions ? C'est ce que vont tenter de faire les prochains chapitres, d'abord en intégrant la doctrine du mal radical à la problématique de la liberté humaine, ensuite en montrant comment cette doctrine autorise l'espérance religieuse, enfin en examinant dans quelle mesure elle est conciliable avec le progrès humain.

---

145. Sur le devoir de se connaître, voir *Doctrine de la vertu*, MS 401 et 441.
146. Cf. RG 43 = RL 63.

# IV

## La liberté humaine

« Ce que l'homme est ou doit devenir moralement, bon ou mauvais, il faut qu'il y parvienne ou y soit parvenu *de lui-même*. L'un comme l'autre doit résulter de son libre arbitre ; car autrement ce ne pourrait lui être imputé [1]. » Sans la liberté, nous ne pouvons comprendre ni la réalité du mal moral, ni la possibilité d'en sortir. Mais cette liberté elle-même, pouvons-nous la comprendre ? L'étude sur le mal radical ne nous dit-elle pas qu'elle est *unbegreiflich* (incompréhensible), *unerforschlich* (insondable) ?

Or, Kant l'a affirmé lui-même, l'idée de liberté n'est pas un thème métaphysique parmi d'autres, elle est « la clef de voûte de tout l'édifice d'un système de la raison pure, même spéculative [2] » ; car la liberté humaine est la seule certitude métaphysique [3] et seule elle permet de souder ensemble les grands axes de l'édifice critique : la théorie de la connaissance, la morale et la religion, sans parler de l'art, de la politique, du droit et de la pédagogie. Tout, absolument tout, converge vers la liberté.

1. RG 48 = RL 67.
2. PV 4 = PR 1.
3. Cf. PR 41, 112 et FJ 272.

Comment comprendre alors qu'elle soit elle-même incompréhensible ? Faut-il donner raison à Goethe et voir dans la théorie du mal radical une pièce rapportée, une concession tardive du philosophe à l'obscurantisme religieux ? Ou bien, si l'on admet que Kant est logique avec lui-même, que la doctrine de *la Religion* était déjà contenue implicitement dans les écrits antérieurs, ne doit-on pas conclure alors que la certitude centrale de toute philosophie se ramène, finalement, à quelque chose d'incompréhensible ?

Il faut donc revenir en arrière et poser le problème auquel nous a conduits notre chapitre précédent : que doit être le concept de la liberté pour qu'il permette de comprendre l'homme à la fois comme volonté autonome et comme responsable du mal radical, l'homme comme être moral et comme être pécheur ?

## A. LA RESPONSABILITÉ, PREUVE DE LA LIBERTÉ

En tout cas, Kant a renouvelé la philosophie de la liberté, et non seulement par la solution qu'il apporte au problème, mais dans sa manière même de le poser. Jusqu'à lui on s'était surtout demandé comment concilier le libre arbitre humain avec la toute-puissance divine [4]. Même quand les cartésiens se préoccupent de trouver un statut à la liberté humaine en face de la nécessité naturelle, il s'agit encore de la liberté d'une créature en présence d'une nécessité voulue par le Créateur, ou du moins immanente à Dieu. Or le XVIIIe siècle, avec le progrès des sciences physiques, introduit une préoccupation toute nouvelle : celle du rapport entre la liberté du sujet connaissant et la nécessité propre à l'objet connu, entre l'homme et la nature. Les philosophes « modernes », empiristes ou matérialistes, ont résolu ce problème un peu vite en niant un de ses deux termes. Enivrés par l'étonnante victoire de l'esprit humain que représente la science de Newton, ils se demandent s'il n'est pas possible d'expliquer l'esprit par des lois aussi

4. Kant traite ce problème comme en passant : cf. PR 107-108, RL 74 note, MS 280 A.

simples et inéluctables que celles qu'il a lui-même imposées à la nature : à l'attraction universelle va correspondre l'association universelle des idées. Or, expliquer ainsi l'esprit, n'était-ce pas le nier, ramener l'homme à un phénomène, à une chose parmi les choses ? Il est frappant que ces philosophes du xviii$^e$ siècle aient pu revendiquer avec tant de passion la liberté de pensée tout en ramenant la pensée à un simple mécanisme mental, ou plus généralement la liberté politique tout en niant la liberté tout court ! Kant, qui fut lui-même un homme des Lumières et un authentique savant, a eu conscience que la nécessité extérieure ne peut pas *tout* expliquer ; avec Rousseau, il a vu qu'à l'objectivité scientifique s'oppose, ou du moins se juxtapose, la valeur morale, qui ressortit à d'autres lois. Comment alors réconcilier la nécessité selon Newton et la liberté selon Rousseau — comment réconcilier la science et la conscience ?

C'est dans la fameuse *troisième antinomie* que le problème est posé dans toute sa profondeur. Il ne s'agit pas ici d'exposer la question pour elle-même. Disons seulement que la liberté apparaît au départ comme un problème cosmologique, et non psychologique (la psychologie rationnelle n'en parlait pas) ; un problème qui surgit non pas au cours d'une étude de l'âme humaine, mais d'une analyse de la causalité dans le monde. La « liberté transcendantale » (ce dernier mot indique toujours chez Kant le caractère *a priori* d'une connaissance et ne ressortit pas à la morale), c'est le caractère d'une cause première, qui commencerait par elle-même une série d'états, c'est la condition inconditionnée. Kant part donc d'une notion purement cosmologique pour aboutir, finalement, à une réflexion sur la liberté humaine entendue dans le sens de responsabilité morale. Rien ne montre mieux que la connaissance métaphysique n'est pas le fait d'une spéculation ontologique, ni d'une expérience intime, mais qu'elle ressortit à la morale.

*La troisième antinomie* se présente sous la forme d'un conflit logique entre une *thèse* qui affirme, à côté de la nécessité naturelle, « une absolue spontanéité des causes, capable de commencer par elle-même une série de phénomènes [5] » —

5. RP 348.

car on n'a rien expliqué tant qu'on n'est pas remonté à une cause première — et une *antithèse*, qui n'admet rien de plus que la causalité naturelle et refuse une « causalité aveugle », sans lien avec ce qui la précède, parce qu'un tel principe briserait le fil conducteur de l'expérience. Chacune des deux positions se démontre en réduisant l'autre à l'absurde. On reconnaît ici, comme dans les autres antinomies, le conflit entre une métaphysique rationaliste (la thèse) et une science rationaliste (l'antithèse), donc un conflit de la raison avec elle-même. Mais il s'agit moins de positions historiques que de tendances universelles de l'esprit humain. La liberté définie par la thèse, pour rappeler celle de Leibniz, en est pourtant assez différente : Kant n'en retient que la spontanéité absolue de substances séparées ; il ne parle ni de la contingence, ni même de l'intelligence. Quant à l'antithèse, elle évoque toutes les théories déterministes, antérieures ou postérieures à Kant ! Elle s'appuie pourtant sur un argument qui est propre à Kant : la liberté, commencement absolu d'une série causale, brise l'enchaînement des phénomènes, c'est-à-dire la nature, et détruit ainsi « le caractère de vérité empirique qui distingue l'expérience du rêve [6] ». En d'autres termes, la thèse de la liberté va contre l'unité de l'expérience que pose l'aperception transcendantale, et en détruisant cette unité, elle rend impossible la conscience de soi elle-même. Non : thèse et antithèse ne représentent pas des philosophies particulières ; chacune se pose en termes kantiens et exprime une conviction, ou une tentation, de Kant lui-même.

La solution de l'antinomie n'est pas moins originale. Alors que dans les deux premières antinomies on renvoyait dos à dos la thèse et l'antithèse comme étant fausses l'une et l'autre, ici nous avons affaire à une antinomie « dynamique », c'est-à-dire physique [7], où l'inconditionné (la cause première) est hétérogène à ce qu'il conditionne (les séries causales). Aussi thèse et antithèse peuvent-elles être vraies ensemble, pourvu qu'on

6. RP 351. C'est peut-être à Crusius que Kant a emprunté l'idée de la thèse et d'une liberté comme premier commencement ; voir Bohatec, p. 147ss.
7. « Dynamique » s'oppose chez Kant à « mathématique » et a le sens de *physique*.

admette la distinction fondamentale entre phénomènes et choses en soi. On dira alors que la nécessité naturelle est un principe universellement valable au niveau des phénomènes, où tout ce qui arrive doit avoir sa condition dans ce qui précède, et ainsi de suite à l'infini. Mais dans le monde des choses en soi, qui se situe hors du temps, où rien ne naît ni ne disparaît [8], on peut admettre la réalité d'une cause première, qui n'est elle-même causée par rien d'antérieur, puisque le mot *avant* n'a plus cours dans cet intemporel, une cause qui commence absolument une série indéfinie d'effets dans le monde phénoménal. Autrement dit : tout phénomène est susceptible d'une explication empirique par ses causes antérieures ; mais on peut admettre en même temps qu'il se rattache, dans le monde intelligible, à une cause première qu'on peut toujours supposer, mais qui nous demeure inconnaissable ; une nécessité naturelle peut donc être l'effet d'une liberté [9]. De quels objets naturels s'agit-il en fait ? S'il s'agit des corps, des plantes ou même des animaux, ce recours à une causalité nouménale n'a aucune espèce d'intérêt. En revanche, s'il s'agit de nous-mêmes, il présente un immense intérêt pratique [10], puisque cette liberté nouménale ou « transcendantale » permet seule de comprendre que, malgré toutes les explications empiriques ou scientifiques, nos actes sont pourtant les actes d'un sujet responsable. Ainsi, cette méditation métaphysique sur les causes ne conclut-elle pas sur le monde, mais sur l'homme.

Ici se pose pourtant une question : Kant avait-il le droit de renoncer, dans la *troisième antinomie*, à la méthode par laquelle il avait résolu les deux premières ? S'agissant de l'infinité du monde, ou de la divisibilité de la matière, il renvoyait dos à dos la thèse et l'antithèse et substituait à ces affirmations dogmatiques sur l'infini et le fini l'exigence indéfinie de la recherche ; le faux absolu de la raison faisait place au dynamisme de l'entendement. Or, dans la *troisième antinomie*, c'est l'entendement qui s'efface devant la raison, dont les deux thèses

8. Cf. RP 398.
9. Cf. RP 400.
10. Cf. RP 401 ; pourtant le principe de finalité naturelle, dans la *Critique de la faculté de juger*, est bien, en un sens, un recours au monde intelligible, mais à titre de simple « comme si ».

contraires sont conservées. La métaphysique du déterminisme se maintient à côté de la métaphysique de la liberté : deux métaphysiques alors qu'une est déjà de trop !... Léon Brunschvicg a vivement reproché à Kant cette entorse à sa propre doctrine : « La dialectique de la cosmologie rationnelle aura donc deux dénouements : le premier est le dénouement vrai, celui que rend inévitable la trame intérieure de l'œuvre, l'élan de pensée qui l'a suscitée et qui l'anime ; le second est un dénouement réel, mais postiche, comme celui de *Tartufe*, qui n'a d'autre motif que la volonté de l'auteur [11]. » Cette volonté serait celle de sauver le dogmatisme métaphysique et religieux. On imagine volontiers, d'ailleurs, une solution toute différente du problème de la liberté à partir de l'« Analytique transcendantale » : rejetant toute ontologie, Kant aurait pu montrer que, la causalité naturelle étant en fait l'œuvre de l'esprit qui unifie l'expérience, l'esprit lui-même transcende la causalité naturelle et s'affirme comme libre dans l'acte même de la poser ; on est libre dans la mesure où l'on comprend. Seulement, dans cette perspective, la réalité du mal et la notion même de responsabilité s'évanouissent ; la faute n'est plus qu'un moins-être, disons un manque à gagner pour le connaître ! Or, si Kant a plus que tout autre le sens de l'objectivité scientifique, comme œuvre et comme « dignité » de l'esprit humain, il l'a tout autant de cet absolu qu'est la morale et de ce qu'elle entraîne avec elle : la responsabilité dans le mal comme dans le bien. Il ne s'agit pas de restaurer un dogmatisme à jamais récusé, mais de développer et de justifier cette affirmation centrale : le *je* du *je pense* est aussi le *tu* du *tu dois*. Ainsi, n'en déplaise à Léon Brunschvicg, la solution de la *troisième antinomie* va finalement rejaillir sur celle des deux premières : Kant n'admet-il pas, dans sa théologie morale, que le monde nouménal est un monde créé[12] et que l'âme, immortelle, est une réalité absolument simple [13] ?

En revanche, la solution de la *troisième antinomie* ne consiste pas à maintenir telles quelles la thèse et l'antithèse ;

11. *Le Progrès de la conscience dans la philosophie*, I, p. 301-302.
12. Cf. PR 107ss., RL 74 note, FJ 251ss.
13. Cf. PR 132-133, 142.

au déterminisme absolu de l'antithèse se substitue une régres-
sion à l'infini dans la recherche des conditions ; quant à la
spontanéité absolue de la thèse, qui répondait à un besoin
d'explication, elle perd tout intérêt spéculatif et cosmologique.
Dès la *Critique de la raison pure*, nous voyons que c'est une
exigence morale qui fonde la réalité de la liberté ; si en effet
il n'y avait de causalité que naturelle, tous les phénomènes,
y compris ceux de la volonté, seraient entièrement prévisibles
à partir de leurs conditions antérieures, donc inévitables, donc
irresponsables ; la liberté pratique disparaîtrait donc avec la
liberté transcendantale, cette possibilité « de commencer une
série d'événements *tout à fait* par soi-même [14] ». La morale a
besoin de la philosophie théorique pour démontrer la possibilité théorique de la liberté ; mais la preuve de la réalité de la
liberté, c'est le devoir. Comme le dit J. Lachelier : « l'action
que nous devons faire est souvent une action que nous ne faisons pas, et le devoir de la faire ne procède pas, en tout cas,
d'une action antérieure [15] ». Le devoir nous met en situation
d'être responsable, donc libre.

C'est là-dessus que se fonde l'étrange théorie des deux
caractères. L'homme a un *caractère empirique,* c'est-à-dire une
loi de sa causalité propre, distincte des causes extérieures et
qui se manifeste par sa constance (avoir « du caractère ») ;
mais, pour être intérieur, ce caractère n'est pas libre pour
autant, car une causalité libre n'est pas celle qui est indépendante de l'extérieur seulement, mais de l'*antérieur* ; or l'homme,
comme être empirique, est toujours déterminé par des causes
antérieures qui, étant dans le passé, sont hors de son pouvoir ;
il n'est donc pas libre. Maintenant, on peut admettre que le
caractère empirique, en tant que phénomène, est lui-même
l'effet d'un *caractère intelligible* (nouménal), autrement dit
d'un choix intemporel, donc « affranchi de toute influence de

---

14. RP 395 ; cf. 402ss. et 405ss.
15. *In Bulletin de la Société française de philosophie,* du 27 octobre 1904, p. 6.

la sensibilité et de toute détermination par des phénomènes [16] ».
Donc absolument libre. La *Critique de la raison pratique*
reprendra la question de façon plus concrète [17].

Il faut réfuter ici cette fausse conciliation entre nature
et liberté qu'avaient cru pouvoir tenter les leibniziens, en prétendant unir, au niveau psychologique, le déterminisme universel avec la volonté libre définie comme spontanéité intérieure ;
ainsi, tout en étant parfaitement déterminée par des causes
intérieures, l'action serait libre parce que ces causes « sont
des représentations produites par nos propres forces, qui font
naître des désirs selon les circonstances, et par là des actions
faites selon notre bon plaisir [18] ». Cette liberté psychologique
et « comparative » (susceptible de degrés), Kant la rejette comme
un misérable subterfuge ; car, du moment que mes représentations déterminantes, si distinctes soient-elles, sont antérieures
à l'acte, elles ne sont plus en mon pouvoir ; ainsi la connexion
des idées rationnelles en moi est un mécanisme aussi implacable que le mécanisme naturel, puisque cette connexion est,
elle aussi, temporelle et empirique. Donc, l'*automaton spiri-
tuale* de Leibniz, qui serait libre parce que mû par ses seules
représentations, n'a pas d'autre liberté que celle d'un « tourne-
broche » ou d'une « marionnette de Vaucanson » — nous di-
rions aujourd'hui que celle d'une machine cybernétique [19].

À vrai dire, cette critique paraît bien injuste. Vise-t-elle LEIBNIZ ?
Mais celui-ci admet bien pourtant une détermination intemporelle de
la monade ; d'autre part la détermination par des motifs n'est pas selon
lui de l'ordre de la causalité, mais de la finalité et elle échappe par là
même à l'antériorité : quand je me détermine rationnellement, ce n'est
pas le passé qui me détermine ! La théorie que critique Kant est bien
davantage celle de BAUMGARTEN [20] ; celui-ci insiste pourtant, à l'encontre

16. Voir sur ce point H. Cohen, *Kant's Begründung der Ethik*,
p. 128-129, et 131 à 133. RP 398-399 ; sur le *caractère*, voir Bohatec,
p. 286ss., 299, 306 et 612ss.
17. Dans l'« Examen critique de l'analytique ».
18. PV 172 = PR 102. Selon notre bon plaisir : *nach unserem
eigenen Belieben,* c'est le *pro lubitu* des wolffiens.
19. Cf. PR 103 et 107. Sur l'« automate spirituel », cf. Leibniz,
*Théodicée,* I, nos 51 et 75.
20. Pour la définition de la liberté critiquée ici, voir Baumgarten,
*Metaphysica,* section 19 : *spontaneitas,* 20 : *arbitrium* et 21 : *libertas.*

de Leibniz, sur le caractère libre de tous nos actes, même de ceux qui sont faits contre notre bon plaisir — *contra omnem libitum* — même de ceux qui sont involontaires ; il établit une distinction tout à fait remarquable : tous les actes volontaires, c'est-à-dire motivés, sont libres ; mais toutes les actions libres ne sont pas pour autant volontaires : « Posez en effet que je me détermine moi-même par le libre arbitre sensible là où il était en mon pouvoir de me déterminer par liberté : une action de cette sorte sera involontaire, et pourtant libre [21]. » N'est-ce pas cette distinction même qui commande toute la théorie kantienne du mal radical ? D'autre part, Baumgarten a senti avant Kant ce que l'acte moral comporte d'« autocontrainte » : « Puisque la contrainte est, au sens strict, la production d'une action faite à contrecœur [*invita*], l'action contrainte [...] serait, dans l'absolu, celle due à une contrainte extérieure, l'action faite sans aucun bon plaisir, contre tout bon plaisir [...] ; mais ce ne serait plus, au sens propre, une action. Si je fais une chose à contrecœur mais de plein gré [*si quid invitus ago pro lubitu*], la force additionnelle [*superpondium*] ajoutée à l'objet de mon désir ou de ma répulsion peut être considérée de deux manières : soit comme produite par moi, et l'on dit que je me contrains moi-même ; soit comme produite par quelque chose hors de moi, et l'on dit que l'action est faite à contrecœur ou contrainte du dehors dans une certaine mesure [22]. » Mais même ces actes commis sous la contrainte extérieure sont libres (*arbitrariae* : voir le n° 712) dans la mesure où je les commets de plein gré, ou du moins de « bon gré » ; ainsi l'action par ignorance ou par erreur [23]. Dans cette théorie, qui rappelle tantôt Aristote, tantôt W. James, que devient l'« automate spirituel » ? Baumgarten répond : *Si automaton dicatur se ipsum mutans, anima erit automaton* [24] » ; loin de désigner un mécanisme, ce terme définit la spontanéité de mes actions au sens propre du terme. L'antériorité n'intervient pas ici ; l'action qui dépend d'un principe intérieur à l'agent suffisant pour l'expliquer est spontanée ; spontanée aussi la substance qui l'accomplit ; c'est la passion qui n'est pas spontanée. Mieux encore : pour Baumgarten, les actions involontaires, celles qui ne sont pas déterminées par la « faculté appétitive supérieure », ne perdent pas pour autant leur caractère de liberté (cf. n°s 721 et 722). Elles restent morales *late dictum*, au sens large, c'est-à-dire imputables, encore qu'elles ne soient pas morales au sens strict, c'est-à-dire produites par une liberté conforme aux lois morales (cf. n° 273). Il y a donc chez Baumgarten une conception tout à fait moderne de l'« involontaire », qui ne se réduit pas au non volontaire [25] de l'acte dont nous sommes responsable sans l'avoir expressément voulu.

21. *Metaphysica*, n° 721.
22. *Ibid.*, n° 714.
23. Cf. *ibid.*, n°s 712 et 713.
24. *Ibid.*, n° 705.
25. Cf. *ibid.*, n° 704 ; voir aussi Bohatec, p. 74 à 80, 125 et 301.

En fait, Kant ne réfute ni Leibniz, ni Baumgarten. Qui alors ? Lui-même, peut-être ; lui-même, le Kant de la période leibnizienne des années 50. On s'en rend compte en lisant la *Nova dilucidatio* de 1755, cette thèse de jeunesse où Kant prétendait concilier la liberté avec le principe universel de « raison déterminante ». En répondant à Crusius [26], il affirme que nos actes « indifférents » ne sont choisis qu'en apparence et déterminés en réalité par « la prépondérance d'une représentation obscure [27] » et étrangère à notre spontanéité [28]. Les actes libres découlent d'une nécessité aussi rigoureuse que celle des phénomènes physiques, mais intérieure à nous-même ; cette nécessité intime présente elle-même deux niveaux : au plus bas la pure spontanéité de l'âme, caractère d'une action « issue d'un principe interne [29] » ; au plus haut la liberté, « quand cette action est déterminée conformément à la représentation du mieux possible [30] » ; un homme est d'autant plus libre qu'il est déterminé de la sorte, qu'il est lui. Alors, que devient la *faute* ? Le jeune Kant affirme que la nécessité intérieure de l'acte volontaire n'est en rien une excuse ; loin de détruire la responsabilité, elle la fonde au contraire en rattachant l'acte à la spontanéité du sujet : « Ton action n'a pas été *inévitable*, comme tu parais le soupçonner, car tu n'as pas cherché à l'éviter ; mais elle a été *infaillible* par suite de la tendance de tes goûts dans les circonstances où tu as été placé. Et cela même t'accuse plus profondément. Car telle a été la violence de tes désirs qu'ils ne t'ont pas permis de changer de résolution [31]. » Mais, demanderai-je, le malheureux aurait-il pu chercher à éviter sa faute, à repousser un désir si violent ? Oui : alors

26. Voir ND, proposition IX, p. 47 de la trad. Tissot.
27. ND 40, cf. 45ss.
28. ND 52.
29. Cf. ND 42.
30. ND 42.
31. ND 42 ; cf. ND 47ss., et Delbos, p. 83ss. Cette théorie de la liberté, plus proche de Spinoza que de Leibniz, se retrouve dans les *Considérations sur l'optimisme* (voir p. 64ss.) et dans l'*Unique Fondement possible d'une démonstration de l'existence*, p. 163, de la trad. Festugière.

vous admettez une certaine contingence dans sa volonté. Non :
alors vous l'absolvez !

Le jeune Kant semblait ignorer cette question. Dans la
*Critique de la raison pratique*, elle devient la question centrale : à l'acte d'un voleur, on peut toujours trouver des causes
extérieures ou intérieures, des circonstances ou des traits carac-
tériels qui permettent d'expliquer le vol ; et si l'on connaissait
la totalité de ces causes, on pourrait prévoir l'acte avec la même
certitude qu'une éclipse du soleil [32]. Mais expliquer n'est pas
absoudre ; puisqu'on peut *imputer* son acte au voleur, il faut
bien admettre, au-delà de ce déterminisme phénoménal, l'existence d'un choix intelligible dont nous ne pouvons avoir, certes,
aucune intuition, mais dont la loi morale (« tu ne devais pas
voler ») nous fait une certitude.

Là est la différence fondamentale entre Kant et ses prédécesseurs leibniziens, et *tous* ses prédécesseurs, y compris lui-
même : non pas dans l'idée d'un choix intemporel, qu'on
trouve déjà chez Platon, mais dans l'affirmation que cette
liberté nouménale ne peut être connue qu'à partir de la loi
morale. La *Critique de la raison pure* prétendait en effet n'avoir
démontré que la possibilité de la liberté, c'est-à-dire le fait que
son concept n'est pas contradictoire en soi, ni incompatible
avec la possibilité de l'expérience [33]. Les *Fondements,* puis la
*Critique de la raison pratique* feront de cette possibilité une
réalité, la plus certaine de toutes, en montrant que la loi
morale implique un sujet responsable, donc libre : le voleur
*pouvait* ne pas voler justement parce qu'il *devait* ne pas voler [34] ; et aucune nécessité intérieure ou psychologique ne saurait
prévaloir là contre. Et c'est pourquoi, à l'encontre des leibniziens, Kant en arrive à concevoir la liberté comme une contingence radicale, qui n'est pas seulement spontanéité éclairée et
intérieure, mais possibilité de choisir le bien *ou* le mal.

Telle est l'originalité de cette solution : en posant la
liberté, elle maintient aussi la responsabilité totale de l'homme

32. Cf. PR 105.
33. Cf. RP 408.
34. Cf. PR 102.

dans toute sa grandeur. Mais elle ne peut « sauver [35] » la
liberté qu'à partir de la loi morale ; la loi est la *ratio cognoscendi* de la liberté, et celle-ci la *ratio essendi* de la loi [36].
LEIBNIZ, qui définissait la liberté comme la spontanéité d'une
monade intelligente, admettait lui aussi que, du point de vue
de l'homme, les actes libres sont imprévisibles et paraissent
avoir une certaine contingence, d'autant que les raisons intérieures inclinent sans nécessiter [37]. Mais toute sa métaphysique
sous-entend, derrière le relatif, l'absolu, derrière le point de vue
de l'homme, le point de vue de Dieu. Et pour Dieu, la nécessité physique ne se distingue plus de la nécessité géométrique,
ni le déterminisme incertain de la finalité des déterminations
rigoureuses de la causalité ; dans l'absolu, l'harmonie préétablie fait que l'ordre des pensées correspond terme à terme à
l'ordre des mouvements corporels [38] ; ce n'est au fond que
parce que nous ignorons cette prédétermination divine en nous
que les mots devoir et responsabilité gardent un sens, un sens
en fait tout relatif : « Tout l'avenir est déterminé sans doute ;
mais comme nous ne savons pas comment il l'est ni ce qui est
prévu ou résolu, nous devons faire notre devoir suivant la raison que Dieu nous a donnée et suivant les règles qu'il nous a
prescrites, et après cela nous devons avoir l'esprit en repos et
laisser à Dieu lui-même le soin du succès [39]. » L'homme ne
connaît de Dieu que sa « volonté antécédente », c'est-à-dire
les lois générales du bien ; il doit se régler sur elle tout en
ignorant sa volonté « conséquente », qui règle tout, même nos
propres actes, selon le principe du meilleur [40], et peut se servir
même de nos crimes pour le plus grand bien du monde ! Ainsi,
d'après Leibniz, si nous devons fuir le mal et faire le bien,
nous devons savoir que les concepts de devoir et de mal ne
correspondent à aucune réalité absolue ; bien plus, une analyse

---

35. *Retten*, dit Kant, *in* PV 170 = PR 101.
36. Cf. PR 2, note 2 ; cette distinction entre *ratio essendi* et
*ratio cognoscendi*, Kant l'a établie dans la *Nova dilucidatio*, donc dès
1755 (II, pr. IV, p. 18) ; il reproche déjà aux wolffiens de confondre
les deux, l'être et le connaître.
37. Cf. *Théodicée*, I, n° 43ss. et III, n° 288.
38. Cf. *Théodiceé*, I, n° 62, et *Monadologie*, art. 79.
39. Cf. *Théodicée*, I, n° 58.
40. Cf. *Monadologie*, art. 90, et notre chap. I.

à l'infini montrerait que notre choix lui-même n'est qu'une illusion, et que le mal moral n'est qu'un ingrédient voulu par Dieu, puisque indispensable au meilleur des mondes [41]. L'éthique, pour Leibniz, n'est que la métaphysique du pauvre.

Kant renverse totalement cette perspective : avec les empiristes, et contre Leibniz, il admet le déterminisme universel comme régissant tout le monde sensible, tous les phénomènes, y compris les phénomènes psychologiques. En revanche la loi morale, qui nous rend absolument responsables, autorise l'affirmation d'un choix intelligible. La nécessité est de l'ordre du relatif, la liberté de l'ordre de l'absolu ; elle n'est pas un « comme si » dû à l'infirmité de la connaissance humaine ; elle est dans l'être, elle est notre être. Et avec elle le mal. Le propre de Kant est d'avoir montré que la liberté, fondée sur la loi morale, est aussi une liberté *pour le mal* [42].

La liberté que présupposent le mal radical et la conversion est donc bien celle qu'avait définie la philosophie critique. Pourtant nous nous heurtons ici à une difficulté redoutable. Kant, à l'opposé de ce que fera Bergson, veut « sauver » la liberté en la situant *hors du temps*. Seulement le mal, la faute, est pourtant bien un événement ; et la conversion, la nouvelle naissance, suppose un *avant* et un *après*, une décision dans le temps. N'y a-t-il pas là contradiction ? Comme le dit L. Brunschvicg : « Puisque le dépouillement et la régénération du vieil homme sont conditionnés par la rencontre, dans le cœur du chrétien, de l'*Adam éternel* et du *Jésus éternel*, par la substitution de celui-ci à celui-là, comment échapper à l'évidence qu'un tel événement implique cet *avant* et cet *après* qui sont à la racine même du temps, et qu'il est assurément contradictoire de laisser réapparaître dans l'intemporel [43] ? » Bref, la substitution d'un bon caractère à un caractère mauvais ne peut se faire que dans le temps. Il est remarquable que Kant lui-

41. Cf. *Théodicée*, notamment, I, nº 35.
42. Voir à ce sujet Delbos, dans le *Bulletin* déjà cité, p. 11ss.
43. *La Raison et la religion*, p. 134 ; cf. *le Progrès de la conscience*, I, p. 303ss. et p. 330-331. Voir d'ailleurs la remarque de Kant dans *la Fin de toutes choses*, p. 225.

même, pourtant si attentif aux apories de son propre système, ait ignoré celle-ci.

J.-L. Bruch montre fort bien que le terme « intemporel » est chez Kant purement négatif : « Quand on retire à la chose en soi un attribut du phénomène — par exemple le changement phénoménal — on ne doit pas lui conférer davantage l'attribut phénoménal opposé » (p. 89) — c'est-à-dire la permanence, l'immutabilité. L'intemporel n'est pas un concept comme l'éternité d'Aristote ou celle des théologiens ; l'intemporel signifie pour nous l'absence de tout concept. Mais on comprend mal alors pourquoi J.-L. Bruch recourt à la *duratio noumenon,* dont parle Kant dans *la Fin de toutes choses* (Bruch, p. 90 ; cf. FC 217) : outre que ce concept, comme le dit Kant lui-même, est contradictoire à moins d'être purement négatif (FC 225), il ne répond en rien à ce qui est requis ici : rendre compte d'un changement dans le monde intemporel.

Il faut bien voir que nous sommes ici au XVIII⁰ siècle, un siècle qui n'avait guère notre notion de la « temporalité », qui considérait le temps comme une sorte de cadre neutre et indifférent à son contenu ; depuis Leibniz jusqu'à Rousseau, on considère que l'origine d'une chose — origine du monde, origine de la vie, de l'homme, de la société, de l'État, du droit, du langage — se ramène à sa raison d'être ; il ne s'agit pas de savoir ce qui s'est passé mais de comprendre, au-delà de tout passé, pourquoi ce qui existe devait nécessairement exister. Les empiristes et les sensualistes eux-mêmes, pour récuser la raison, ne réhabilitent pas pour autant l'histoire ; ils remplacent la métaphysique par la psychologie, un schéma intemporel par un autre schéma intemporel. Ici Kant pense encore dans une perspective leibnizienne, dans laquelle toute l'histoire d'un être n'est que la *vis derivativa* dont la progression exprime nécessairement la *vis primitiva* intemporelle de cet être : il est inscrit dans le concept de César qu'il devait passer le Rubicon. Autrement dit le concept intelligible de la substance comprend, dans sa « réalité » intemporelle, toutes les déterminations de son devenir.

C'est à partir de là qu'il faut comprendre la pensée de Kant. Les décisions morales ressortissent à un ordre qui n'est pas celui du temps, de la cause antérieure à ce qu'elle produit, mais de l'intemporel : un motif, une raison ne précèdent pas l'acte qu'ils justifient. L'« une fois pour toutes » du mal radical et l' « une fois pour toutes » de la délivrance dans la conversion : ce ne sont pas deux événements, ce sont les deux *requisit*, les deux présuppositions inéluctables de toute vie morale ; sans la première, l'homme est irresponsable ; sans la seconde, il est impuissant. On pourrait presque dire que l'acte intelligible qui m'enferme dans la faute et l'acte intelligible qui m'en délivre ne sont en réalité qu'un seul et même acte : le choix unique et insondable qui donne son sens au drame concret de mon existence dans le temps. Oui, on pourrait le dire, si Kant était Leibniz ; parce qu'alors le mal ne serait pas conçu comme une réalité en soi, mais comme une privation du bien, ou même un moment du bien ; et ma culpabilité profonde apparaîtrait alors comme l'élément même de la conversion qui m'en absout, comme la *felix culpa*... [44]

Mais Kant n'est pas Leibniz. Kant pose le mal comme une réalité en soi, comme un scandale en soi. Et c'est là qu'on ne comprend plus ; car comment un même acte intemporel — le choix intelligible de mon caractère — peut-il enfermer en soi deux significations absolument contraires ? En supprimant la *succession*, n'introduit-on pas la *contradiction* ? Nous verrons dans le chapitre suivant que ce genre d'aporie ne se résout pas par le « logos », mais par le *muthos*...

En attendant la liberté existe. Elle est donnée comme une certitude fondée sur la morale, une certitude « pratico-dogmatique » dira Kant plus tard [45]. Il s'agit maintenant de savoir ce qu'elle est.


## B. LIBERTÉ COMME LOI
## ET LIBERTÉ COMME CHOIX

Qu'est-ce que la liberté ? Ici encore surgissent de nouvelles difficultés et de nouvelles objections. Ne trouve-t-on pas, en

44. Cette interprétation de la faute et de la conversion comme étant un acte unique est un peu celle de J. Lachelier, dans le *Bulletin* cité, p. 10.

45. Dans *les Progrès réels de la métaphysique depuis Leibniz et Wolff* ; cf. p. 371 et 400.

effet, dans l'œuvre de Kant, des définitions de la liberté assez diverses pour être discordantes ?

Victor DELBOS, dans son livre magistral, en distingue trois : 1) la liberté transcendantale, ou choix intemporel d'une maxime conforme ou contraire à la loi morale : c'est celle de la *Critique de la raison pure*, qu'on retrouve dans l'« éclaircissement critique » de la *Critique de la raison pratique* et dans la première partie de *la Religion* ; 2) la liberté pratique, ou autonomie de la volonté, qui pose la loi morale comme sa propre loi : c'est celle que mettent en lumière les *Fondements* et l'« Analytique » de la *Critique de la raison pratique* ; 3) la liberté comme « autocratie », ou pouvoir d'être vertueux et d'avancer par là le Souverain Bien : cette liberté-là, ou libération, ne peut être que postulée ; on la trouve dans la « Dialectique » de la *Critique de la raison pratique* et à la fin de la *Critique de la faculté de juger*, dans la *Doctrine de la vertu* et dans tous les passages de *la Religion* concernant la conversion et la réconciliation. Comment les accorder ensemble [46] ?

Sans parler maintenant de la troisième, il est certain en effet que les deux premières définitions ne s'accordent pas. Si l'une et l'autre se réfèrent à la loi morale et se situent dans le monde intelligible, si l'une et l'autre se définissent négativement comme l'indépendance envers toute contrainte extérieure et tout penchant sensible, il reste qu'elles discordent dans leur signification positive : la liberté pratique consiste à opter pour la loi morale, à en faire sa propre loi, et c'est en ceci qu'elle est indépendante de tout mobile sensible ; la liberté transcendantale consiste à adopter des maximes pour ou contre la loi morale, selon un choix entièrement libre, puisque nous en sommes responsables. La liberté est donc le fait d'être indépendant du monde sensible : tantôt parce qu'on *doit obéir* à la loi morale, tantôt parce qu'on *peut lui désobéir*.

Victor Delbos a prétendu résoudre cette contradiction par la méthode historique qui prévalait au début du siècle : ces définitions contradictoires correspondraient en fait à des mo-

46. Cf. Delbos, p. 451ss. ; Delbos a précisé ce classement dans le *Bulletin* du 27 octobre 1904, déjà cité. On trouvera également une belle mise au point dans Alquié : *la Morale de Kant*, C.D.U., p. 94ss.

ments différents de la pensée de Kant, où il serait vain de voir un système immuable [47] ; ces pensées divergentes n'auraient pas le même âge et témoigneraient d'une évolution s'étendant jusqu'aux dernières œuvres de Kant. Nul ne peut nier l'intérêt de cette perspective ; mais le danger est qu'à vouloir expliquer une pensée par sa genèse on risque de la détruire en tant que pensée. Oui, Kant a évolué, même après 1780 [48], mais est-ce pour s'approfondir ou pour se renier ?

Rappelons brièvement cette évolution. Pour Delbos, le premier stade se situerait vers 1775, donc au début de la « période critique [49] », avec les Leçons sur la métaphysique. Kant y distingue deux libertés : la « liberté pratique », ou indépendance de la volonté raisonnable connue par expérience intérieure, et la « liberté transcendantale », causalité absolue du moi intelligible, qui répond à un problème purement théorique [50]. La grande innovation de la Critique de la raison pure (1781) est d'avoir supprimé ce divorce entre les deux libertés : c'est par la pratique que je découvre ma liberté transcendantale qui, en retour, donne seule son sens à la pratique. Néanmoins la Critique contient encore des éléments mal intégrés parce que plus archaïques (par exemple dans le « Canon », la 1ère section, p. 450ss.), antérieurs à la rédaction de la troisième antinomie. Même dans celle-ci, Kant demeure assez leibnizien : « L'idée de la liberté, écrit Delbos, reste sous l'empire de la chose en soi : ces êtres en soi, qui se déterminent d'eux-mêmes à être ce qu'ils sont, sont bien voisins de ces monades de Leibniz, conçus à la source éternelle de leur existence [51]. » Ainsi la causalité de la chose en soi est affirmée d'abord par la raison spéculative, et Kant ne fait « de la volonté obligée par les impératifs qu'une application en quelque sorte subordonnée de la causalité des choses en soi [52] ». Ainsi le caractère intelli-

---

47. Cf. Delbos, p. 193.

48. Voir à ce sujet la belle réponse de Lachelier à Delbos, dans le Bulletin, p. 4.

49. Rappelons que Kant lui-même recommandait de commencer ses Œuvres complètes par la Dissertation (thèse) de 1770.

50. Cf. Delbos, p. 164 à 167.

51. Delbos, p. 227.

52. Delbos, p. 451.

gible n'est-il pas encore déterminé par la loi morale. Il est
donc facile de comprendre qu'il puisse être à l'origine du mal
tout autant que du bien.

Les *Fondements de la métaphysique des mœurs* (1785)
introduisent une perspective toute nouvelle, celle de la liberté
comme autonomie. Ici, c'est la loi morale, et elle seule, qui
atteste l'existence en moi d'une liberté nouménale ; inversement,
la législation morale universelle, parce que j'en suis l'auteur,
peut me commander sans aliéner une liberté dont elle est au
contraire l'expression vraie [53]. Aussi, être libre, ce n'est plus
choisir arbitrairement le bien ou le mal, c'est pouvoir échapper
aux penchants sensibles en se déterminant par devoir, en « qua-
lifiant » ses maximes pour une législation universelle ; « de
telle sorte qu'une volonté libre et une volonté soumise à des
lois morales, c'est tout un [54] ». Au mystérieux caractère intelligible va se substituer le sujet raisonnable, auquel il suffirait de
se rendre tout à fait indépendant de sa sensibilité pour être
purement moral : « Si l'homme en effet appartenait uniquement
au monde intelligible, toutes ses actions seraient toujours d'elles-
mêmes conformes au principe de l'autonomie de la volonté
pure [55]. » Ainsi la chose en soi perd plus ou moins sa réalité
ontologique pour devenir une valeur pratique et le monde intelligible se ramène au royaume des fins [56]. Est-ce à dire que Kant
revient maintenant au déterminisme intérieur de Leibniz ? Non,
car il maintient la responsabilité totale de l'homme en face
de cette « loi dont il reconnaît l'autorité tout en la violant [57] ».
Mais cette responsabilité coupable reste, dans les *Fondements*,
un thème mal élucidé, en tout cas mineur ; le méchant n'impute
pas ses inclinations à son véritable moi ; « il ne s'attribue que
la complaisance qu'il pourrait avoir à leur endroit, s'il leur
accordait une influence [58] »... Mais d'où provient cette complaisance ? D'où provient le mal ?

53. Cf. Delbos, p. 377 et FM 180.
54. Cf. Delbos, p. 386 ; voir FM 185 : « Ce *je dois* est proprement un *je veux*. »
55. Delbos, p. 391 ; cf. aussi p. 394 et FM 184, 200-201.
56. Cf. Delbos, p. 393.
57. FM 196.
58. FM 201 ; cf. aussi la note de Delbos nᵒ 188, p. 180 de FM.

La *Critique de la raison pratique* (1788) va juxtaposer ces deux concepts de la liberté. Dans l'« Analytique » (chap. I), elle l'identifie à l'autonomie ; la liberté est le propre d'une volonté qui s'identifie à la loi morale et celle-ci, en retour, ne vaut que pour une volonté libre [59]. Ainsi, « la loi morale, fournissant à l'idée de la causalité libre le contenu qui en justifie la réalité, tend à identifier pleinement cette idée avec elle [60] ». Cependant, l'« Examen critique de l'Analytique » ramène, avec l'analyse de la responsabilité, de la faute et du remords, la liberté transcendantale comme pouvoir de choisir... Et *la Religion* (1792) affirma, d'une façon plus radicale et plus tragique encore, ce mystère d'un choix intelligible du mal [61]. Ainsi Delbos peut-il conclure : « La fusion de la liberté transcendantale et de la liberté pratique ne supprime pas, et même par endroits ne fait que rendre plus saillant un dualisme enveloppé dans la doctrine [62] »... « Comment donc, en fin de compte, une liberté dont l'existence ne saurait être garantie que par la loi morale, et qui même ne fait qu'un avec la loi, peut-elle être capable d'agir contre la loi même ? Sous un seul nom, il y a bien là, semble-t-il, deux espèces de libertés radicalement différentes [63]. »

On voit pourtant que l'explication génétique ne vaut pas ici. Kant en effet, dans toutes ses grandes œuvres, a *juxtaposé* plus ou moins ces deux libertés, quitte à privilégier tantôt l'une, tantôt l'autre. Delbos remarque lui-même qu'il les joint parfois l'une à l'autre dans une même formule, comme par exemple : « Cette liberté qui doit être donnée pour fondement à toutes les lois morales et à l'imputation selon ces lois [64]. » Et il cite une lettre à Kieseweter de 1790, donc postérieure de cinq ans aux *Fondements*, où Kant affirme « que la liberté connue comme causalité de la volonté des êtres raisonnables et la loi

59. Cf. PR 28.
60. Delbos, p. 451. ₚ 365 de mon édition
61. Albert Schweitzer, qui semble d'ailleurs moins informé que Delbos, soutient au contraire que *la Religion* fait ressortir la liberté morale dans toute sa pureté, mais au détriment de la liberté transcendantale, qui disparaîtrait ainsi que les principes de l'idéalisme critique (voir Bohatec, p. 285).
62. Delbos, p. 454. — ₚ 367 de mon édition
63. Delbos, p. 455. — ₚ 368 de mon édition
64. *Ibid.*, cf. PR 103.

morale inconditionnée sont deux déterminations simplement réciproques de l'idée transcendantale, antérieurement posée, d'une liberté cosmologique [65] ». Faut-il alors taxer le philosophe d'inconséquence ? Lui reprochera-t-on de donner au même mot, liberté, deux sens opposés ?

À vrai dire, Kant n'emploie pas le même mot. On oublie trop, en philosophie, que liberté ne désigne jamais qu'un prédicat, « un prédicat *transcendantal* de la causalité d'un être qui appartient au monde des sens [66] ». Or ce sujet, c'est l'être qui peut être libre, c'est l'homme. Et sa causalité propre s'exprime de deux manières : par son libre arbitre (*Willkür*) et par sa volonté (*Wille*). L'un et l'autre sont des déterminations différentes du désir humain, ce que Kant nomme la « faculté de désirer ».

Celle-ci, la *Facultas appetitiva* des leibniziens [67], est pour Kant une donnée empirique et se définit par le pouvoir (*Vermögen*) d'être, par ses représentations, la cause des objets de ces représentations [68] ; elle est inhérente à la vie, donc commune à l'animal et à l'homme, comme la *boulèsis* d'Aristote. Est-ce à dire qu'elle est déterminée uniquement par le plaisir ? Alors toute la morale se réduirait à un utilitarisme [69] : autrement dit, il faut que le désir ait en lui-même de quoi dépasser le besoin animal pour que la vie morale soit possible. Faut-il dire, comme Baumgarten, que la faculté appétitive est libre et morale quand elle est « supérieure », c'est-à-dire déterminée par un plaisir qui a lui-même sa source dans des représentations provenant non des sens, mais de l'entendement ? On connaît la vigoureuse réfutation que la *Critique de la raison pratique* oppose à cet intellectualisme hybride [70]. Pourtant Kant

65. *In* Delbos, p. 391, note 1.
66. PV 168 = PR 100 ; cf. FM 179ss.
67. Cf. les sections 16, 17 et 18 de la *Metaphysica* de Baumgarten.
68. Cf. MS, introduction, 211 ; PR 6 note, Delbos, p. 428 ; sur cet élément biologique du vouloir humain, trop méconnu, voir Bohatec, p. 113-114.
69. Cf. PR 6 note.
70. Cf PR, Analytique, chap. i, scolie I, p. 21 ; et comparer avec Baumgarten, nᵒˢ 663 à 699 de la *Metaphysica*.

admet avec Baumgarten que la faculté appétitive atteint son niveau humain avec le « plein gré » (*Lubitus, Belieben*) : « La faculté de désirer selon des idées, pour autant que le principe qui la détermine se trouve en elle-même et non dans un objet, se nomme faculté d'agir ou de s'abstenir à son gré. » Et Kant ajoute : « en tant qu'elle est liée à la conscience du pouvoir qu'a son action de produire un objet, elle se nomme libre arbitre ». Sans cette conscience, le désir n'est qu'un « souhait » (*Wunsch*). Le libre arbitre représente donc une triple détermination du désir humain : l'intelligence, la contingence et l'action. Qu'est-ce alors que la volonté, *der Wille* ? C'est la faculté de désirer dont le principe déterminant intérieur, donc le plein gré lui-même, se trouve dans la raison du sujet. Elle n'a point d'autre principe déterminant ; « au contraire, elle est la raison pratique elle-même en tant qu'elle peut déterminer le libre arbitre [71] ». Si l'on ajoute que la volonté ne porte pas, elle, sur l'action, mais sur la maxime du choix de l'action, on pourra résumer tout ceci en disant que le libre arbitre (*Willkür*) est en nous le pouvoir exécutif et la volonté (*Wille*) le pouvoir législatif.

On remarquera ici que la volonté, identifiée à la raison pratique, est par essence bonne volonté. Pourtant, dans les *Fondements*, on lit qu'une volonté « parfaitement bonne » ne peut être « que la volonté divine [...] et en général une volonté sainte [72] » ; quant à la volonté humaine, elle « n'est pas complètement bonne » : elle est certes déterminée par la raison pratique, mais ne lui est pas, « selon sa nature, nécessairement docile ». Mais le contexte laisse entendre qu'il ne s'agit pas d'une volonté positivement mauvaise, mais d'une volonté impure qui, « soumise encore à des conditions subjectives (à de certains mobiles) », n'est « pas encore *en soi* pleinement conforme à la raison [73] ». Ce qui semble indiquer que la volonté humaine, dans la mesure où elle est impure, n'est qu'une moindre volonté et que le mal moral ne provient pas de là.

Ainsi, tout se joue dans le rapport entre libre arbitre et volonté. Le libre arbitre, en effet, peut être animal (*arbitrium brutum*) ; c'est le cas s'il est déterminé par un penchant sensible. Il est au contraire un libre arbitre indépendant (*arbitrium*

---

71. Introduction à la *Métaphysique des mœurs*, I, MS 213.
72. GM 414 = FM 124.
73. GM 413 = FM 122.

*liberum, freie Willkür*) s'il « peut être déterminé par la raison pratique [74] ». Remarquons ici que Kant dit « peut être » — *bestimmt werden kann* — ce qui laisse la possibilité du contraire et montre que la liberté n'est pas à sens unique ! Le libre arbitre animal est entièrement déterminé par la sensibilité ; « le libre arbitre humain est tel, au contraire, qu'il peut bien être *affecté* par un mobile, mais non *déterminé* par lui ; en soi, sans une disposition acquise de la raison, il n'est donc pas pur ; et pourtant il peut être déterminé à agir par une volonté pure[75] ». Cette impureté est liée à la subjectivité. Ainsi, le libre arbitre se donne des *maximes,* principes subjectifs, qui peuvent être bons ou mauvais, alors que la volonté se détermine par une *loi* : elle ramène la maxime du libre arbitre à l'universalité et à l'objectivité de la loi morale [76]. Donc, le libre arbitre ne sera vraiment indépendant, vraiment libre que s'il est aussi volonté, s'il qualifie ses maximes pour valoir comme lois universelles, s'il s'identifie au « pouvoir législatif ».·

Certes, mais il reste que le libre arbitre se caractérise par le choix des maximes — particulières ou universelles, égoïstes ou désintéressées, mauvaises ou bonnes — ou plus précisément par le choix de la hiérarchie entre les maximes [77]. N'est-ce pas reconnaître à l'homme un pouvoir *arbitral* [78], une puissance dangereuse, différente de cette liberté que seule nous confère la loi morale, et qui serait pourtant un libre pouvoir ? N'est-ce pas librement que mon libre arbitre décide de se faire ou non volonté raisonnable ? À la liberté toute bonne, mais idéale, du législateur, se juxtaposerait donc celle, réelle mais équivoque, de l'arbitre.

On notera ici que *Willkür* n'a pas originairement le sens d'arbitraire, mais de choix. D'après le dictionnaire étymologique *Duden,* le

74. MS 213.
75. *Ibid.*
76. Cf. *ibid.,* IV, MS 226.
77. Voir notre chap. III, 2<sup>e</sup> partie.
78. Noter que chez Kant, *Willkürlich* signifie en général « choisi » et non pas « arbitraire » ; cf. RV 553 : « La raison est donc la condition permanente de toutes les actions volontaires = *aller willkürlichen Handlungen* — par lesquelles l'homme se manifeste » (= RP 405). Par contre, pour « maxime arbitraire », Kant dit : *eine Maxime der beliebigen Wahl* (PV 228 = PR 136).

sens premier est « choix de la volonté » (*Wille*) (cf. p. 766). *Kür* s'apparente au verbe *Kiesen, kor, gekoren* : examiner, élire, choisir (p. 379) ; on le voit dans *Kurfürst* : prince électeur ; dans *Auserkoren* : élu de Dieu. Le verbe français « choisir » a d'ailleurs la même racine ; il vient du gothique *Kausjan*.

Maintenant, on ne peut guère juxtaposer ces deux sens du mot liberté qu'en les subordonnant. C'est bien d'ailleurs ce qu'ont fait la plupart des commentateurs de Kant, malheureusement en sens contraire.

Les uns placent la liberté authentique dans la volonté autonome, dont le libre arbitre serait l'instrument, indocile parfois à cause de la sensibilité, mais qui ne serait vraiment libre que par son obéissance même [79]. Notre étude sur le mal radical a déjà réfuté cette interprétation. Rappelons ici que, si le libre arbitre est en nous l'exécutif, et la volonté le législatif, rien n'autorise à subordonner le premier au second qui serait seul libre. Kant le dit d'ailleurs expressément : « La volonté, qui ne concerne que la loi, ne peut être dite ni libre ni non libre, car elle ne porte pas immédiatement sur les actions », mais sur les maximes des actions, pour l'universaliser ; « elle est donc simplement nécessaire, sans être elle-même susceptible de contrainte [80] ». C'est au libre arbitre qu'il revient de *décider* pour ou contre la loi de la volonté autonome ; et même quand il transgresse la loi au profit des inclinations, il n'est pas déterminé par celles-ci, mais seulement par les maximes, règles subjectives mais formelles qu'il se donne à lui-même : « Car, à part la maxime, on ne doit ni ne peut trouver aucun principe déterminant du libre arbitre [81]. » C'est bien pourquoi ce dernier est affecté, mais non déterminé par la sensibilité [82]. Autrement dit l'hétéronomie du libre arbitre, quand il cède aux mobiles sensibles, n'est elle-même possible

---

79. C'est là au fond la thèse de L. Brunschvicg ; il n'ignore pas les textes de Kant qui résistent à son interprétation, mais il les désapprouve.

80. « ... *selbst keiner Nötigung fähig* » (MS 226) ; faut-il traduire : non susceptible d'être contrainte — ou : non susceptible de (nous) contraindre ? Je pense que Kant veut dire : elle ne peut nous contraindre à agir, elle légifère sans décider.

81. RG 7 A. = RL 40 note.

82. Voir note 74 et aussi PR 32.

que parce qu'il se donne pour maxime de suivre ces mobiles, se donne pour règle générale de préférer l'amour-propre au désintéressement moral. Je dis bien : se donne, car le libre arbitre ne subit pas ses maximes : il les a « admises » (*angenommen* : RG 7 A.), il les a « accueillies » (*aufgenommen* : RG 43) ; et c'est là que réside l'inexplicable de la liberté, ce qu'elle a d'irréductible à tout rationalisme [83]. Finalement Kant semble bien restaurer, avec le libre arbitre, cette mystérieuse puissance des contraires par laquelle on définit parfois la liberté : aux leibniziens, il objecte que leur « déterminisme » interne n'est pas conciliable avec la liberté, « d'après laquelle l'action, comme son contraire, doit être au pouvoir du sujet au moment où elle se produit [84] ». Le coupable aurait pu s'abstenir de sa faute ; il le pouvait parce qu'il le devait [85].

Mais faut-il admettre la subordination contraire, dire que la liberté de choix est en l'homme plus fondamentale que la volonté raisonnable ? Cette seconde interprétation était déjà celle de REINHOLD, contemporain et disciple de Kant. « L'action de la raison pratique, écrivait-il, est uniquement involontaire [*unwillkürlich*]... Dans le vouloir moral, la raison pratique n'agit en elle-même et pour elle-même ni plus ni moins que dans le vouloir immoral ; dans les deux cas elle établit la loi. » Et il conclut que la liberté « est dans l'indépendance de la personne à l'égard même de la contrainte de la raison pratique [86] ». Telle sera aussi l'interprétation de RUYSSEN, pour qui Kant aurait séparé la liberté non seulement de la nature mais de la raison ; ainsi, « le choix du bien n'est pas moins inexplicable que celui du mal, et la bonne volonté n'est pas moins capricieuse [*libidinosam*] que la mauvaise [...] pas moins irrationnelle que celle qui consent au désordre et au mal ». Et Ruyssen de poser la question : « Est-ce que [la liberté], comme

---

83. Sur accueil et admission, voir aussi RL 39 note, 44, 63, 65.
84. RG 58 A. RL 74 note.
85. Cf. RG 42 : *er sollte sie* (les actions) *unterlassen haben* : « il aurait dû s'en abstenir ». Dans la *Critique de la faculté de juger*, Kant identifie d'ailleurs la liberté transcendantale au libre arbitre, du moins à son fondement suprasensible et inconnaissable : voir n° 57, p. 167.
86. Cité par Delbos, p. 456.

un pendule privé de raison et de sens, n'est pas ce qui oscille sans motif entre le bien et le mal, poursuivant et fuyant également l'un et l'autre [87] ? »

Kant s'est opposé lui-même à ce genre d'interprétation qui introduirait la « liberté d'indifférence » dans le monde intelligible. Il écrit en effet, peut-être en réponse à Reinhold : « On ne peut pourtant pas définir la liberté du libre arbitre par le pouvoir de choisir une action conforme ou contraire à la loi morale [*libertas indifferentiae*]... encore que le libre arbitre comme phénomène en donne une foule d'exemples dans l'expérience. » Car la loi morale ne nous fait connaître la liberté que négativement, comme indépendance envers la sensibilité ; comme noumène, elle nous est totalement incompréhensible. « Il n'y a qu'une chose que nous puissions vraiment comprendre : bien que l'homme, comme *être sensible,* témoigne d'après l'expérience d'un pouvoir de choisir non seulement *selon* la loi morale, mais *contre* elle, ce n'est pourtant pas par là que l'on peut définir sa liberté comme celle d'un *être intelligible* ; car les phénomènes ne peuvent nous faire comprendre un objet suprasensible — ce qu'est cependant la liberté du libre arbitre ; et l'on ne peut jamais poser la liberté à partir du fait que le sujet raisonnable est également capable de faire un choix qui répugne à sa raison législatrice, même si l'expérience ne nous donne que trop de preuves d'un tel choix — un choix dont la possibilité nous reste incompréhensible [88]. » Bref, du choix bon ou mauvais constaté dans l'expérience, on ne peut rien conclure quant à la liberté nouménale qui le rend possible, car ce n'est pas un fait d'expérience qui permet de déterminer *a priori* ce qu'est la liberté, quel est le critère universel qui permettrait de distinguer le libre arbitre du serf arbitre. Le choix du mal est bien un fait irrécusable et qu'il faut attribuer à notre liberté, mais sans que celle-ci en devienne plus compréhensible. Car tout ce que nous pouvons comprendre d'elle est l'autonomie, que nous révèle la loi morale : « La liberté en rapport avec la législation intérieure de la raison n'est proprement qu'une capacité [*Vermögen*] ; la possibilité de s'écarter de cette législa-

---

87. Ruyssen, p. 86.
88. Introduction à la *Métaphysique des mœurs*, IV, MS 226.

tion une incapacité [*Unvermögen*]. Comment pourrait-on expliquer la première par la seconde [89] ? » Comme le remarque
justement H. Cohen, si l'on attribue au caractère intelligible le
principe de la faute qui se manifeste dans le caractère empirique, on en vient à renverser le rapport établi entre eux :
« N'est-ce pas alors en effet le caractère empirique qui devient,
au sens pratique, modèle, et le caractère intelligible, sa re-
production mécanique [90] ? »

Ne peut-on dire finalement que l'autonomie de la volonté est en somme l'essence de la liberté, et le libre arbitre la
liberté existante, une existence qui se manifeste empirique-
ment, certes, mais qui renvoie pourtant à un choix suprasensible ? On ne connaît la liberté que par la loi morale ; or cette
loi, en nous prescrivant de la prendre elle-même pour mobile,
mais sans nous y contraindre, définit ce choix comme dépendant de nous, ce qui entraîne la possibilité d'un choix contraire ; la certitude de ce *Vermögen* requiert la possibilité de
cet *Unvermögen*. Liberté comme loi et liberté comme choix ne
sont-elles pas ainsi indispensables l'une à l'autre ?

Prenons ici l'exemple de Kant lui-même, celui par lequel
il illustre la prise de conscience de la liberté. Si un homme
prétend qu'il ne peut pas résister à la passion qui le pousse vers
une maison de plaisir, demandez-lui s'il y entrerait encore au
cas où on le pendrait à la sortie : la réponse ne fait pas de
doute ! Il reste pourtant douteux qu'on puisse parler ici d'un
libre choix, car c'est au fond la peur qui l'empêche d'entrer :
peur contre désir, c'est passion contre passion, et la plus forte
l'emporte. « Mais demandez-lui, en supposant que son prince
exige de lui, sous la menace d'une mort tout aussi certaine, de
porter un faux témoignage contre un honnête homme que ce
prince voudrait bien perdre sous des prétextes plausibles, —
demandez-lui s'il tiendrait alors pour possible de vaincre son

---

89. Introduction à la *Métaphysique des mœurs*, IV, MS 227. Voir
la *Réflexion* n⁰ 3868 : Le mal « n'est pas une capacité (*Vermögen*),
mais une possibilité d'être passif » (citée par Bohatec, p. 123).

90. Cf. Cohen, *Kant's Begründung der Ethik*, p. 275 ; voir pourtant RP 398.

amour pour la vie, si grand qu'il puisse être » : on connaît la
réponse, sans pouvoir assurer qu'en fait il aurait la vertu de
résister à la menace, il admettra qu'il *peut* le faire. « Il juge
donc qu'il peut faire une chose parce qu'il a conscience qu'il
le doit, et il reconnaît en lui la liberté qui, autrement, sans la
loi morale, lui serait restée inconnue [91]. » Comme le texte l'indique, la liberté est bien le pouvoir de résister à la peur la
plus terrible ; elle est aussi la possibilité de céder (*ob es tun
würde oder nicht*), de céder avec toute la responsabilité que
cela comporte. La loi morale me révèle donc à la fois cette
liberté de l'accomplir, malgré toute la violence de mes désirs
et de mes peurs, et la responsabilité tragique qui est la mienne
quand je lui désobéis : je pouvais obéir puisque je le devais.
Comme le dit F. Alquié : « L'expérience morale qui prouve la
liberté n'est pas seulement celle de la bonne volonté, c'est celle
aussi de la mauvaise conscience. L'expérience morale, c'est à
la fois l'expérience de la loi et l'expérience de ne pas se soumettre à la loi [92]. »

Maintenant, quel rapport établir entre la loi et la possibilité de la transgresser ? Seul pourrait le comprendre un être
capable d'une intuition nouménale. L'homme doit se borner
à affirmer sans comprendre. Et pourtant l'anthropologie nous
éclaire dans une certaine mesure : ce qui caractérise le libre
arbitre, c'est le pouvoir d'adopter (*annehmen*) telle ou telle
maxime ; s'il ne se réduit pas à ses maximes, il n'agit jamais
sans maxime, c'est-à-dire sans une règle, subjective certes, mais
pourtant rationnelle ; il représente bien ce que Kant lui-même
nomme une causalité de la raison par rapport aux phénomènes [93], une raison qui peut être pure ou impure, pratique ou
seulement « pragmatique », mais sans laquelle il n'existerait pas
de choix humain. Car une maxime, bonne ou mauvaise, « est
la règle que l'agent se donne lui-même comme principe à par-

91. PV 54 = PR 30 ; Kant a développé ce fameux exemple
dans la Méthodologie de la *Critique de la raison pratique* (PR 165ss.)
et dans *Sur le lieu commun...* (LC 230ss.).
    92. *La Morale de Kant*, p. 107.
    93. Cf. RP 403. FJ 21-22 attribue cette causalité à la volonté,
mais mise ici dans un sens très général.

tir de considérations [*Gründen*] subjectives [94] ». Une maxime
immorale, c'est-à-dire égoïste, garde pourtant un rapport avec
la loi morale ; elle l'utilise pour nous justifier, quitte à ne pas
s'interroger sur la valeur de cette justification elle-même. C'est
pourquoi, en pédagogie, la culture morale de l'enfant commence avec les maximes : « On doit prêter attention à ce que
l'enfant s'habitue à agir d'après des maximes et non d'après
certains mobiles [95] » ; ensuite, ensuite seulement, on lui fera
comprendre qu'il doit qualifier ses maximes comme lois universelles [96]. Or même dans la faute, le libre arbitre utilise
cette règle générale, rationnelle, qu'est la maxime ; autrement
dit, même dans la faute, notre choix est libre parce qu'il utilise la raison, quitte à la dévoyer en s'en servant au lieu de la
servir. La bonne volonté est autonome ; la mauvaise l'est
aussi, dans la mesure où elle est volonté ; et là est sa faute
et son crime.

Ainsi la liberté comme loi et la liberté comme choix ne
représentent pas deux aspects successifs ou subordonnés de la
pensée de Kant. Il s'agit de deux instances contradictoires mais
indispensables l'une à l'autre ; sans la loi le choix ne serait
qu'illusoire, et toutes nos décisions s'expliqueraient par des
mobiles conscients ou inconscients ; elles ne seraient plus *nos*
décisions ; sans le choix, l'autonomie se réduirait à un auto-
matisme spirituel. Et dans les deux cas, le mal n'aurait que
l'existence d'un « non-être ». Peut-on comprendre quelque chose de plus ? Kant lui-même nous l'interdit : « Parmi toutes les
idées de la raison spéculative, la liberté est la seule dont nous
puissions connaître *a priori* la possibilité, sans pourtant la
comprendre [97] »...

## C. L'IMPUTATION :
## L'HOMME PEUT-IL JUGER L'HOMME ?

Nous avons montré que l'autonomie définit l'essence de
la liberté et que l'imputation est la preuve de son existence. Il

94. Introduction à la *Métaphysique des mœurs*, IV, MS 225.
95. ED 480.
96. Cf. ED 481.
97. PV 5 = PR 2.

s'agit maintenant de savoir ce que signifie concrètement l'imputation ainsi que son rapport avec le mal moral.

Il convient de mentionner au préalable l'interprétation d'Hermann COHEN dans son ouvrage *Kant's Begründung der Ethik*. La thèse de Cohen s'oppose ici à la nôtre ; il n'admet pas que Kant ait fondé la liberté sur la responsabilité, car cela reviendrait à confondre la liberté transcendantale avec un arbitraire absolu, avec une liberté d'indifférence absurde, ce qui donnerait raison *a contrario* aux déterministes qui repoussent toute liberté comme irrationnelle (cf. p. 232ss.) ; il faut dire au contraire que la liberté est raison, qu'elle est la raison pratique elle-même. Si Kant insiste sur l'imputation, c'est qu'elle a une valeur juridique en ce qu'elle oppose une barrière au déterminisme absolu, au fatalisme ; il reste que cette « barrière » n'est pas une « limite » rationnelle ; au lieu de donner un sens au progrès scientifique et moral, l'imputation désoriente ; si on l'applique à toutes nos actions sans égard à la personne et au temps, elle est aussi dangereuse que la prédestination : « Si la volonté humaine est la bête que peut monter aussi bien le Diable que le Bon Dieu, c'est à eux alors de répondre de moi ! » (p. 232). La responsabilité est un fait irrécusable, mais qui « n'exprime en rien le noyau de la pensée de la liberté » (p. 259). Si donc Kant semble parfois lier la liberté à la responsabilité, c'est qu'il se réfère à la conscience populaire à titre d'illustration de sa thèse, à cette conscience qui s'attribue elle-même, par l'imputation, une volonté indépendante de tout mobile sensible ; mais « si l'imputation se fonde sur la liberté, celle-ci n'a pas été trouvée à cette fin » (p. 260).

C'est que, pour Cohen, la liberté ne peut être conçue comme une causalité ; il n'est de causalité que naturelle, phénoménale (cf. p. 251ss., 241, 245, 261) ; la liberté est la limite transcendantale de toute causalité, un principe régulateur dont le sens est de fonder la morale sur l'idée de fin en soi et de règne des fins (p. 261ss.). En effet, la liberté ou faculté de commencer par soi-même une action s'identifie à l'autonomie, dont le sujet est *ipso facto* fin en soi et membre d'un règne des fins : « Le noumène de la liberté signifie ainsi le principe éthique fondamental : l'être moral, la nature autonome est fin en soi, est but final » (p. 265). Ce n'est donc pas une culpabilité irrationnelle, c'est notre dignité de fin en soi qui fait de nous des êtres libres, des noumènes (cf. p. 273). Et très concrètement, si l'on propose à l'enfant l'idée d'un but final, qui est sa propre liberté, ce n'est pas pour le rendre responsable à tout prix, ni pour lui promettre une récompense illusoire, c'est « pour transformer l'être humain selon l'idée de l'humanité » (p. 279).

Cohen a raison lorsqu'il combat la thèse de Schopenhauer, qui confond le caractère intelligible avec une sorte de prédestination aveugle et implacable. C'est à juste titre aussi, nous semble-t-il, qu'il voit dans le règne des fins le contenu même de la loi morale (cf. p. 222 à 227). Mais si pénétrante soit-elle, son interprétation nous paraît unilatérale.

Car il est pourtant vrai que Kant définit la liberté avant tout comme une causalité et qu'il voit dans la responsabilité non pas seulement la maxime régulatrice du progrès moral (cf. p. 281), mais ce qui permet aussi et d'abord de juger l'homme, de l'accuser : une accusation sans laquelle il n'y aurait pas de progrès moral possible. Le noumène de la liberté n'est pas, comme le dit Cohen, un donné (*Gegeben*), mais un « ordonné » (*Aufgegeben*), une tâche (p. 117) ; mais cette tâche est avant tout celle d'y voir clair en nous ; c'est seulement ainsi que nous pouvons nous rendre meilleur.

L'interprétation de Cohen l'entraîne à réduire, comme Leibniz, la liberté à une valeur positive et susceptible de degrés : « Chaque être moral est en soi but final, pour autant qu'il ne fait qu'accomplir la loi morale » (p. 285) ; « moins on traite l'homme comme simple moyen et plus il est, dans ses actions et dans ses destinées, libre » (p. 287). On pourrait répondre que, pour Kant, l'esclave et même le criminel restent fin en soi : non pas moins, mais tout autant ; la dignité humaine est inaliénable. Dans les vices où nous « nous dégradons », dans le mensonge surtout, nous nous rendons, si j'ose dire, indigne de notre propre dignité ; mais il ne dépend pas de nous de la perdre, pas plus que nous ne pouvons détruire la loi morale qui la fonde (cf. *Doctrine de la vertu*, n<sup>os</sup> 6 à 9). De même chez Platon : l'injustice ne détruit pas l'*âme*, elle la corrompt et la rend digne du châtiment.

Identifiant la vraie liberté avec notre autonomie de fin en soi, Cohen affirme d'autre part : « La liberté subjective n'est requise qu'en tant qu'elle est impliquée par l'auto-affirmation du but final » (p. 282). Il suffit de se reporter au « mal radical » pour voir que la liberté « subjective » est requise aussi bien dans la faute, où l'on ravale la personne humaine au rang de simple moyen ; on l'a vu avec le mensonge, où c'est l'*homo noumenon* qui dégrade l'*homo phænomenon* au niveau d'une simple machine à tromper (cf. MS 430). Mais, rétorque Cohen, si l'on attribue le libre arbitre à la raison pratique « pour qu'elle puisse également choisir le mal », alors « il faudrait se représenter le mal seulement sous la forme d'une législation universelle » (p. 234), ce qui d'après lui est absurde. Nous avons longuement traité de ce problème dans notre chapitre III et aussi dans les pages qui précèdent ; nous avons cru montrer que c'est justement par ce que la volonté a de rationnel et d'universel que le mal moral est possible. Disons maintenant que ce n'est pas parce que la liberté est incompréhensible qu'elle n'est pas.

L'imputation est requise par l'éthique au même titre que l'autonomie ; elle n'est pas une simple application pratique de l'idée transcendantale de la liberté ; elle est au cœur même du problème, au cœur même de notre être intelligible. *L'homme est libre comme être autonome ; l'homme est libre comme être coupable* : ces deux propositions sont inséparables.

Maintenant, en admettant simultanément la liberté comme cause première dans le monde nouménal et la nécessité universelle dans le monde phénoménal, Kant n'a-t-il pas fait ressurgir toutes les difficultés du dualisme cartésien, en les aggravant même ? « Selon Kant, écrivait E. Boutroux, nous appartenons à deux mondes réellement distincts. Il y a deux êtres en nous entre lesquels il est impossible de percevoir un trait d'union [98]. »

Et pourtant Kant a toujours conçu la liberté comme un trait d'union entre notre caractère empirique et la causalité nouménale qu'implique le jugement moral porté sur lui. En fait, il faut bien comprendre que pour lui phénomènes et choses en soi ne sont pas deux mondes distincts, mais deux *points de vue* distincts sur le monde. Deux *langages* dirait un philosophe moderne. Le phénomène est celui de la science, le noumène celui de la conscience [99]. Ainsi, dans l'exemple du voleur, il affirme que, si l'on avait une connaissance exhaustive de la mentalité (*Denkungsart*) d'un homme, avec tous ses mobiles, et en même temps celle des circonstances qui agissent sur lui, on pourrait « calculer sa conduite future avec autant de certitude qu'une éclipse de lune [100] » — « tout en affirmant, en même temps, que cet homme est libre [101] ». Le premier point de vue est celui du psychologue, du médecin, du criminologiste ; il postule un déterminisme intérieur et extérieur intégral, mais comme une hypothèse de travail dont on sait qu'elle ne sera jamais pleinement vérifiée. Et Kant rappelle à notre monde moderne qu'un autre point de vue sur l'homme est toujours possible : celui du juge.

Mais *qui est ce juge ?* Et comment va-t-il me juger ? Car enfin, si l'imputation est sans cesse requise par la conscience, si c'est la possibilité de l'imputation qui distingue la personne de la chose [102], si l'imputabilité est finalement le *ner-*

98. Boutroux, *la Philosophie de Kant*, p. 225.
99. Cf. RP 403 et 405 ; FM 197 et 202 ; PR 101 et 104.
100. PV 177 = PR 105.
101. *Ibid.* ; cf. aussi RP 403ss. ; FM 196ss.
102. Cf. MS 223 et 227.

*vus probandi* de la liberté, que peut signifier en fait l'imputation ? Devant le choix intelligible que sous-entendent toutes nos fautes et tous nos mérites, deux questions restent à jamais insolubles à vue humaine : le pourquoi et le quoi. *Pourquoi* a-t-on fait tel choix moral plutôt que tel autre ? L'expliquer serait supprimer la liberté même du choix ; on n'a même pas à supposer, comme le fait Leibniz, une cause qui serait seulement cachée pour l'homme : c'est réellement, ontologiquement, que le choix est un acte premier, où la raison est bien « déterminante », mais non « déterminable [103] » : « Pourquoi le caractère intelligible donne-t-il précisément ces phénomènes et ce caractère empirique dans les circonstances présentes ? Il est tout à fait au-dessus du pouvoir de notre raison de répondre à cette question, et cela dépasse même tous les droits qu'elle a seulement de poser des questions. C'est comme si l'on demandait d'où vient que l'objet transcendantal de notre intuition sensible extérieure ne donne précisément que l'intuition *dans l'espace* et non pas une autre [104]. » J'ajoute que la conscience hypocrite est toujours tentée par ce genre d'explication, qui nous excuse : « Un homme peut subtiliser tant qu'il veut pour arriver à se dépeindre une faute dont il se souvient comme une bévue innocente, comme une de ces imprévoyances presque inévitables, donc comme une chose où l'a précipité le torrent de la nécessité naturelle ; et il peut ainsi se proclamer innocent : il trouve pourtant que l'avocat qui parle en sa faveur ne peut pas faire taire l'accusateur qui est en lui [105]. » L'accusateur, c'est la conscience.

Mais de *quoi* peut-elle nous accuser concrètement ? Car du moment que le caractère intelligible, source de l'intention, nous est inconnaissable, il semble qu'on ignore autant le contenu de la faute que sa cause. Comment départager en moi ce qui est ou n'est pas de moi ? « La moralité propre des actions (le mérite et la faute) — et même celle de notre propre conduite — nous demeure donc tout à fait cachée. Nos imputations ne peuvent se rapporter qu'au caractère empirique... Jus-

103. Cf. RP 406.
104. RP 407.
105. PV 176 = PR 104.

qu'à quel point faut-il en attribuer l'effet pur à la liberté, ou au contraire à la nature et aux vices involontaires du tempérament, ou encore à ses heureuses dispositions (mérite, fortune) : c'est ce que nul ne saurait découvrir ni, par conséquent, juger avec pleine justice [106]. » Ne jugez pas ! disait saint Paul ; et Kant enchaîne dans sa *Religion* : « Dieu seul [...] qui sonde le fond intelligible du cœur — de toutes les maximes du libre arbitre » — peut juger l'homme tel qu'il est [107].

Et pourtant, l'homme est bien forcé de juger l'homme ; une société ne saurait subsister sans juges. Que signifie alors le jugement, en particulier le jugement pénal, dans la *Doctrine du droit* ? On sait que pour Kant le droit ne sanctionne pas, comme la morale, les intentions, mais les actions. Logiquement, il devait donc admettre un droit pénal purement réparateur, de type utilitariste, sanctionnant non pas parce qu'il y a eu faute (*quia peccatum*), mais pour prévenir la faute (*ne peccetur*). Or, justement, Kant s'en tient au *quia peccatum* ; la sanction juridique n'est pas pour lui un moyen de préserver l'ordre public, ou d'éduquer le coupable ; « elle doit lui être infligée parce qu'il a commis le crime [108] » : car le coupable est une personne qu'il faut traiter comme fin en soi [109]. Le principe de toute sanction pénale ne peut être que la loi du talion (*das Wiedervergeltungsrecht*) : punir le même par le même, la calomnie par le déshonneur, le meurtre par la mort [110] ; même si l'on ne peut l'appliquer à la lettre, il faut en conserver l'esprit. Mais cela pose un problème très grave, car un juge ne peut sanctionner l'acte sans tenir compte de l'intention ; ainsi, tout en défendant la peine de mort, Kant admet pourtant qu'elle ne peut s'appliquer qu'à celui qui a tué ou facilité le crime *vorsätzlich,* avec intention [111]. Or un juge humain peut-il

---

106. RP 404 note ; cf. MS 439 note : « du lien causal de l'intelligible au sensible il n'y a pas de connaissance théorique. »
107. RG 55 = RL 71.
108. *Weil er verbrechen hat* (MS 331) ; *Verbrechen* n'a pas chez Kant le sens précis de « crime » ; il désigne toute transgression intentionnelle de la loi : voir Introduction à la *Métaphysique des mœurs,* IV, 224 ; pour le sens juridique, cf. MS 331.
109. *Doctrine du droit,* II, E, *in* MS 334.
110. *Ibid.,* MS 332ss.
111. Cf. *ibid.,* MS 334-335.

vraiment connaître cette intention et y trouver la sanction appropriée ? *La Religion* répond en distinguant le jugement de Dieu, qui porte sur l'intention en général, celle qui fait la valeur morale de toute une vie, du jugement d'un tribunal humain, « qui n'examine que le crime isolé, donc l'acte coupable et l'intention qui s'y rapporte [112] ». Mais le même livre ne dit-il pas que « le juge humain ne peut sonder l'intérieur des autres hommes [113] » ? On voit mal comment sortir de cette aporie : ou bien l'intention « particulière » du criminel est purement empirique, et on ne peut la lui imputer vraiment comme sienne ; ou bien, elle est intelligible et elle est alors inconnaissable.

Kant admet pourtant des faits, ou du moins des signes, qui rendent possible une connaissance de l'intention. Il affirme ainsi que le caractère empirique est le « schème sensible » du caractère intelligible [114], et que ce dernier « devrait pourtant être conçu conformément [*gemäss*] au caractère empirique [115] ». La *Critique de la raison pratique* insiste sur cette persistance du caractère empirique à travers les changements : « Car la vie sensible a, par rapport à la conscience intelligible de son existence [de la liberté], l'unité absolue d'un phénomène [116]. »

En fait, le terme « caractère empirique » ne paraît pas dans la *Critique de la raison pratique*. Bohatec (voir p. 297ss. et 318ss.) souligne, contre Schweitzer, que l'argument essentiel de tout ce passage est de montrer « que tout acte (*Tat*), même celui auquel on ne peut attribuer formellement un mauvais dessein, provient du libre arbitre, c'est-à-dire qu'il a comme principe une libre causalité, qui ne concerne pas seulement [...] l'acte commis intentionnellement » (p. 300). Kant dit nettement d'ailleurs que si la faute apparaît parfois comme une méprise involontaire (*unvorsätzliches Versehen*), cela ne l'excuse pas devant la conscience, — que si la faute est la suite irrésistible d'une mauvaise habitude, c'est pourtant moi qui ai contracté l'habitude (PV 176 = PR 104). Il dit de même dans les *Leçons sur l'éthique* : « Est imputable tout ce qui appartient à la liberté même s'il ne découle pas directement de la liberté » (*in* Bohatec p. 281). Cette doctrine de l'irresponsabilité de l'involontaire, qui remonte à Aristote, avait été longuement développée par Baumgarten (voir Bohatec, p. 301-302).

112. RG 95 = RL 99.
113. RG 132 = RL 130.
114. RP 405.
115. RP 398.
116. PV 177 = PR 105.

On dira que cette « unité » du caractère empirique n'est pas donnée par l'expérience mais inférée à partir de l'imputation elle-même [117] ; et pourtant Kant semble bien admettre une certaine permanence constatable du caractère, qui sert de support empirique à l'imputation, qui permet de parler de « bons » et de « mauvais » caractères. De mauvais surtout ! comme en témoigne le terrible passage sur les enfants pervers et scélérats dès leur plus jeune âge, à qui l'on impute et qui s'imputent à eux-mêmes « la nature désespérée de leur âme [*Gemüt*] » comme ayant « son fondement dans une causalité libre [118] ». La conscience moderne ne peut que se révolter devant un tel exemple !

En fait Kant s'inspire ici de théologiens qui allaient plus loin que lui dans ce pessimisme au sujet des enfants. Schultz écrit ainsi : « Tous les hommes sont infectés par le péché originel, et les enfants eux-mêmes » (*in* Bohatec, p. 265) ; un péché qui ne vient pas de la naissance, mais avec la naissance. De même Heilmann : « Le péché originel agit en l'homme dès l'âge le plus tendre » (*ibid.*). Et Plitt : « Il n'est pas vrai que nous l'ayons contracté comme une maladie contagieuse, par la corruption d'autrui. Car, avant que les plus petits enfants aient seulement conscience de quelque chose, [le péché] se manifeste déjà chez eux, puisqu'on remarque chez eux les désirs sensibles les plus déréglés et les volontés les plus déplorables » (*ibid.*). Le mauvais penchant est dit inné parce qu'il apparaît chez l'enfant avant le développement de sa raison, avant qu'il soit capable de péché consciemment et délibérément (*proaeretice*), comme dit Schultz (*ibid.*, p. 266). Pour ces penseurs, le péché naît chez l'enfant dans l'état antérieur à la raison, où les mouvements les plus primitifs apparaissent comme déjà coupables : « un état *alogos* dès lequel commence une imitation aveugle du péché », dit Baumgarten ; et il n'hésite pas à situer cet état de l'âme, irrationnel et déjà pleinement coupable, *in utero matris*, dans le sein maternel... (*ibid.*).

Rien de tel chez Kant, pourtant : il refuse quant à lui de placer l'origine du mal dans un état spatio-temporel (« dès le sein maternel ») ; et s'il reprend l'expression de la Genèse (VII, 21) : l'homme est mauvais « dès sa jeunesse » — c'est pour dire aussitôt que le mal n'a pas d'origine assignable dans le temps, connaissable par l'expérience (cf. RL 44) ; tout ce qu'on peut dire est que le mal est contemporain en nous de notre raison : « un penchant qui s'éveille infailliblement dès que l'homme commence à faire usage de sa liberté » (AN 163). Pourquoi alors accuser les enfants ? Précisément parce que les enfants sont

117. Cf. **PR 104.**
118. PV 179 = PR 106.

déjà des êtres moraux ; ils s'accusent eux-mêmes du mal qu'ils ont commis en l'attribuant non à leur inhabileté et à leur ignorance, mais à une mauvaise volonté (*auf einem bösen Willen*) ; et l'enfant coupable rougirait lui-même d'alléguer comme excuse qu'il a été emporté par son désir du fruit défendu. Ce que l'enfant sent confusément, mais fortement, l'adulte n'a pas le droit de le mépriser : « Si l'on n'admet pas que la transgression du devoir résulte d'une maxime d'action contraire à une loi connue, si l'on pense qu'elle provient seulement de la sauvagerie des instincts naturels inéduqués, on dénie alors toute existence au mal moral » (Feuilles volantes de Kant, citées par Bohatec, p. 267).

Outre la constance du caractère, un autre élément empirique semble nécessaire à l'imputation : la preuve qu'on est sain d'esprit. Car si l'on pousse jusqu'au bout l'argument de Kant, on dira que si un fou commet un crime, il en est coupable : en effet, il pouvait s'en abstenir, puisqu'il le devait ! Kant prévient lui-même ce jugement insoutenable, dans le texte sur l'avocat intérieur : le coupable ne peut faire taire l'accusateur, « s'il a conscience qu'au temps où il a commis la faute, il était sain d'esprit [*nur bei Sinnen*], c'est-à-dire en possession de sa liberté [119] ». C'est dire que la loi morale ne crée le « pouvoir » de la respecter que chez celui qui est capable de la comprendre. D'autre part, Kant distingue les degrés de la faute : il montre que le crime (*Dolus, Verbrechen*) est différent de la transgression involontaire (*Culpa, Verschuldung*) précisément parce qu'il est intentionnel (*vorsätzlich*), c'est-à-dire commis avec « la conscience d'être une transgression [120] » ; distinction que nous avons déjà rencontrée dans *la Religion* [121] : la fragilité et l'impureté sont involontaires (*culpae*), alors que la mauvaise foi est un réel *dolus*. Il n'en reste pas moins que ce qui caractérise la faute en tant que telle n'est pas son contenu : « Le degré d'imputabilité des actions doit être apprécié *subjectivement,* d'après la grandeur des obstacles » ; ainsi : « moindre est l'obstacle naturel et plus grand celui qu'oppose le devoir, plus aussi la transgression est imputable comme faute [122]. »

119. PV 176 = PR 104.
120. Introduction à la *Métaphysique des mœurs,* IV, MS 224.
121. Cf. RL 59.
122. MS 228.

Oui, mais Kant ne dit-il pas aussi, dans la *Doctrine de la vertu,*
que la débauche est plus coupable que le suicide, et le mensonge plus coupable que n'importe quelle faute — et ceci
objectivement, à cause du contenu même de ces crimes [123] ?
Rien n'est moins clair que sa conception des bases empiriques
de l'imputation...

Il me semble que dans un autre sens elle est pourtant
très claire. Certes, rien n'est plus risqué que de juger un homme, même si nous le devons socialement ; une imputation est
toujours aléatoire et relative. Mais ce que revendique la doctrine de la liberté, ce n'est pas le droit d'imputer, c'est le droit
de concevoir ce qui rend possible l'imputation. Même si nous
jugeons mal, toujours la possibilité de juger reste inhérente à
l'essence même de la morale : non pas peut-être celle d'être
*juge,* mais celle d'être *jugé.*

D'être jugé, mais par qui ? Le jugement de Dieu nous
demeure inconnaissable [124]. Celui des autres est toujours aléatoire. Il reste que nous pouvons nous juger nous-mêmes ; et
c'est cela que signifie la *conscience.* Celle-ci n'a pas à me dire
si un acte tombe ou non sous la loi morale ; c'est là le rôle
de la raison pratique : « Mais aussi n'est-il pas nécessaire de
savoir au sujet de toutes les actions possibles si elles sont justes ou injustes. Cependant, quand il s'agit de l'action que je
vais entreprendre, je ne dois pas seulement juger et estimer,
mais être sûr qu'elle n'est pas injuste [125]. » La conscience est
cette certitude. Comme Rousseau, mais de façon plus critique,
Kant estime qu'elle est infaillible. Elle peut bien se tromper
dans son contenu, en tant qu'elle est jugement qui discerne les
actes qu'il faut faire ou éviter ; dans sa forme, elle est absolument certaine, car alors la conscience ne signifie rien d'autre
que le retour sur soi, « le jugement qui se juge lui-même [126] » :
la certitude qu'on s'est vraiment interrogé sur la valeur et le

123. Cf. *Doctrine de la vertu,* nᵒˢ 6 à 9, MS 422ss.
124. Cf. RL 71.
125. RG 288 = RL 242.
**126. *Ibid.***

sens de l'acte qu'on allait commettre ; en un mot la conscience est notre sincérité [127].

Comme le *daïmôn* de Socrate, elle est donc essentiellement négative ; dans son triple rôle d'avertisseur, d'accusateur et de juge, ma conscience ne me dit pas ce qu'il faut ou ce qu'il fallait faire, mais ce qu'il faut ou fallait éviter [128]. Sa fonction irremplaçable est l'imputation intime (*die innere Zurechnung*), une imputation que personne ne peut esquiver : « Même s'il pense lui échapper, elle le suit comme son ombre. Il peut certes l'étourdir dans les plaisirs et la dissipation, ou l'endormir ; il ne peut éviter une fois ou l'autre de rentrer en lui-même et d'y entendre une fois ou l'autre sa voix redoutable. Il peut toujours, infâme comme il est au dehors, réussir à ne pas l'écouter : il ne peut pas ne pas l'entendre [129]. » Quant au verdict de la conscience, il est soit une condamnation, soit un acquittement, mais ce dernier se réduit à un simple *satisfecit* : « Aussi la félicité [*Seligkeit*] qu'on trouve dans le réconfort de la conscience n'est-elle pas *positive,* comme la joie, mais négative, comme un appaisement après l'angoisse ; cette félicité est tout ce qui peut être accordé à la vertu [130]. » Et même : peut-elle vraiment nous être accordée ? Quand on connaît la profondeur du mal radical, l'homme sincère peut-il éprouver envers lui-même autre chose qu'une « amère déplaisance [131] » ?

Kant parle certes de « la tranquillité intime » de l'homme qui peut se dire qu'il a fait son devoir malgré tout (PV 157 = PR 93). Mais il écrit aussi : « Il n'est pas possible à l'homme de pénétrer assez profond dans son propre cœur pour être pleinement sûr de la pureté de son projet moral et de la sincérité de son intention, ne serait-ce que dans un seul acte » (MS 392). On pourrait lever ainsi la contradiction, à mon avis : la satisfaction du devoir accompli est bien réelle et légitime, mais elle est relative ; je suis satisfait d'avoir repoussé cette infamie, qui m'eût rendu méprisable à mes propres yeux (cf. PR 92) ; mais me croire bon parce que ma conduite a été bonne, me croire « justifié » par elle, c'est tomber dans le pharisaïsme et le mal radical.

Et pourtant, si la conscience nous blâme, elle devrait pouvoir aussi, logiquement, nous féliciter. Si l'on parle de culpabi-

127. Cf. AN 210ss.
128. Cf. MS 438ss., PR 104ss.
129. *Doctrine de la vertu,* nº 13, MS 438.
130. *Ibid.,* MS 440.
131. RG 51 A. = RL 69 note ; voir aussi AN 96.

lité, n'est-il pas équitable que l'on parle aussi de mérite ? Nous avons vu que si Kant retient cette notion [132], c'est dans un sens tout extérieur et que, dans l'intimité d'une conscience morale, elle s'évanouit [133]. L'homme sincère se dit qu'il n'a jamais fait que son dû ; tout se passe comme si ma conscience m'imposait de reconnaître un mérite aux autres, à ceux qui m'ont aidé [134], voire à ceux qui ont agi simplement par devoir [135], — et m'interdisait en même temps de m'en attribuer aucun [136] ! D'ailleurs l'homme le plus méritant peut toujours se trouver en faute à l'égard du genre humain, ne serait-ce que pour jouir, par suite de l'inégalité sociale, « de certains avantages qui entraînent pour d'autres hommes d'autant plus de privations » : réflexion qui suffit à empêcher « la représentation présomptueuse du *mérite* d'expulser le souvenir du devoir [137] ». En conclusion, il n'y a pas de mérite pour une conscience : « Car, si vertueux qu'on soit, tout ce qu'on peut faire de bien n'est pourtant que son devoir [138]. » Pas de mérite, sinon peut-être celui des autres. Et si c'est là un paradoxe, ce paradoxe est l'essence même de la vie morale.

Il y a une terrible grandeur dans ce refus de tout mérite propre, une contestation de l'orgueil humain qui rappelle Luther. Car si la responsabilité est l'essence même de la liberté, ne conduit-elle pas concrètement, existentiellement dirais-je, à un « serf arbitre » aussi implacable que celui que Luther opposait à Érasme ? Il n'y a pas un juste, pas même un seul, affirme Kant après saint Paul... [139].

Mais de quel droit ? Puisqu'on ne peut pas juger, puisque nos actes empiriques, bons ou mauvais, ne permettent pas

132. MS 227 ; pour « conformément », voir PR 168.
133. Cf. note MS 227, et *Doctrine de la vertu*, VII, MS 390ss., et XIV, MS 405.
134. Cf. *ibid.*, n^os 32 et 33, MS 454-456 : le devoir de reconnaissance.
135. Cf. PR 81 : « mon esprit s'incline », etc.
136. Cf. MS 453, *Doctrine de la vertu* ; n^os 30, 31.
137. PV 276 A. = PR 165 note. Voir aussi *la Fin de toutes choses*, p. 220-221.
138. Cf. aussi RG 56 = RL 72 : « Car, si vertueux qu'on soit, tout ce qu'on peut faire de bien n'est pourtant que son devoir. »
139. Voir notre chap. III.

de connaître le principe intelligible dont ils émanent, puisque même en moi je ne puis atteindre mon être véritable [140] — de quel droit enfermer toute l'humanité dans la faute ? Les exemples empiriques d'où part Kant [141] peuvent-ils autoriser un verdict qui porte sur l'être intelligible de l'homme ? N'est-il pas étrange, d'autre part, qu'il ne trouve pour illustrer notre responsabilité concrète que des exemples de fautes : le mensonge [142], le vol [143] ? Pour d'autres philosophes, l'homme libre, c'est le sage, ou le vertueux, ou le héros, ou le créateur ; ici c'est avant tout l'homme coupable. Bref, pourquoi cette scandaleuse dissymétrie qui interdit de conclure d'un acte bon à une bonne volonté, mais qui impose de conclure d'une faute à une intention coupable [144] ? Le mal radical n'est-il pas une survivance du péché originel des théologiens dans une philosophie qui n'en a que faire ? Car le péché originel ne peut se comprendre que dans son contexte théologique ; le symbole chrétien ne dit pas : je crois au péché, mais au pardon des péchés ; oui, l'homme chrétien se sait pécheur uniquement parce qu'il se sait pardonné. Le « tous sont coupables » de Romains, III n'a de sens que par cet autre verset de Romains XI : « Car Dieu a enfermé tous les hommes dans la désobéissance pour faire à tous miséricorde. »

En fait, si proche de Paul et de Luther que soit la doctrine du mal radical, elle a pourtant une portée différente. La découverte du mal est ici inséparable de celle de la liberté humaine. L'homme chrétien se découvre coupable parce qu'il se découvre racheté, et c'est à la grandeur du don gratuit de Dieu qu'il mesure la profondeur de sa faute. L'homme de Kant se sait coupable parce qu'il sait qu'il *pouvait* être vertueux et qu'il *peut* toujours, de lui-même, se délivrer du mal. Et c'est ici que se place le troisième aspect de la liberté, dont Kant parle si peu, et qui est pourtant capital : la liberté comme *libération,* comme possibilité de sortir de sa faute, de devenir vertueux.

140. Cf. notamment PR 133, note I.
141. Cf. RL 53 et notre chap. III.
142. Cf. RP 405ss.
143. Cf. PR 101ss.
144. Cf. RL 88 et notre chap. III.

Cette liberté, que Kant nomme « autocratie [145] », elle n'est pas, comme l'autonomie ou l'imputation, une certitude apodictique mais un postulat, au même titre que Dieu et l'immortalité : que l'homme ait malgré tout, malgré les obstacles de la sensibilité et le poids du passé, le pouvoir d'accomplir son devoir et de promouvoir ainsi le Souverain Bien, voilà ce qu'il faut *croire* ; voilà ce que Kant nomme lui-même « une foi dans la vertu [146] » — une foi en la liberté qui suffit à nous rendre libre [147].

Finalement, c'est cette foi en la liberté qui donne un sens à l'imputation ; la négation de tout mérite propre à l'homme, l'inclusion de toute l'humanité dans le verdict qui la condamne : cela ne se fonde pas sur des exemples empiriques de transgression, mais sur le devoir et sur le pouvoir qu'a toujours l'homme, de se régénérer. Est-ce réalisable ? Remarquons pour l'instant que, si nous ne pouvons juger les autres, nous avons le devoir de nous juger nous-même ; car la faute capitale est le mensonge à soi, le pharisaïsme [148] ; il est alors évident que se connaître tel qu'on est est le seul moyen de devenir autre que ce qu'on est. Ce n'est qu'en perçant le masque de notre hypocrisie que nous donnerons l'air et la lumière à ce germe de bonne volonté que la loi morale pose en nous comme inaliénable : « Dans la connaissance de soi, seule la descente aux enfers ouvre le chemin de l'apothéose [149]. »

*

*     *

Kant écrit dans *la Religion* : « C'est pourquoi nous comprenons très bien, au point de vue pratique, ce qu'est la liberté — quand il est question de devoir — mais au point de vue théorique, sous le rapport de sa causalité, de sa nature en quelque sorte, nous ne pouvons même pas songer à vouloir

145. Cf. *les Progrès réels de la métaphysique depuis Leibniz et Wolff*, p. 374ss.
146. *Ibid.* ; cf. aussi MS 382ss. : introduction à la *Doctrine de la vertu*, n⁰ II et VII, et Delbos, p. 492ss.
147. Texte de 1783, cité par Delbos, p. 268. C'est cet aspect de la liberté que retiendront les néo-kantiens français.
148. Voir notre chap. III.
149. Cf. *Doctrine de la vertu*, n⁰ 14, MS 441.

la comprendre [150].» Un tel aveu ne saurait mettre en cause l'unité profonde de sa philosophie. Car la liberté, fait central du système critique, reste inexplicable en tant que *fait*. Ce qui est absolument clair, c'est qu'elle est une possibilité donnée à l'homme à partir de la loi morale ; mais l'usage réel que *fait* l'homme de cette possibilité, voilà ce qui nous demeure incompréhensible.

Aussi n'est-il pas surprenant que toutes les recherches de Kant sur la liberté aboutissent à ouvrir sa philosophie sur la religion. Qu'on prenne la liberté comme « autocratie », elle ne peut être qu'un postulat, qu'une « foi en la vertu ». Qu'on la prenne dans le sens de l'imputation : pour juridique que celle-ci paraisse, elle n'est pas l'imputation des tribunaux et des juges, mais celle d'une conscience dont la voix incorruptible est en quelque sorte la voix de Dieu en nous [151]. Qu'on prenne enfin la liberté comme autonomie : si celle-ci se confond avec la raison pratique, elle comporte pourtant une origine qui échappe à toute raison ; en parlant des « piétistes », Kant écrit lui-même : « Ils sont bien excusables ceux qui, égarés par l'incompréhensibilité de ce pouvoir, prennent ce *suprasensible* qui est en nous, précisément parce qu'il est d'ordre pratique, pour *surnaturel* [152]. » La loi morale en nous, c'est aussi étonnant, aussi admirable que le ciel étoilé au-dessus de nous...

Cette liberté, que les hommes du xviiiᵉ siècle, et Kant lui-même, dressaient contre le Dieu de la religion, voici qu'elle apparaît elle-même comme une réalité religieuse. Cela ne peut nous surprendre, car il est logique que le principe ultime de toute philosophie, celui qui explique tout, demeure inexplicable. Tout est de savoir, maintenant, ce que Kant lui-même entend par religion.

---

150. RG 218 A. = RL 189 note 2 ; voir FM 202, introduction à la *Doctrine de la vertu*, I, MS 379 A. ; et *Doctrine de la vertu*, n⁰ 3, MS 418 ; Kant parle dans ces deux textes de « la propriété incompréhensible de la liberté ».
    151. Cf. RL 191 note, et surtout la *Doctrine de la vertu*, n⁰ 13, MS 438 à 440.
    152. CO 69.

# V

## Le mal et la religion

Le dessein de ce chapitre n'est pas d'étudier la religion de Kant, mais de montrer que s'il existe une religion pour Kant, c'est dû en grande partie au problème du mal, ou, pour mieux dire, au mystère du mal. Certes, c'est en général à partir du problème du bien, du Souverain bien que Kant introduit la religion. Mais sa réflexion sur le mal radical semble avoir changé les données du problème ; dans *la Religion* et dans *le Conflit des facultés,* le bien n'est plus guère défini en termes de vertu et de bonheur, mais en termes de salut et de réconciliation. La question n'est plus de savoir ce qui rend possible le progrès indéfini vers la perfection et l'accord de la vertu et du bonheur ; la question est : comment nous délivrer du mal radical, comment expier la faute et devenir des hommes nouveaux ? Cette question est religieuse, au sens fort du terme. Il s'agit de savoir comment elle peut se poser et se résoudre à l'intérieur de la philosophie critique, à l'intérieur « des limites de la simple raison » !

Pour résoudre ce problème singulièrement complexe, je procéderai ainsi : j'aborderai d'abord la religion *de* la raison ; ensuite, ce qui n'est pas pareil, la religion *dans les limites* de la simple raison — pour me demander enfin si Kant n'a pas dû admettre, ou du moins envisager, à cause même de sa doctrine du mal, une religion *hors des limites* de la simple raison.

## A. LA FOI DE LA RAISON

Si riche et si complexe soit-elle, la philosophie religieuse de Kant est sans équivoque. Elle se présente avant tout comme une critique, par la raison, de tout ce qui se donne comme « religieux » : « Notre siècle est particulièrement le siècle de la critique, une critique à laquelle tout doit se soumettre. La *Religion* alléguant sa *sainteté* et la *Législation* sa *majesté* veulent d'ordinaire y échapper. Mais alors elles suscitent contre elles-mêmes un juste soupçon et ne peuvent prétendre à ce respect non déguisé que la raison n'accorde jamais qu'à ce qui a pu soutenir son libre et public examen [1]. » Kant est d'abord au *Aufklärer,* un philosophe des Lumières. Comme son siècle, il proclame le droit de la raison en face de la politique et de la religion. Ce qui le distingue pourtant de son siècle, c'est qu'il fonde ce droit ; la raison peut tout juger parce qu'elle a commencé par se juger elle-même, par passer devant son propre tribunal. La critique de la raison est d'abord une autocritique [2]. Et c'est seulement parce qu'elle s'est mise en question, qu'elle a défini lucidement et courageusement ses propres limites que la raison est en droit de mettre en question toute la culture humaine, à commencer par le plus sacré et le moins rationnel en apparence, la religion.

C'est pourquoi, dans les œuvres critiques, ce que la raison met en question n'est pas seulement la religion « des autres », la foi prétendue révélée, avec ce qu'elle comporte de traditionnel et de sentimental, c'est sa propre religion : le dogmatisme rationaliste qui prétend démontrer l'existence de Dieu, l'immortalité de l'âme et la liberté pour en déduire nos devoirs essentiels. Car la critique de ce pseudo-savoir a une portée aussi bien pratique que théorique.

1. RV XI A. = RP 6, note.
2. Voir notamment *les Progrès réels de la métaphysique depuis Leibniz et Wolff,* p. 325.

Sur le plan théorique, la critique démontre qu'il ne peut exister aucune « connaissance religieuse », ni rationnelle ni surnaturelle. Les limites de la raison, définies par elle-même, lui interdisent toute incursion dans le domaine suprasensible, tout en posant la possibilité de ce domaine. Précisons ici que suprasensible est encore un synonyme de nouménal, mais dans un sens un peu spécial : il s'oppose à « surnaturel » ; le suprasensible désigne la chose en soi en tant qu'elle est inconnaissable, mais pourtant concevable selon les catégories de l'entendement, ce qui élimine tout irrationnel [3]. Aussi ne peut-on pas plus nier la possibilité du suprasensible qu'on ne peut se targuer de le connaître : on n'a pas plus le droit de nier l'immortalité de l'âme que de l'affirmer ; de même pour l'existence de Dieu et pour la liberté. L'athée et le théiste, le matérialiste et le spiritualiste, le déterministe et l'indéterministe, *chacun en dit plus qu'il ne sait.* Car aucun savoir n'est possible là où manque, par définition, l'expérience. Cette limite rend également impossible toute religion *surnaturelle ;* affirmer que Dieu intervient librement dans le monde sensible, par des miracles ou par des révélations, c'est détruire les lois de l'entendement sans lesquelles aucune expérience n'est possible, sans lesquelles il n'y aurait pas de monde sensible. L'anthropomorphisme religieux est incompatible avec l'idée que la raison peut se faire du monde et avec l'idée qu'elle peut se faire de Dieu [4].

La critique joue aussi sur le plan pratique, et l'originalité de Kant par rapport à son siècle est d'avoir montré que ce plan est en fait le principal. Vaine sur le plan théorique, la prétendue connaissance religieuse est pratiquement, moralement, dangereuse. Affirmer que Dieu crée la loi morale selon son bon plaisir, c'est ruiner ce que la raison pratique a d'autonome pour la faire dépendre d'un décret contingent. Lier notre vie morale à la crainte ou à l'espoir d'un au-delà, c'est lui ôter toute pureté, la ravaler à un utilitarisme religieux.

---

3. Cf. *les Progrès réels de la métaphysique depuis Leibniz et Wolff,* et CO I, *passim.*
4. Toute cette doctrine est assez connue pour qu'il soit inutile d'en donner les références ; disons pourtant que Kant lui-même a clairement résumé sa pensée dans *Qu'est-ce que s'orienter dans la pensée ?,* p. 84ss.

Croire qu'on peut se rendre agréable à Dieu comme on flatte
un monarque, par des pratiques extérieures ou par l'orthodoxie
d'un *credo,* c'est remplacer l'intention morale par la basse
flatterie ou par une conduite magique qui nous dégrade au
lieu de nous rendre meilleur ; cette foi servile [5] ne peut être
qu'une mauvaise foi. Espérer enfin que les souffrances et les
mérites d'un autre, ou d'un Autre, peuvent réaliser à notre place
ce que nous ne pouvons ou ne voulons pas faire : notre salut,
c'est accepter de n'être plus que le sujet passif de notre destinée
morale. La loi morale n'est telle que si nous pouvons la
poser nous-même et l'accomplir par nous-même. Remarquons
que cette critique porte non seulement sur les religions révélées,
mais aussi sur la théologie naturelle, qui présend déduire le devoir de l'existence de Dieu, la morale de la métaphysique. C'est
fausser toute la morale. Ivan Karamazov pourra bien dire :
Si Dieu n'existe pas, tout est permis ! Kant a déjà répondu :
« Supposez donc qu'un homme se persuade [...] que Dieu
n'existe pas ; un tel homme serait cependant à ses propres
yeux un misérable s'il voulait pour autant tenir les lois du
devoir pour de simples fictions, sans valeur et sans puissance
d'obligation, et s'il voulait se résoudre à les violer effrontément.
Et si par la suite un tel homme avait pu se convaincre de ce
dont il avait tout d'abord douté, il n'en resterait pas moins,
avec une telle manière de pensée, un misérable » : parce
qu'alors il n'accomplirait son devoir que par crainte [6]. Une
morale qu'on fait dépendre de l'existence de Dieu n'est plus
une morale.


Kant aurait pu se contenter de cette critique et en rester
là. On sait qu'il n'en est rien. Sa philosophie morale se pro-
longe par une religion. Précisons aussitôt que cette religion est
fondée tout entière sur la raison pratique, qu'elle se présente
comme une foi de la raison *(Vernunftglaube).* Elle est « foi »
parce qu'elle exclut tout savoir, tant le savoir prétendu rationnel de la métaphysique que le prétendu savoir historique de la

5. Voir notamment RL 223 et 260.
6. UK 426 = FJ n° 87, p. 258.

religion révélée [7]. Elle est foi «de la raison» parce qu'elle se soumet à celle-ci comme à son juge suprême, parce qu'elle n'adhère qu'à ce dont la raison théorique a montré la possibilité, qui est aussi ce que la raison pratique requiert. Nous n'avons pas ici à retracer la démarche par laquelle on démontre la nécessité subjective d'admettre l'immortalité de l'âme, la liberté et l'existence de Dieu à titre de « postulats » de la raison pratique. Indiquons seulement que, malgré tous les reproches qu'on a pu lui faire, cette foi de la raison n'est ni illogique, ni contraire au désintéressement qu'exige la morale.

Elle est *logique,* puisque son contenu n'a rien d'absurde et qu'il ne met pas en cause la logique transcendantale. Bien plus, ce contenu est une exigence de la raison elle-même : celle-ci nous prescrit de « promouvoir » *(erfördern)* le Souverain Bien, c'est-à-dire l'avènement d'un monde où la vertu trouvera sa juste récompense, où la justice régnera, où la souffrance, l'injustice, la mort ne seront plus des obstacles à la vie morale. Or cette exigence n'a de sens que si l'on admet ce qui la rend possible : la liberté, en tant que pouvoir d'accomplir la loi morale ; Dieu, juge omniscient et créateur tout-puissant capable de réconcilier la vie morale et le monde extérieur ; l'immortalité de l'âme, qui nous rend certain que la mort n'interrompra pas, de façon absurde, le progrès moral qui nous est prescrit [8]. Dans la foi morale, l'âme humaine trouve ainsi un répondant qu'elle situe à la fois en elle, au-dessus d'elle et après elle. Et ce besoin de croire n'est pas dû à une vaine curiosité spéculative, ni a un intérêt subjectif ; c'est une requête de la raison elle-même, dont l'aboutissement est objectif et nécessaire précisément parce qu'il est pratique [9]. La vérité de la foi morale est dans son désintéressement. Supposez un athée sincère et honnête, qui veut faire tout son devoir sans en attendre la moindre récompense, ni terrestre ni céleste ; cet homme

---

7. Sur la foi de la raison, voir notamment : RP 543 à 557 ; PR 129 et 157 ; FJ nos 90 et 91 ; *Qu'est-ce que s'orienter dans la pensée ?,* p. 83.

8. Tel est l'ordre des postulats dans *les Progrès réels de la métaphysique depuis Leibniz et Wolff,* p. 374-375 ; il est différent dans la *Critique de la raison pratique :* cf. PR 142-143.

9. Cf. PR 153 et note 2.

de bonne volonté devra pourtant se rendre compte que son effort n'aboutit guère, que la vie ne récompense pas la vertu, ni la sienne ni celle des autres, que la nature et même la société ne répondent pas à son intention morale sinon par hasard, et surtout que la mort engloutit les meilleurs comme les pires et qu'elle signifie pour notre vie morale l'absolue dérision [10]. Va-t-il alors renoncer à son but moral ? Non, mais « s'il veut encore rester fidèle à l'appel de sa destination morale intérieure, et s'il ne veut pas perdre le respect que la loi morale lui inspire d'elle-même [...], il doit admettre l'existence d'un auteur *moral du m*onde, c'est-à-dire de Dieu [11] ».

Mais cette foi est-elle vraiment *désintéressée ?* Beaucoup ont soutenu le contraire. Ainsi, après Schopenhauer, L. Brunschvicg affirme : s'il y a une religion chez Kant, « c'est que la bonne volonté ne suffit pas à effectuer l'idéal du souverain bien, c'est que, pour Kant comme pour Pascal, le sacrifice du bonheur était tout provisoire sinon tout apparent [12] ». Et pourtant Kant n'a cessé d'affirmer que nous ne pouvons pas chercher dans cette espérance du bonheur et du salut le fondement de notre devoir ; c'est à partir du devoir, au contraire, et de la loi morale inconditionnée dont il est l'expression, qu'il nous « est permis d'espérer » en ce qui lui donne un but et un sens. Kant dit bien *permis,* et non pas nécessaire ou prescrit [13]. Et cette « permission » n'est pas un stimulant à la vertu, *a moral holiday,* comme dira W. James : elle répond à la confiance légitime de l'homme moral ; car celui-ci, si désintéressé soit-il, ou plutôt : parce que désintéressé, ne peut pas « se désintéresser » du but final de toutes choses, où nature et raison se trouvent réconciliées. E. Weil a bien montré que la foi morale répond beaucoup moins, finalement, à l'exigence eudémoniste d'un bonheur qu'à la requête raisonnable d'un *sens* [14]. Si l'homme moral avait le pouvoir de créer le monde, il le ferait selon l'idée du Souverain Bien, « même

10. Cf. FJ n⁰ 87, p. 258.
11. UK 428 = FJ 259.
12. *La Raison et la religion,* p. 127.
13. Cf. RP 543 ; en allemand : *was darf ich hoffen ?,* RV 805.
14. Cf. FJ n⁰ 87, p. 257 et note, et RL 23 ; E. Weil, *Problèmes kantiens,* p. 81ss.

s'il devait, d'après cette idée, risquer de perdre quant à lui
une bonne part de bonheur », à cause de sa propre injustice ;
« donc, il se sentirait contraint par sa raison à faire sien ce
jugement tout à fait impartial, comme porté par un étranger :
cet homme témoigne par là du besoin d'origine moral de concevoir encore pour ses devoirs un but final, qui serait comme
leur couronnement [15] ». Bref, la croyance au bonheur futur
est un acte de foi métaphysique et non pas une espérance intéressée ; et ce n'est pas forcer la pensée de Kant que de dire
que la récompense de la vertu sera donnée à ceux qui ne l'ont
pas cherchée [16].

Jules LAGNEAU reprochait à Kant d'avoir posé Dieu à
partir d'une croyance extérieure à l'acte moral lui-même, alors
que « dans l'acte moral nous saisissons la réalité de Dieu [17] ».
Il semble que c'est pourtant bien là sa pensée profonde. Il
définit lui-même ainsi la religion : « la connaissance de tous
nos devoirs comme des ordres divins [18] », ce qui signifie que
la loi, en tant qu'ordre divin, porte en elle-même la garantie
de sa sanction, que le Dieu tout-puissant n'est pas extérieur
à la loi morale qui nous le fait connaître. Dans l'*Opus postumum,* on lit : « Le concept de Dieu est l'idée d'un être
moral qui n'a rien d'hypothétique ; c'est la raison pratique
même en sa personnalité [19]. » Il n'est donc pas nécessaire de
savoir que Dieu existe pour reconnaître la loi morale divine [20].
D'autre part, même si l'on sait que Dieu existe, on ne pourra
pas le considérer comme le créateur de la loi morale :

> Il est l'auteur [*auctor*] de l'obligation selon la loi sans
> être l'auteur de la loi [...]. Car dans ce dernier cas la
> loi serait positive et arbitraire. [La loi morale] ne peut
> s'exprimer aussi comme provenant de la volonté d'un
> législateur suprême, c'est-à-dire qui n'aurait que des droits
> et non des devoirs [...] ; mais cela signifie simplement

15. RG IX = RL 24 ; cf. RP 548.
16. Cf. RL 212-213 ; LC 221 ; FJ 175 et 259ss. ; *Qu'est-ce que
s'orienter dans la pensée ?*, p. 81.
17. *Célèbres leçons et fragments,* p. 297 ; cf. p. 293ss.
18. Cf. RP 547, 549, 551 ; PR 138 ; FJ 282 ; ED 494 ; CO 39 ;
RL 25, 146, 201 ; MS 487.
19. OP 136.
20. Cf. OP 137.

l'idée d'un être moral dont la volonté est une loi pour tout le monde, sans qu'on le considère pourtant comme l'auteur de cette loi [21].

Autrement dit, si l'on peut tirer une religion de la loi morale, c'est qu'elle est elle-même un absolu religieux ; la foi *de* la raison s'appuie sur une foi *en* la raison : « Le sujet de l'impératif catégorique en moi est un objet qui mérite d'être obéi, c'est un objet d'adoration [...]. *Est Deus in nobis* [22]. » Toute la certitude de la religion vient donc de la morale. Une religion qui ne contiendrait rien de moral ne serait pas une religion du tout, mais un simple « paganisme [23] ». C'est pourquoi d'ailleurs un catéchisme moral devrait précéder dans les écoles l'instruction religieuse [24]. Bref, c'est parce que la loi morale est divine qu'elle nous conduit à la foi en Dieu. Mais pourquoi justement faut-il croire en un Dieu extérieur ? Pourquoi une religion, au lieu d'en rester à la morale toute pure ?

C'est qu'entre la loi morale et le but qu'elle nous propose, entre la loi inconditionnée et le Souverain Bien, intervient *le mal*. Rappelons-nous l'athée sincère et honnête, qui ne veut rien savoir de l'au-delà :

> Son effort est pourtant limité ; et il ne peut vraiment rien attendre de la nature qu'un secours aléatoire de-ci, de-là [...]. Le mensonge, la violence, la jalousie l'accompagneront sans cesse, bien qu'il soit lui-même honnête, pacifique et bienveillant ; et les personnes honnêtes qu'il rencontre, bien que dignes d'être heureuses, seront cependant soumises, tout comme les autres animaux sur cette terre, par une nature indifférente, à tous les maux de la misère, de la maladie et d'une mort prématurée ; et les hommes le demeureront toujours, jusqu'à ce qu'une vaste tombe les engloutisse tous (honnêtes ou malhonnêtes, peu importe) et les rejette, eux qui pouvaient se croire le but final de la création, dans l'abîme du chaos sans but de la matière dont ils ont été tirés [25].

21. MS 219.
22. OP 138.
23. Cf. CO 56.
24. Cf. ED 493ss. ; MS 478, et 480ss. (le catéchisme moral de Kant).
25. UK 427-428 = FJ n⁰ 87, p. 258.

Car malgré la loi morale, ou plutôt à cause d'elle, l'existence du mal dans le monde est un scandale qu'aucune théodicée rationnelle ne peut supprimer. On a vu au chapitre II que toutes les justifications qu'on prétend donner de la douleur se retournent contre elles-mêmes et deviennent autant d'accusations. C'est encore plus flagrant pour l'injustice : dira-t-on que le scandale du méchant impuni et du juste malheureux n'est dû qu'à une erreur d'optique ; affirmera-t-on avec Platon et Spinoza que la vertu comporte sa propre récompense et le vice son propre enfer, par les remords qu'il engendre : c'est prêter au scélérat des scrupules de conscience qu'il n'a certainement pas ! Posera-t-on (ainsi que plus tard Hegel) l'injustice comme un mal nécessaire : cette nécessité est en fait la pire injustice, celle qui ravale la personne humaine au rang d'un simple moyen. Va-t-on affirmer que la vraie justice se réalisera dans l'audelà : en fait nous n'avons aucune connaissance théorique d'un tel au-delà ; et comment la raison théorique pourrait-elle démontrer, ou même concevoir une loi qui ne serait pas l'inexorable loi de la nature [26] ? Évidemment le cours du monde, par son ordre, sa beauté, sa finalité, nous laisse entrevoir qu'il est la création d'un être sage, juste et bon. Mais si l'on fait fond sur l'ordre du monde pour prouver Dieu, comment alors justifier le *désordre,* la laideur, la dérision que l'on trouve *aussi* dans le monde ? Pour comprendre qu'avec tout cela notre monde est quand même le meilleur de tous les mondes possibles, il nous faudrait une sagesse, une connaissance du monde intelligible et de l'entendement de Dieu qui nous est à tout jamais refusée [27].

Dans son livre : *Die Lehre vom Uebel bei Leibniz, seiner Schule in Deutschland und bei Kant,* Otto WILLARETH affirmait que si la religion a pour sens de surmonter le mal moral, il n'en va pas de même pour le mal physique *(Uebel),* qui n'est en réalité qu'un phénomène, une apparence que la conscience humaine doit et peut dissiper par elle-même. Cette position, d'inspiration stoïcienne, part d'un contresens sur le

---

26. Cf. TH 200 à 204.
27. Cf. TH 204-205 : c'est une reprise de la réfutation de la preuve « physico-théologique ».

mot phénomène et va à l'encontre de toutes les affirmations de
Kant citées plus haut sur le scandale irréductible que constitue
le mal physique pour la raison humaine. À ce scandale, on
a cherché à répondre, depuis Kant, par l'affirmation du progrès humain. Kant aussi, d'ailleurs, comme nous le verrons au
prochain chapitre. Mais en attendant le scandale est là ; il
signifie pour la personne humaine, pour chacun de nous, la
menace constante d'un échec absolu. Kant semble avoir pensé,
à une période de sa vie, que le progrès de l'humanité abou-
tirait à réaliser une perfection qui serait aussi celle des individus [28]. Mais il n'a pas retenu cette idée. C'est que ces individus futurs ne sont pas nous. Et si l'on admet que la personne
humaine, dans ses aspirations légitimes, est digne d'un respect
absolu, alors le mal, qui réduit la personne à n'être qu'un
simple moyen, apparaît comme l'injustifiable et comme l'irréparable. Ainsi la mort, qui peut être sans douleur pour certains et même apparaître parfois comme une délivrance, la
mort signifie pourtant l'échec absolu de la vie morale, la
personne humaine réduite à une simple chose, le triomphe du
destin sur la liberté, l'impossibilité d'atteindre nos fins les plus
légitimes, et d'abord de réaliser notre destinée morale. La
mort est la *dérision*.

Que peut alors le philosophe ? À la pseudo-théodicée des
métaphysiciens et des théologiens, il opposera un aveu sincère
d'ignorance. Si nous prétendons lire dans le monde l'intention
ultime de Dieu, le monde restera pour nous un livre fermé [29].
Mais si nous partons de la seule certitude métaphysique :
celle de la loi morale et de la foi qu'elle autorise, alors oui
nous savons quelle est la volonté de Dieu et nous avons le
droit d'attendre avec confiance que ce monde-ci la réalise,
sans en savoir pourtant le quand et le comment [30]. Cette
ignorance a une portée morale. Elle est même toute la morale ;
si nous *savions* avec évidence ce que Dieu attend de nous et
ce qu'il nous promet en retour, nous agirions de façon irré-

---

28. Voir les deux *Réflexions* citées par Bohatec, p. 209 : « Il
faut que... l'espèce atteigne sa perfection, et par là même chaque individu. »
29. Cf. TH 206.
30. Cf. TH 206.

prochable, mais non morale, puisque poussés par la crainte ou l'espoir. Dans l'incertitude même où Dieu nous laisse au sujet de tout ce qui n'est pas notre devoir, nous trouvons notre grandeur à faire ce devoir « par devoir ». Ainsi, « la sagesse insondable par laquelle nous existons n'est pas moins digne de vénération pour ce qu'elle nous a refusé que pour ce qu'elle nous a donné en partage [31] ». Notre ignorance de l'au-delà est en réalité une « docte ignorance », dont il ne faut pas méconnaître la signification religieuse. Après une admirable méditation sur Job, Kant conclut que l'homme juste n'est pas celui qui cherche à justifier Dieu du mal qui règne dans le monde, celui dont il souffre et surtout celui dont souffrent les autres ; l'homme juste n'est pas l'hypocrite qui dit plus qu'il n'en sait ; il est celui qui accepte et qui croit malgré tout. En 1756, après le tremblement de terre de Lisbonne, le jeune philosophe écrivait : « Nous savons que la totalité des choses est la création de la sagesse divine et qu'il faut comme telle la révérer [32]. » Et il écrit de Job :

> Au reste, la foi qui naquit en lui d'un si singulier éclaircissement de ses doutes, je veux dire de la seule conviction de son ignorance, ne pouvait se former par un tel moyen que dans l'âme d'un homme capable de s'écrier au sein des incertitudes les plus angoissantes : « Jusqu'à l'heure de ma mort je ne veux point faillir dans ma piété, etc. » (Job, xvii, 5, 6). Par cette résolution, il témoignait, en effet, qu'il n'appuyait pas sa moralité sur la foi, mais sa foi sur la moralité ; et quand il en est ainsi, la foi, quelque faible qu'elle puisse être, est d'une espèce plus vraie et plus pure.

Elle ne fonde pas une religion intéressée, mais une religion morale [33].

Bref, si la religion se fonde sur la raison pratique, c'est que la raison pratique est elle-même religieuse. Et si celle-ci éprouve encore le besoin de développer des affirmations sur Dieu, sur la vie future et sur le salut, affirmations qui semblent lui être étrangères, c'est que la réalité incompréhensible de

---

31. PV 266 = PR 157 ; cf. FJ n⁰ˢ 89ss.
32. Cité par Ruyssen dans *Quid de natura et origine mali senserit Kantius*, p. 7.
33. TH 209.

la souffrance et de l'injustice l'oblige à postuler ce sans quoi elle, la raison, n'aurait plus de sens.

Il est donc significatif que Kant, après les trois *Critiques,* ait cru devoir aborder le problème religieux pour lui-même. Il l'aborde tout à la fois en philosophe critique et en croyant. La religion de Kant, malgré sa pauvreté, ou peut-être *à cause de sa pauvreté,* est une authentique religion.

## B. LE CHRISTIANISME DANS LES LIMITES DE LA SIMPLE RAISON

Quelle religion ? Il semble qu'au point de vue de la critique, tout est dit. Il n'y a plus rien à ajouter à la doctrine des postulats que la raison a tirée d'elle-même. Or, maintenant, comme le titre l'indique, il ne s'agit plus d'une religion *de* la raison, mais d'une religion *dans (innerhalb)* les limites de la simple raison, d'une religion que la raison humaine cherche à intégrer, mais comme un contenu qui lui est donné du dehors. Quelle que soit son origine, révélation ou fabulation humaine, quelle que soit sa valeur ou au contraire sa nocivité, quelle que soit la part de la vérité ou d'illusion qu'elle comporte, cette religion « dans les limites » n'est pas inventée par la simple raison : elle vient d'ailleurs. Dans la *Doctrine de la vertu,* après avoir défini la religion de la raison pratique, Kant ajoute : « On peut certes parler aussi d'une « religion dans les limites de la simple raison », qui n'est pourtant pas dérivée [*abgeleitet*] de la simple raison, mais qui se fonde également sur des doctrines historiques et révélées, et ne retient de la raison pratique que la nécessité d'accorder ces doctrines avec elle [34]. »

Pour Kant, il va de soi que cette religion est le *christianisme.* Lui seul est susceptible d'entrer dans les limites de la simple raison, c'est-à-dire de la raison qui a reconnu elle-même ses propres limites. Pourtant cela ne va pas tellement

---

34. MS 488 (je traduis très librement, selon le sens) ; voir aussi RL 27ss. et 31 à 33 ; Bohatec, p. 33ss. ; J.-L. Bruch, *la Philosophie religieuse de Kant,* p. 28ss.

de soi ! On pourrait penser que l'islam aurait mieux fait l'affaire, et mieux encore le mazdéisme, que Kant connaissait bien. On pourrait regretter, avec H. Cohen, que Kant ait méconnu la religion juive au point d'écrire que « l'euthanasie du judaïsme est la pure religion morale » sans préconiser pour autant l'euthanasie du christianisme... [35] Pourquoi ce privilège accordé au christianisme ?

Par ignorance des autres religions, par respect pour celle de son roi ? En fait Kant connaissait fort bien, pour son époque, les autres religions, et rien ne laisse penser qu'il se soit rallié par prudence à celle de son roi ; son œuvre religieuse est au contraire fort imprudente, et la censure royale ne s'y est pas trompée ! D'ailleurs la vraie prudence eût consisté pour l'auteur *à ne pas publier* des œuvres religieuses que personne ne lui demandait. C'est en toute bonne foi qu'il s'affirme chrétien [36]. Certes, dans sa lettre au roi de Prusse, il affirme que son œuvre n'est coupable d'aucune dépréciation du christianisme puisqu'elle n'en donne aucune appréciation. Mais, dans *le Conflit des facultés,* il n'hésite pas à se défendre du reproche de naturalisme en revendiquant le christianisme : « Le christianisme, c'est l'idée de la religion qui, d'une façon générale, doit être fondée sur la raison et être, en cette mesure, naturelle. » Mais cette religion admet en outre un livre, la Bible, comme véhicule historique, en le faisant passer pour un livre surnaturel, ce qui peut s'admettre dans la mesure où la Bible diffuse et vivifie la morale rationnelle : « Le christianisme n'est donc pas une religion naturaliste, bien qu'il soit une religion simplement naturelle, parce qu'on ne nie pas que la Bible ne puisse être un moyen surnaturel pour l'introduire et établir une Église [...] ; seulement on se contente de ne pas tenir compte de cette origine, quand il s'agit de doctrine religieuse [37]. » Il est clair qu'ici, comme partout ailleurs, Kant a tendance à nommer christianisme l'interprétation qu'il en donne ; en tout cas, cette interprétation n'a pas varié depuis le

35. Cf. H. Cohen, *Kant's Begründung der Ethik,* 467, 470, 476, 496.
36. Voir RL 143, 207ss., 215ss. ; PR 137 et note 2 ; FJ 274, note 2 ; FC 231-233 ; cf. Bohatec, p. 164 ; Bruch, p. 33.
37. CO 49-50 ; cf. CO 7.

début de la période critique : parmi toutes les religions préten-
dues révélées, le christianisme est la seule dont le contenu soit
susceptible d'être interprété comme symbole de la pure morale,
d'entrer dans les limites de la raison [38].

Il y a certes bien des manières de définir le christianisme ;
mais je pense qu'aucun chrétien, quelle que soit sa théologie,
n'admettrait la manière dont Kant prétend l'enfermer dans les
limites de la simple raison. Le philosophe part en effet du principe qu'il ne peut exister de *savoir* religieux, et que la vraie
religion, celle pour qui « le faire seul importe » [39], n'a nul besoin de connaissance théorique [40]. Ce qui l'amène à rejeter,
ou du moins à interpréter symboliquement tout ce qui dans
l'Écriture et dans les dogmes n'est pas réductible à la raison
pratique. Tout : c'est-à-dire l'essentiel, répondra le chrétien.
Et non sans raison !

Car, d'après Kant, le contenu de la révélation pris à la
lettre n'est qu'un ensemble de *statuts,* c'est-à-dire de prescriptions contingentes sans valeur morale. En faire l'objet de la foi
religieuse, c'est dégrader celle-ci en croyance servile ou en
folie mystique [41]. La religion doit s'attacher à l'esprit, non à
la lettre. Seulement cette *lettre,* c'est peut-être l'essentiel du
message chrétien. Ainsi la Trinité est interprétée comme le
symbole pratique de la nécessaire division des pouvoirs en
Dieu : le Père = Dieu comme saint législateur de l'ordre
moral ; le Fils = Dieu comme notre seigneur bienveillant ;
l'Esprit = Dieu comme notre juste juge [42]. En effet, si ces
pouvoirs étaient confondus, on réduirait Dieu à un despote,
cruel ou indulgent, mais toujours arbitraire. Mais est-ce bien
là le sens chrétien de la Trinité ? La résurrection n'est de même que le symbole de l'immortalité pratique. Le plus étrange
est l'attitude de Kant à l'égard de Jésus-Christ.

---

38. Cf. notamment RL 76.
39. CO 46 ; Rousseau critiquait déjà la « religion dogmatique
où l'on fait l'essentiel non de faire, mais de croire » (*Confessions,* II,
p. 50).
40. Cf. RL 201-202, note.
41. Cf. notamment RL 138, 172-173, 221ss., 218 ; CO 20.
42. Cf. RL 183 à 192 ; CO 42 ; PR 140, note 3 ; Bohatec, p.
557, note ; Bruch, p. 134ss.

D'une part, il y a le Christ, qui est l'archétype de l'humanité dans sa perfection morale. Idéal « incréé », puisque l'humanité est la fin suprême de la création tout entière [43]. « Descendu du ciel », en ce sens que nous, hommes coupables, ne pouvons de nous-mêmes atteindre un tel idéal ni même l'inventer ; il s'est donc « abaissé jusqu'à nous [44] ». « Incarné », ce qui veut dire que le bon principe intervient dans l'humanité pour faire échec au mal radical, que la pureté de l'intention peut vaincre la tromperie diabolique du mal. « Crucifié » : cela symbolise la mort du vieil homme et l'avènement douloureux de l'homme nouveau en nous. Le Christ signifie donc l'idéal auquel l'humanité doit tendre, l'archétype de la sainteté absolue, du désintéressement poussé jusqu'à subir la douleur de la mort pour le bien du monde, de la raison prise comme mobile et non seulement comme norme [45]. À chaque homme de fournir lui-même l'exemple d'un tel archétype. Le Christ est si l'on veut le symbole du « tu dois donc tu peux [46] ». Maintenant, si un tel modèle a vraiment existé sur la terre, point n'est besoin de lui attribuer une naissance surnaturelle : « Son existence dans l'âme humaine est déjà assez incompréhensible [47]. »

Car il y a d'autre part Jésus de Nazareth, *ein grosser-moralisch-gesetz-gebender-Weise* — « un grand sage législateur moral [48] ». Il a vécu à une époque déterminée et, par son enseignement, sa vertu et ses souffrances, il a introduit une religion nouvelle. Peu importe d'ailleurs l'exactitude historique des récits qui le concernent : la preuve de sa vérité est dans la valeur de son enseignement et dans l'exemple de sa vie. Cette personnalité, historique ou légendaire, a réellement introduit à son époque la vraie religion morale, que nous pouvons connaître aujourd'hui par la seule raison [49].

Faut-il dire que Kant sépare totalement le Christ incréé et Jésus historique ? Pour J.-L. BRUCH, « c'est dire qu'il juxtapose deux con-

43. Cf. RL 85 ; FJ n⁰ 84.
44. RG 72 = RL 86.
45. Cf. RL 91, 113ss. ; RL 99ss. ; RL 87ss. et 157.
46. Cf. Cohen, *op. cit.*, p. 470.
47. RG 79 = RL 89 ; cf. RL 109, note.
48. MS 486, note 2.
49. Cf. RL 115.

ceptions partiales, et également hérétiques du Christ : il incline dans le premier cas [Jésus] à l'arianisme, dans le second [Christ] au docétisme » (p. 109). Il reste que Kant subordonne Jésus historique au Christ incréé. Et nous retrouvons ici la thèse des *Fondements* : « Même le saint de l'Évangile doit être d'abord comparé avec notre idéal de perfection morale avant qu'on le reconnaisse pour tel. » Cet idéal serait le Christ incréé, qui a sa source dans la raison pratique [50]. À l'opposé, H. COHEN reproche à Kant d'avoir trop cédé à la théologie : sa doctrine du Christ contredirait le principe de la dignité humaine et de l'autonomie en plaçant l'humanité dans une personne exceptionnelle et non dans chacun de nous, ce qui fait du Christ non plus un « archétype », mais un « prototype [51] ». Nous voyons déjà l'ambiguïté de la philosophie religieuse de Kant !

Avec une pudeur dont certains pensent qu'elle lui fait honneur — « c'est un signe et certes un bon signe », dit K. Barth [52] — Kant ne prononce jamais le nom de Jésus-Christ, du moins dans *la Religion* ; il parle du « Fils de l'homme », de l'« archétype », etc. [53]. Il reste qu'il considère comme impossible ce que le chrétien voit d'abord en Jésus-Christ : le Verbe fait chair, vrai Dieu et vrai homme, qui a « souffert sous Ponce-Pilate », qui est ressuscité « le troisième jour ». La croyance en l'incarnation historique est pour Kant non seulement indémontrable mais encore sans valeur pratique : « Car si cet Homme-Dieu n'est pas présenté comme l'Idée de l'Humanité résidant en Dieu de toute éternité avec toute la perfection morale qui lui agrée [...], mais comme la divinité « résidant corporellement » dans un homme réel [...], il n'y a de ce mystère rien à tirer pour nous de pratique ; car nous ne pouvons certes exiger de nous d'agir comme un Dieu ; celui-ci ne peut donc être pour nous un exemple [54]. »

Comment Kant pouvait-il donc se dire chrétien ? On a attribué cette prétention à son ignorance des choses religieuses. Un théologien, qu'il est plus charitable de ne pas nom-

50. GM 408 = FM 115-116 ; cf. FJ n° 32, p. 118.
51. Cf. RL 88 ; pour les sources, voir Bohatec, p. 351ss. et p. 360ss. ; voir Cohen, p. 470 à 473.
52. *Die protestantische Theologie im 19. Jahrhundert*, p. 255.
53. Cf. *in* RG le Sachregister, p. 238 ; de même pour la *Doctrine de la vertu*, cf. MS 486 ; dans *le Conflit des facultés*, il parle une fois de « l'esprit du Christ » (p. 70) ; voir aussi l'interprétation de Cohen, *op. cit.*, p. 465 et 468.
54. CO 42-43.

mer, est allé jusqu'à écrire : « Il n'est pas nécessaire de chercher très loin la source littéraire de la philosophie religieuse
de Kant. Sa connaissance du christianisme n'avait jamais dépassé le niveau d'une science de collégien et, quand il écrivit
sa *Religion,* il avait quitté le collège depuis cinquante-trois
ans. » Un historien comme J. BOHATEC, qui a justement cherché « très loin », a prouvé que l'auteur de *la Religion* avait
une connaissance approfondie des théologiens luthériens de son
siècle. D'ailleurs, si la théologie et surtout la christologie de
Kant peut paraître hérétique, elle n'en est pas moins riche en
allusions aux concepts les plus élaborés et aux débats les plus
subtils de la dogmatique traditionnelle ; c'est même ce qui en
rend la lecture si difficile aujourd'hui. Ce qui frappe surtout,
c'est sa familiarité avec la Bible, depuis la Genèse jusqu'à
l'Apocalypse, comme en témoignent de nombreuses allusions.
Kant n'hésite pas, d'ailleurs, à retourner le texte de l'Écriture
contre ceux-là même qui prétendent s'en inspirer. Ainsi, à la
doctrine du salut par la foi (*sola fide*), il oppose la parabole
des mines, de Luc, XIX, ou celle des talents, de Matthieu,
XXV [55]. Il se recommande de saint Paul (Éphésiens, IV, 14)
pour exiger une foi adulte, à l'encontre de la croyance puérile qu'on prêche trop souvent dans les églises. Il va jusqu'à
fonder son refus de la divinité du Christ sur les paroles de
Jésus lui-même : « Pourquoi m'appelles-tu bon ? Nul n'est
bon que Dieu seul [56]. » Quant à l'interprétation de la Bible
selon le symbolisme moral, il s'en justifie en disant que les
théologiens eux-mêmes (et c'est vrai, à commencer par les
apôtres !) interprètent symboliquement l'Ancien Testament pour
lui trouver « un sens digne de Dieu » : pourquoi ne pas en
faire autant pour le Nouveau [57] ? On répondra que ce sens
digne de Dieu ne se réduit pas peut-être à celui que découvre
la raison pratique... Il reste que Kant, en parlant de religion,
savait parfaitement de quoi il parlait.

S'il s'est cru sincèrement chrétien, c'est qu'il a pensé dégager l'*esprit* du christianisme, l'esprit opposé à la lettre qui,

---

55. Cf. RL 76 et 211.
56. Dans Marc, X, 18 ; cf. FM 116 ; RL 140 et 260.
57. Cf. CO 42ss.

elle, a été trop souvent l'unique objet des théologiens. Kant a compris, et mieux que bien des croyants, que ce n'est pas « l'odeur des sacrifices » qui plaît à Dieu, mais un cœur pur ; que si l'intention doit se manifester par des actes — on juge l'arbre à ses fruits — aucun acte, si méritoire soit-il, ne suffit à faire de moi un homme juste ; qu'aucun rapport mercantile ne saurait intervenir entre l'homme et Dieu ; qu'une humilité totale est la condition première de la vie morale et que la récompense attend ceux qui n'en attendent pas [58] ; surtout, que l'essentiel, l'essentiel pratique, n'est pas révélé « aux intelligents et aux sages, mais aux enfants [59] ». Il a peut-être exagéré beaucoup en revendiquant le Sermon sur la montagne comme une application de sa propre philosophie religieuse [60]. Il n'en reste pas moins qu'il a vu dans le christianisme ce contenu pratique et intime que trop de chrétiens ont méconnu.

J'ajouterai qu'Emmanuel Kant se présente lui-même non seulement comme un chrétien, mais comme un *luthérien*. Il ne parle guère du catholicisme, sinon pour affirmer aussitôt que bien des protestants, qui se targuent d'en être affranchis, sont en réalité pires que les catholiques, c'est-à-dire plus superstitieux, plus cléricaux, moins sincères. « Si une église qui impose sa croyance d'église comme universelle doit se nommer *catholique* [...], alors un observateur attentif trouvera plus d'un exemple louable de catholiques protestants et, à l'encontre, encore plus d'exemples scandaleux de protestants qui sont catholiques au fond du cœur [61]. » Le côté protestant de Kant se reconnaît à sa théorie purement luthérienne de l'Église « invisible » et du Sacerdoce universel [62], à sa volonté de réformer sans cesse, à partir de là, les Églises « visibles » — plus encore à l'importance qu'il accorde à la Bible, le texte unique qui soit proposé à la religion de la raison, le seul où elle puisse trouver, derrière la gangue historique et statutaire, l'ex-

58. Cf. RL 212, commentant Matthieu, xxv, 31ss.
59. Cf. RL 203, 236 et 237.
60. Cf. RL 209 à 212.
61. RG 119 = RL 145 ; cf. RL 223, 226, 231 ; CO 60.
62. Cf. RL 137, 144ss., 198 ; CO 55ss.

pression de la pure foi morale [63]. D'autre part, il est frappant de voir que cette philosophie religieuse se débat d'un bout à l'autre avec des concepts typiquement luthériens : le péché radical, la justification, la sanctification, la foi et les œuvres, la réconciliation, l'Église invisible, la grâce. Si ces concepts sont discutés et interprétés, il reste qu'ils ont leur source dans la théologie luthérienne la plus authentique.

Rust et Schmalenbach ont voulu rapprocher Kant de Calvin ; il est certain que le philosophe fait penser au réformateur par son juridisme, son refus de la sensibilité, mais aussi par son personnalisme et surtout par un certain sens du sacré, du « numineux » qu'on trouve dans la doctrine du sublime tout comme dans celle de la loi morale. Il reste que ces rapprochements paraissent fortuits (Voir Bohatec, p. 15 à 17 et Bruch, p. 107-108, 176, 194).

Si Kant puise dans la théologie luthérienne ses problèmes, il s'en éloigne beaucoup quand il s'agit de les résoudre. Comme le dit J.-L. Bruch : « La vraie Réforme est pour lui l'*Aufklärung* [64]. » Il est l'un des premiers représentants, peut-être le plus grand, de ce qu'on a nommé plus tard le *protestantisme libéral*. Ainsi, tout en reconnaissant la primauté de la Bible sur les autres écrits religieux, il la soumet à la double épreuve de la raison et de la moralité. Aussi considère-t-il les récits de la Bible et les dogmes qui en dérivent comme le « fil conducteur », la « gangue », l' « enveloppe » ou, plus généralement, comme le « véhicule » de la pure religion de la raison [65]. Le mot *véhicule* signifie moyen de conduire, mais au sens que lui donnait la pharmacologie d'alors : une substance sans action thérapeutique qui sert de support à un médicament. C'est parce qu'ils n'ont pas de valeur morale intrinsèque que bien des textes bibliques et la plupart des dogmes sont de simples « véhicules » de la foi morale, « qui doit être complète et indubitable en soi [66] ». De plus ce véhicule qu'est la Bible, destiné à mettre la religion à la portée du peuple, n'est pas des-

63. Cf. RL 143 ; CO 77-78.
64. Bruch, p. 176.
65. Cf. RL 153, 178, note ; sur « véhicule » (*Vehikel*), cf. RL 143, 174, 178, note, 199 ; CO 40, 47, 49, 50, 76 ; « fil conducteur » : voir CO 77 ; le terme « libéral » appliqué au christianisme se trouve chez Kant lui-même dans FC 231.
66. CO 49.

tiné à durer toujours : il est de sa nature de cesser, ou du moins de pouvoir cesser [67]. En tout cas, c'est à la raison pratique d'en donner l'interprétation symbolique qui convient : n'est-elle pas le seul critère humain de la vérité ? N'est-elle pas seule à pouvoir juger de la divinité d'un enseignement, elle dont la pureté garantit l'universalité ? Aussi bien, c'est dans notre raison que Dieu parle, et le Dieu qui parle en notre raison est le véritable exégète de la Bible [68]. Si par contre on prend ces « véhicules » pour des absolus, si l'on fait de la croyance d'Église la condition du salut, on tombe dans la superstition. La raison pratique reste juge en dernier ressort. Par exemple, lorsqu'on lit que Dieu « ordonne » à Abraham d'immoler son fils, on peut être certain que celui qui donne un ordre aussi monstrueux n'est pas Dieu [69]. En règle générale, l'important n'est pas ce qu'on « extrait » de la Bible, mais ce que, dans l'esprit de la morale, on y « introduit [70] ».

On sait pourtant que Kant se distingue du libéralisme protestant par sa défiance à l'égard du sentiment religieux et surtout par son pessimisme, tant en ce qui concerne le progrès de l'individu que celui de l'Église [71]. On le comprendra mieux en envisageant la critique qu'il adresse aux deux mouvements qui se partageaient l'Église protestante de son temps, et peut-être du nôtre : le dogmatisme orthodoxe et le piétisme. Cette critique est révélatrice de sa doctrine du mal.

Le *dogmatisme orthodoxe* [72], l'ennemi numéro un de la religion de la raison, est à vrai dire bien malade au XVIIIe siècle. Les meilleurs théologiens d'alors, comme MICHAELIS, s'en sont éloignés et s'inspirent de l'*Aufklärung* tout autant que de Luther. Un J.J. SPALDING affirme, bien avant *la Religion,* que ce qui importe à la foi est la certitude de notre salut, et que c'est

67. RL 178, note ; 2e alinéa.
68. Cf. CO 54 et 80.
69. Sur Abraham, cf. RL 118, 244 ; CO 75 et 78 ; on pense à Kierkegaard !
70. CO 82 ; cf. 42ss. et RL 146 à 149.
71. Cf. Bruch, p. 176ss.
72. Pour toute cette critique de l'orthodoxie, on lira avec profit l'excellente mise au point de Bruch dans ses chap. V et VII.

une vaine curiosité de chercher à savoir comment Dieu s'y
prend ; la connaissance du dogme, loin d'édifier les chrétiens,
« loin d'ajouter quoi que ce soit à leur béatitude et à leur consolation, ne fait qu'alourdir vainement leur intellect [73] ». Le
symbolisme religieux de Spalding, sa critique de la connaissance
religieuse, son subjectivisme sont plus près de Kant que de
Luther, même si ce subjectivisme a sa racine chez les réformateurs eux-mêmes [74]. Les théologiens restés orthodoxes s'em-
pêtrent dans des problèmes oiseux, comme la réalité physique
des miracles, et dans l'interprétation littérale de la Bible [75]. En
fait, en 1793, l'orthodoxie semble régner surtout dans l'admi-
nistration des cultes ; ses tenants sont moins des penseurs que
des censeurs. C'est bien ainsi que Kant voit les choses. Du
*Conflit des facultés*, il ressort que la faculté de théologie ne
peut donner qu'un enseignement utilitaire, alors que la faculté
« inférieure » de philosophie est, dans le domaine religieux
comme dans les autres, la seule à introduire la question de la
*vérité*. Car la vérité n'est pas du ressort des institutions, mais
du libre jugement [76].

Or la faute, peut-être faudrait-il dire le crime des orthodoxes, est de refuser le libre jugement. « Il n'y a point de
sectes en géométrie », disait Voltaire. Il y a secte dès que
les hommes, faute de convaincre, cherchent à contraindre.
Et une Église qui impose ses statuts comme des vérités n'est
qu'une secte. J.-L. BRUCH, dans son chapitre VII, a parfaitement dégagé l'essentiel de cette critique de la « superstition »
(*Aberglaube*) et de ses conséquences ecclésiastiques, le culte
hypocrite (*Afterdienst*) et le cléricalisme (*Pfaffentum*). Il a
notamment mis en lumière ce qui distingue la critique de Kant

73. Cité par K. Barth, *Dogmatique*, fasc. 2, p. 116 ; voir K.
Barth, *Die protestantische Theologie im 19. Jahrhundert*, chap. III.
74. Citons ici la formule de MÉLANCHTON, qui exprime bien l'attitude de la Réforme en face des dogmes : « L'enseignement de l'Écriture au sujet de la divinité du Fils de Dieu n'est pas seulement spéculatif mais pratique [*sed pratice*] ; c'est-à-dire qu'elle nous prescrit d'in-
voquer le Christ, de nous confier en Christ » (*in ibid.*, p. 115) ; le protestantisme libéral, et Kant avant lui, a poussé ce principe à l'extrême
en biffant le « spéculatif ».
75. Voir Bruch, p. 152ss. et 256.
76. Voir *le Conflit des facultés*, notamment p. 27, 31, 41, 71,
note.

de celle des rationalistes du xviiie siècle : d'abord la superstition qu'il dénonce n'est pas l'obscurantisme des anciens âges, mais la superstition de l'homme moderne [77] ; ensuite, et ceci explique cela, la superstition n'est pas seulement une erreur, due à une faiblesse mentale, mais une faute dont l'origine est dans la faiblesse morale de l'homme, dans le mal radical : un mensonge. C'est pourquoi elle renaît sans cesse, chez le civilisé comme chez le sauvage, chez le chrétien comme chez le païen.

Kant, en effet, ne reproche pas à l'orthodoxie son ignorance, mais son intellectualisme, cette manie de ramener la vie religieuse à une spéculation vaine sur ce qui nous dépasse, cette prétention à connaître la nature de Dieu. Un tel « savoir » ne peut être qu'un pseudo-savoir, une erreur ; bien plus : un mensonge. Ces mêmes hommes, ces mêmes pasteurs qui reprochent à l'Église romaine le culte des saints et autres pratiques extérieures n'enchaînent-ils pas l'homme de façon infiniment plus grave ? Ils grèvent sa conscience en le forçant, pour son salut, à croire « en conscience » ce dont il n'est pas sûr, à croire « sincèrement » ce qu'un homme sincère ne peut pas croire, mais tout au plus supposer et espérer. À vouloir se forcer de croire ce dont on n'est pas certain, on prend un risque terrible devant ce Dieu dont on dit qu'il sonde le fond des cœurs, le risque d'être trouvé coupable d'hypocrisie. Cette foi pour le salut n'est qu'une mauvaise foi [78]. En des termes inspirés de saint Paul et de Luther, Kant écrit : si l'on tombe dans la foi mercenaire, celle qui doit nous sauver, au lieu et place de l'intention morale, « on impose à l'homme, au lieu de la liberté des enfants de Dieu, le joug d'une loi (statutaire) ; et cette loi, en tant qu'obligation inconditionnée de croire à quelque chose qu'on ne peut connaître qu'historiquement et qui ne saurait donc convaincre tout le monde, cette loi est pour les hommes de conscience un joug encore bien plus pesant » que les pieuses observances des autres religions, qui après tout n'engagent que l'extérieur [79]. Ennemis jurés du clérica-

77. Cf. Bruch, p. 200ss.
78. Cf. RL 76-77, note, 238, 241 à 247, 251ss. ; CO 9, 46.
79. RG 275-276 = RL 234.

lisme catholique, ces orthodoxes sont eux-mêmes des super-
cléricaux, puisqu'ils imposent aux masses, avec le chantage à
l'enfer, de croire à des doctrines indémontrables et injustifiables
moralement, et font de la prière, du culte et des sacrements des
« moyens de grâce », comme si cette expression ne contre-
disait pas l'idée même de la grâce [80]. À cette domination orgueilleuse et hypocrite, à ce cléricalisme qui n'est pas politique
mais religieux, l'homme moral oppose sa liberté de jugement
et aussi la seule foi qui soit certaine, celle qui consiste à faire
tout son devoir et à espérer en Dieu pour le reste, en disant
avec l'Évangile : « Je crois, Seigneur, viens en aide à mon
incrédulité [81]. »

La superstition est donc l'exemple par excellence de cette
mauvaise foi qui constitue le mal radical. Car, alors que la
vraie religion subordonne les « statuts » historiques à la foi
morale rationnelle qui est le seul critère, la superstition renverse le rapport et *subordonne* la foi morale à son « véhicule »
extérieur, qui devient alors la norme ; le mobile irrationnel (la
crainte de l'au-delà) devient la condition du mobile rationnel
(l'exigence morale). Il en résulte l'impureté du cœur, la destruction de l'universalité morale, enfin et surtout l'hypocrisie
envers soi-même ; on est persuadé qu'on fait son salut en
multipliant les observances, ou pire, en professant un *credo*
orthodoxe ; on oublie que c'est le *faire* qui importe, étant bien
entendu que le faire ne signifie pas les œuvres extérieures, mais
l'acte intime de la volonté. L'orthodoxie, expression moderne
et systématique de la superstition, manifeste de la façon la
plus aiguë l'hypocrisie inhérente au mal radical [82]. Elle n'est
pas un simple exemple du mal, elle est *le* mal, le mal absolu.
En ceci, Kant s'accorde avec les hommes de son siècle. Il s'en
distingue pourtant. Pour lui, la superstition est le mal absolu
précisément parce que la religion est le bien absolu, le Souverain Bien. Si l'homme est appelé de par sa vocation morale à

80. Cf. RL 230ss., 248 à 259. Remarquons que, dans la théologie luthérienne authentique, les moyens de grâce (*Gnadenmittel*) ne
sont pas les moyens par lesquels l'homme s'acquiert la grâce, mais ceux
par lesquels Dieu la leur accorde.
81. RG 295 = RL 247 ; la citation est de Marc, IX, 24.
82. Cf. RL 232 à 236 ; AN 71, 77-78, 166 et TH fin.

la foi authentique, rien n'est plus scandaleux que la mauvaise foi, qui en est la caricature et la perversion. C'est parce que la foi religieuse doit représenter ce qu'il y a de plus profond et de plus intime dans l'homme que la superstition représente la plus profonde hypocrisie. Elle fait de Dieu même une idole [83].

Luther, après avoir vécu dans l'angoisse et le désespoir devant le jugement de Dieu, a découvert que la seule foi peut nous justifier, comme abandon total et joyeux à la grâce de Dieu. Partant de là, les orthodoxes ont peu à peu sclérosé le salut par la foi en un salut par le dogme, avec tout l'intellectualisme et le conformisme moral que cela entraîne. C'est ce à quoi, un siècle avant Kant, s'est opposé le *piétisme* de SPENER et de FRANCKE. Ce mouvement, qui a profondément marqué la jeunesse de Kant, présente d'ailleurs des tendances très diverses. Retenons ici ses aspects essentiels. D'abord l'affirmation centrale que la foi est moins une connaissance qu'une vie, une transformation du cœur ; ainsi, sans rejeter les dogmes, les Spener et les Francke rappellent sans cesse que ce qui compte dans le dogme n'est pas seulement sa matière, mais la manière dont on y adhère. Ensuite, un sens dramatique du péché, vécu comme une véritable angoisse ; la délivrance du péché, la « réconciliation » (*Versöhnung*) avec Dieu n'est pas une affaire de vertu — car l'homme est vraiment trop mauvais pour que sa vertu puisse être autre chose qu'un masque — mais de foi : le tout est dans l'abandon du cœur à la grâce surnaturelle ; c'est la souffrance du repentir qui déchire le cœur et l'ouvre à l'action divine, étant bien précisé d'une part que cet élan douloureux de l'homme coupable est suscité en lui par la grâce elle-même, d'autre part que l'abandon total à Dieu n'exclut pas les œuvres, qui sont les fruits de la foi. Ainsi les piétistes ont-ils mis en valeur trois réalités que l'on retrouvera ensuite dans tous les « réveils » protestants du XIXe siècle : d'abord la nécessité d'une conversion radicale, d'une nouvelle naissance qui seule peut nous délivrer de l'empire de Satan ; ensuite l'im-

83. Cf. RL 241.

portance attachée à la lecture personnelle de la Bible ; enfin
la restauration, trop oubliée depuis les réformateurs, du Sacerdoce universel : Spener avait fondé des *Collegia pietatis,* petits
cercles de prières et d'études bibliques, ouverts à des croyants
de toute classe et de tout âge, où chacun mettait en commun
ses expériences spirituelles. Ainsi, le pouvoir de dire « les paroles de vie » n'est plus un privilège ; il revient à tout homme
nouveau, à tout converti, quels que soient son rang social et
sa culture [84].

Pour parler sommairement, le piétisme est l'introduction
dans la religion protestante de la subjectivité et de la démocratie. Il n'est pas question de nier son influence sur la for-
mation morale de Kant ; c'est de là très certainement que vient
le primat de l'intériorité et de la foi morale sur le savoir métaphysique ou théologique, l'affirmation centrale que la conscience
est universelle et que l'essentiel de la vie morale se trouve
chez tout homme, même le plus humble et le moins instruit,
l'importance accordée à l'éducation, à commencer par celle
du peuple. Néanmoins, quand on parle du « piétisme » de
Kant, il faut bien préciser qu'il ne s'agit pas de celui de Spener, ni de celui, beaucoup plus optimiste et sentimental, des
frères Moraves, mais de celui de ses maîtres de Koenigsberg :
Schultz et Knützen, qui se défiaient de tout mysticisme et
insistaient au contraire sur l'aspect pratique de la vie religieuse, tout en se passionnant pour la science et en s'accom-
modant fort bien de la philosophie de Wolff. Kant leur a rendu
un bel hommage :

> On peut dire du piétisme ce qu'on voudra ; c'est assez
> que les gens pour qui il était une chose sérieuse eussent
> une façon de se distinguer digne de vénération. Ils possé-
> daient le bien le plus haut que l'homme puisse posséder,
> ce calme, cette sérénité, cette paix intérieure qu'aucune
> passion ne saurait troubler. Aucune peine, aucune persé-
> cution n'altérait leur humeur, aucun différend n'était ca-
> pable de les induire à la colère et à l'inimitié. En un

---

84. Sur le piétisme, voir E.G. Léonard, *Histoire générale du
protestantisme,* t. III, p. 78 à 99, et la bibliographie. On trouvera en
outre deux excellentes synthèses dans Lévy-Bruhl, *l'Allemagne depuis
Leibniz,* chap. I, et dans Delbos, *la Philosophie pratique de Kant,* p. 4
à 9.

mot, même le simple observateur eût été involontaire-
ment porté au respect [85].
Ce passage nous montre d'ailleurs que le piétisme était loin
d'être admis partout. En fait, le mot même était un sobriquet :
on se moquait de ces petites chapelles de purs, qui rejetaient
la grande masse des « inconvertis » ; on ironisait, et Kant le
premier, sur leur « prétention imaginaire et orgueilleuse, malgré
toutes les apparences de l'humilité, de se distinguer comme
enfants du ciel, jouissant d'une surnaturelle faveur [86] ». Si
Spener a posé le vrai problème : « Comment l'homme radicalement pécheur peut-il se rendre bon par lui-même [87] ? » S'il
a compris que la conversion est indispensable, une conversion
qui nous rende non pas meilleurs mais *autres* [88], il a eu le tort
de recourir pour le résoudre à une grâce irrationnelle, de confondre le suprasensible et le surnaturel. Comment l'homme
pourrait-il s'appuyer sur une expérience « surnaturelle » de
l'influence divine dans son propre cœur, alors qu'une telle expérience est par définition impossible [89] ? Le sentiment religieux, comme tout sentiment, peut avoir des causes très diverses ; il n'est jamais qu'un effet, il ne prouve rien [90]. De plus,
tout en méprisant la vertu comme orgueilleuse et païenne, les
piétistes s'enorgueillissent de leur mépris d'eux-mêmes, qu'ils
prennent à tort pour de l'humilité ; en cultivant la contrition et
la prière à la place de la vertu, ils pratiquent eux aussi un
« culte servile » ; et que ce culte soit accompagné d'émotions
intimes et d'intuitions mystiques ne le rend pas plus pur pour
autant. La passivité volontaire, le mépris de soi-même et la
contrition, dont ils font les moyens de gagner la faveur divine,
sont aussi peu moraux que les vaines pratiques qu'ils reprochent aux autres ; c'est encore un « retour aux œuvres » que
ce recours au cœur [91]. Ajoutons que l'exaltation des sentiments
irrationnels doit faire du piétisme une secte, destinée à éclater
elle-même en d'autres sectes. D'autre part sa doctrine du pé-

85. Rapporté par Rink, cité par Delbos, p. 37.
86. CO 67, note 1.
87. Cf. CO 63.
88. Cf. CO 63.
89. Cf. CO 67-68.
90. Cf. RL 151.
91. Cf. CO 67.

ché vouait ses adeptes à un mépris du monde, qui englobait jusqu'à l'art, les sciences et la philosophie ; attitude qui ne pouvait qu'indigner Kant. Enfin et surtout, en recourant à l'« illusion chimérique » d'une présence divine en nous, nécessaire à notre salut, les piétistes tombent dans une superstition encore plus blâmable que les pratiques extérieures, car s'ils n'enchaînent pas le corps, ils enchaînent la conscience : ils la faussent avec leur sentimentalisme tout comme les orthodoxes avec leur pseudo-savoir [92].

Le piétisme n'est plus alors qu'un cas particulier de la *Schwärmerei,* cet illuminisme que J.-L. Bruch qualifie ainsi : « En prétendant reconnaître les objets suprasensibles dans l'expérience — c'est-à-dire percevoir des influences célestes — et exercer une influence sur eux, [la *Schwärmerei*] aboutit à la mort morale de la raison [93]. » L'interprétation de la Bible, telle que l'entend Kant, nous ouvre une voie toute différente, celle qui conduit « à l'esprit du Christ [94] », c'est-à-dire à la disposition morale en nous qui nous témoigne que *malgré tout,* malgré le mal radical, nous pouvons faire ce que nous devons [95]. Cette disposition est suprasensible ; si on en fait un don « surnaturel » elle n'est plus en notre pouvoir et ne concerne plus notre vie morale : elle n'est plus nôtre. Or le propre de l'esprit du Christ n'est-il pas d'être en nous ? On peut donc renvoyer dos à dos l'orthodoxie et le piétisme : « C'est ainsi qu'entre *l'orthodoxie* sans âme et le *mysticisme* qui tue la raison, la théorie biblique de la foi [...] est la véritable doctrine religieuse, fondée sur le *criticisme* de la raison pratique, qui agit avec une force divine sur le cœur de tous les hommes pour leur amélioration foncière et qui les unit dans une Église universelle, quoique invisible [96]. »

Bref, nous avons affaire à une philosophie religieuse fondée sur la morale et qui interprète la Bible d'une façon pure-

92. Cf. RL 229-230 ; CO 68. Sur le piétisme, voir aussi RL 238 à 241.
93. Bruch, p. 195.
94. CO 70.
95. Cf. CO 69.
96. CO 70, souligné par Kant.

ment symbolique. Si cohérente soit-elle, cette pensée pose pourtant un problème : pourquoi vouloir introduire de gré ou de force dans les limites de la simple raison une religion révélée que la « simple raison » ne comportait pas ? Pourquoi, si la foi morale se suffit, ce recours aux « mythes » bibliques comme véhicules ? Car il ne faut pas sous-estimer l'importance de ce terme : Kant ne dit-il pas que le *je pense* est le « véhicule des catégories » [97] ? Pourquoi le salut et le bonheur que la raison me permet d'espérer *ont-ils besoin de la Bible comme véhicule* ?

Pour une raison pédagogique, dira-t-on : à cause de l'ignorance et de la faiblesse intellectuelle de la masse. Et cette réponse, très proche de celle d'un Spinoza, Kant semble bien la faire sienne dans certains passages : le Christ est venu révéler la religion vraie à des hommes simples qui avaient besoin d'images pour la comprendre [98]. Pourtant cette interprétation, qui fait de la religion une sorte de philosophie du pauvre, n'est guère conforme à son universalisme moral. Kant admet d'ailleurs que cette faiblesse est inhérente à la nature humaine ; c'est « un besoin naturel à tous les hommes » que de traduire les concepts en images, « conformément aux bornes inévitables de l'humaine raison [99] » ; c'est pourquoi la fonction de la Bible, comme véhicule, est destinée à durer « pour des temps infinis [100] ». Cette faiblesse est aussi une faute, puisque l'homme est toujours tenté de voir dans son Dieu un despote qui distribue arbitrairement ses faveurs et qu'il faut courtiser pour lui plaire [101]. Mais pourquoi alors le philosophe lui-même s'intéresse-t-il à ces mythes, en quoi en a-t-il besoin ? Si la Bible a apporté aux hommes ce que la raison aurait pu et dû découvrir toute seule [102], ne peut-on en conclure que son rôle est maintenant terminé et que la raison n'a plus affaire qu'à elle-même ? Pourtant ce n'est pas le cas. On pourrait alors risquer

97. Voir RV 399 : *das Vehikel aller Begriffe überhaupt* ; cf. aussi RV 406 et 674.
98. Cf. RL 149-150, 203 à 205, 250.
99. RG 157 et 167 = RL 146 et 153.
100. CO 77.
101. Cf. RL 21, 138 et 260 à 262.
102. Cf. CO 42ss.

une autre hypothèse ; si Kant a recours à un mythe, à la Bible conçue comme mythe, c'est pour une raison analogue à celle de PLATON : non pas à cause de la carence philosophique de la plupart des hommes, *mais à cause d'une carence de la philosophie elle-même* — à savoir l'impuissance de la raison à rendre compte de tout ce qui concerne le devenir : l'origine du monde et de l'homme, l'apparition et l'évolution des cités, la destinée de l'âme, en un mot l'*existence*. De même chez Kant : quand il s'agit de comprendre l'existence du mal et la possibilité concrète du salut, la morale rationnelle ne suffit plus ; elle nous dit ce qui doit être, elle ne nous explique pas ce qui est ; elle nous parle de l'homme idéal, elle ne nous fait pas comprendre l'homme pécheur ; elle nous prescrit de nous rendre meilleur, elle ne nous dit pas comment. De là le mythe, qui réconcilie la raison et l'existence ; comme le schème transcendantal pour la raison pure et le type pour la raison pratique, le mythe est « intermédiaire [103] ».

Néanmoins, les différences sont flagrantes entre Kant et Platon. Alors que ce dernier semble inventer ses mythes, ou du moins les enjoliver comme en se jouant [104], Kant les reçoit d'une tradition antérieure et extérieure, comme un contenu qu'il interprète, mais sans le modifier. Pourquoi ce respect exclusif envers la Bible ? Ici encore il faut se défier des explications superficielles. Kant aurait-il voulu faire plaisir aux théologiens ? On sait pourtant que rien n'irrite plus les théologiens qu'un philosophe qui prétend se mêler de théologie, et les ennuis de Kant avec la censure ecclésiastique l'ont bien montré ! A-t-il privilégié la Bible par une sorte d'« atavisme protestant » ou encore, comme l'affirme H. Cohen, pour rendre justice à la foi de son milieu ? Il y a du vrai dans cette explication sociologique, mais elle ne tient pas compte de la rigueur de son esprit critique. Une autre explication, inspirée de Schopenhauer, mais non de sa malveillance, me paraît plus plausible : si la morale rationnelle et autonome de la raison pratique appelle la théologie biblique comme un complément, c'est que cette morale elle-même contient déjà un élément théologique,

103. Cf. FJ nº 59, p. 174-175.
104. À l'exception pourtant du *Politique,* voir 268d, ss.

qu'elle est déjà chrétienne : par son exigence d'une perfection absolue, son affirmation que l'homme est responsable devant une justice qui est divine parce qu'elle est inflexible, et qu'il n'est pas question de tricher avec elle en tentant de la fléchir ou en se targuant de l'avoir satisfaite [105]. On peut dire de la loi morale de Kant ce que saint Paul dit de la loi divine : « La loi est spirituelle ; mais moi je suis un être de chair, vendu au pouvoir du péché [...]. Car je me complais dans la loi de Dieu du point de vue de l'homme intérieur, mais j'aperçois une autre loi dans mes membres, qui lutte contre la loi de ma raison et m'enchaîne à la loi du péché [106].» Si la morale de Kant retrouve la Bible au bout du chemin, c'est qu'elle était déjà biblique au départ. Le philosophe l'admet lui-même [107] ; il se contente de préciser que la divinité de la Bible vient uniquement de son accord avec la raison pratique [108].

Ainsi, dans la religion de Kant, le « mythe » biblique joue un rôle unique et irremplaçable. N'est-ce pas qu'il répond à un problème, à un seul problème, mais suffisamment grave pour remettre en cause tout l'équilibre de la morale et de la foi de la raison ?

## C. LE MAL RADICAL
## ET L'AU-DELÀ DE LA RAISON

Ce problème est le problème du mal. Non plus du mal comme injustice et comme souffrance, qui autorisait le recours à une religion rationnelle, mais du mal moral, ce scandale qu'on ne peut pas attribuer à la nature mais, d'une certaine manière, à notre raison elle-même. C'est précisément cette permanence du mal moral, cette « cohabitation » en nous du mauvais principe à côté du bon qui explique le recours au mythe biblique.

105. Cf. PR 132.
106. Kant cite lui-même ce passage de Romains, VII, 14-15 et 22-23 dans RG 22 = RL 49, mais à propos de la « fragilité ». Voir aussi les allusions de PR 87, 90, 137.
107. Cf. PR 137-138.
108. Cf. RL 143 ; CO 77-78.

C'est aussi sur ce point précis que l'interprétation que
donne Kant du christianisme se distingue de celle de l'*Aufklärung,* celle de Lessing et de Rousseau en particulier, dont il est
si proche par ailleurs. Il ne fait pas, comme le premier, du
péché originel la conséquence de l'incapacité de nos premiers
ancêtres à se rendre assez maîtres de leurs actes pour suivre la
loi morale [109] ; il n'affirme pas non plus, comme le second, une
innocence primitive de la nature humaine que seule la vie en
société aurait corrompue. Il considère le mal moral comme radical, comme ayant sa racine « dans la perversion de la maxime et par suite dans la liberté elle-même [110] ». Le mal moral
est donc scandaleusement positif ; par lui la contingence s'introduit dans notre raison, et la servitude dans notre liberté.
Dans *l'Insuccès,* Kant avait déjà établi fortement deux principes : 1) on ne peut justifier Dieu du mal moral qui est dans
la créature en disant que ses voies ne sont pas nos voies et
qu'il utilise nos fautes pour le plus grand bien de l'ensemble ;
cette défense de Dieu est indigne de Dieu, et mieux vaut encore
comme Job l'incriminer lui-même que lui adresser de telles
louanges [111] ; 2) on ne peut assigner le mal moral à la finitude
de l'homme, comme si ce « malheur » appartenait nécessairement à notre essence, car alors, le mal étant inévitable, nous
en serions irresponsables : « Ce moyen a l'inconvénient de légi-
timer le mal lui-même », de le supprimer en tant que mal [112].
Finalement c'est encore le « mythe » du péché originel et du
serpent qui fait le mieux comprendre l'existence du mal, de
l'esprit mauvais, corrupteur, et l'origine incompréhensible de
la faute, qui ne surgit pas d'un état d'inconscience, mais d'innocence [113]. En tant que mauvais esprit qui domine nos esprits,
Satan est le « prince de ce monde », que Dieu n'a pas voulu
détruire par respect infini pour notre liberté [114]. Sans doute,
il s'agit là d'un simple « mythe », mais derrière le simple mythe
s'affirme l'inéluctable réalité. Et ici encore Kant cite saint

---

109. Cf. Delbos, p. 678, note.
110. RG 69 A. = RL 82, note.
111. Cf. TH 199 ; RL 64-66.
112. TH 199.
113. Cf. TH 199 ; RL 64-66.
114. Cf. RL 61-62.

Paul : « en Adam tous ont péché [115]. » N'est-ce pas justement
cette importance accordée au problème du mal qui explique
que Kant, contrairement à l'*Aufklärung,* accorde une place
privilégiée, pour ne pas dire exclusive, à la religion chrétienne ?
Apparemment, nous l'avons dit, le mazdéisme, que Kant connaissait bien [116], s'accordait mieux avec la foi de la raison que
le christianisme. Mais le christianisme est pourtant plus juste
en ce qu'il considère le mal non pas comme une substance éternelle, mais comme notre propre faute ; le mauvais principe,
bien qu'inexplicable, est dans notre volonté. D'autre part le
chrétien se sent *concerné* par la personne du Christ, qui n'est
pas le symbole d'un principe métaphysique du bien, mais de
l'humanité, fin dernière de la création. Finalement, le christianisme est bien plus proche de l'humanisme pratique que
toute autre religion, parce que seul il rend compte de la misère
de l'homme et de la grandeur de sa vocation.

Si la profondeur du mal moral conduit Kant à s'interroger sur le christianisme, on ne s'étonnera pas non plus qu'il
ait envisagé ce dernier dans sa forme la plus radicale et la plus
étrange pour le philosophe : la doctrine de la Réforme. « Pou-
vait-on impunément aller aussi loin avec Paul que ne l'a fait
Kant dans sa théorie du péché ? » écrit Karl Barth [117]. Et il
ajoute :

> Le fait que Kant, dans ce domaine, soit allé si loin [...],
> se répercute dans sa doctrine du salut. Comme d'étranges
> visiteurs tombés d'un autre monde, surgissent ici des con-
> cepts comme : satisfaction expiatoire [*stellvertretende
> Genugtuung*], justification [*Rechtfertigung*], rémission des
> péchés [*Vergebung*], nouvelle naissance [*Wiedergeburt*],
> et même prédestination, sans qu'on tente de voiler le mys-
> tère qu'ils apportent avec eux ; à l'horizon d'une philoso-
> phie de la religion, on les salue, avec une compréhension
> mêlée de surprise, de respect et de hochements de tête
> déférents ; et on les reconnaît comme des concepts qui,

115. Romains, v, 12, cité *in* RG 45 = RL 64.
116. Cf. FC 219 et Bohatec, p. 163-164.
117. K. Barth, *Die protestantische Theologie im 19. Jahrhundert,*
p. 265. C'est aussi l'avis de Delbos : cf. p. 681-682 et de Bruch : cf.
p. 75-76.

d'une manière ou d'une autre, sont en tout cas possibles
et qui signifient au moins des questions ouvertes [118].
C'est que le problème du salut est loin d'être simple !
L'affirmation du mal radical a un tout autre sens que l'affirmation de la finitude humaine ; elle ne signifie plus que l'homme,
imparfait, a des progrès à faire ; elle signifie que les jeux
sont faits. Parce qu'il a admis dans sa maxime fondamentale de
violer la loi — ou en tout cas de l'utiliser hypocritement à son
profit — l'homme s'est rendu mauvais une fois et une fois pour
toutes : « L'homme, autant que nous le connaissons, est corrompu ; et il n'est, de lui-même, nullement conforme à cette
sainte loi [119]. » « Alors, comment serait-il possible qu'un homme mauvais comme par nature se rendît lui-même bon : voilà
qui dépasse tous nos concepts ; car comment un arbre mauvais
peut-il porter de bons fruits [120] ? » Il y a là une faille, ou du
moins, comme dit Kant lui-même, « une insuffisance au point
de vue théorique » de la religion de la raison à résoudre les
problèmes suivants : « origine du mal, possibilité du passage
du mal au bien, ou de la certitude que nous nous y trouvons [121] ». Si la raison est certaine et suffisante au point de vue
pratique, « la Révélation (en revanche) est utile pour compléter
la carence *théorique* de la pure foi rationnelle [122] ». Pour le
dire autrement, ces problèmes du mal moral, de la conversion
et de la justification sont pour la raison des *Geheimnisse,* des
mystères, et même de saints mystères [123]. Certes, il n'y a mystère que pour la raison théorique. Et toutes les affirmations
chrétiennes concernant une intervention de Dieu en notre faveur, pour notre salut, restent au-delà des limites de la simple
raison, bien que terriblement près de ces limites :

> Ce sont des *Parerga* de la religion dans les limites de la
> simple raison ; car elles n'appartiennent pas à son do-

---

118. Barth, *Die protestantische Theologie im 19. Jahrhundert,*
p. 265.
119. RG 216 = RL 188.
120. RG 49 = RL 67.
121. Lettre au roi de Prusse, première version, *in* CO 141 ; cf.
RL 215-216.
122. Même lettre, 2e version, *in* CO 8. Le texte de *la Religion*
(p. 215) atteste la sincérité de Kant dans sa lettre au roi.
123. Cf. RL 180ss. et 187ss. Voir le commentaire de Bohatec, p.
555ss.

maine propre, mais elles touchent ses frontières. La raison, consciente de son impuissance à satisfaire sa propre exigence morale, s'élève jusqu'aux idées transcendantes capables de combler cette lacune, sans se les approprier pourtant comme pour accroître son domaine. Elle ne conteste pas la possibilité ni la réalité de l'objet de ces idées, mais elle ne peut tout simplement pas les admettre dans ses maximes de pensée et d'action [124].

L'objet commun à toutes ces idées « transcendantes » (*überschwenglichen*), c'est la *libre grâce de Dieu* : quel statut la religion dans les limites de la simple raison va-t-elle lui reconnaître ?

La doctrine du mal radical a pour conséquence un appel à la conversion, à la nouvelle naissance. Et cette conversion doit être, comme le mal lui-même, le fait de notre libre arbitre pour nous être imputée [125]. Nous savons d'autre part que cet acte intemporel se traduit dans le temps par un progrès à l'infini. Le renouvellement du cœur n'exclut pas la fragilité ni même l'impureté ; il donne simplement la force de les combattre [126]. Seulement la doctrine de la conversion se heurte à une difficulté beaucoup plus fondamentale, qui concerne non pas les obstacles extérieurs, mais sa possibilité même : « Si l'homme est perverti dans le principe de ses maximes, comment peut-il accomplir cette révolution par ses propres forces et devenir de lui-même un homme bon [127] ? » Est-ce possible dans une perspective qui refuse tout secours divin tout en déclarant le mal *inextirpable* ? C'est possible, répond la raison pratique, puisque nous le devons : « Car, du moment que la loi morale ordonne que notre *devoir* est de devenir maintenant des hommes meilleurs, il suit immanquablement que nous devons aussi le pouvoir [128]. » Seulement, « maintenant », c'est-à-dire à la suite du mal radical, le rapport entre pouvoir et devoir n'est plus si clair que dans la *Critique*

124. RG 63 A. = RL 76, note.
125. Cf. RL 67.
126. Voir l'étude de la conversion dans notre chap. III. Sur la *grâce* chez Kant, voir l'excellente étude de Bruch, chap. IV de sa *Philosophie religieuse de Kant*.
127. RG 54 = RL 71.
128. RG 60 = RL 74.

*de la raison pratique* ; « maintenant » il devient même franchement inexplicable, ce rapport, pour ne pas dire absurde. À moins justement de faire intervenir, au moins à titre d'hypothèse, de mythe, de symbole, la grâce de Dieu.

Et c'est ici que surgissent les principaux concepts de la théologie luthérienne, les « étranges visiteurs » dont parlait K. Barth. D'abord la *sanctification (Heiligung)*. La loi morale nous prescrit d'être parfait ; mais la distance à franchir entre le mal dont nous partons et la perfection qui nous appelle est infinie. L'homme moral est en droit d'espérer que Dieu ne le juge pas selon ses actes, toujours déficients, mais selon le progrès continu qui témoigne, dans le phénomène, d'une bonne intention véritable, d'une conversion du cœur. Mais cette doctrine du *progrès à l'infini* soulève une difficulté insurmontable. La bonne intention peut bien compenser notre imperfection naturelle, « inséparable de l'existence d'un être dans le temps, qui consiste à n'être jamais tout à fait ce qu'on est en train de devenir [129] », elle permet à Dieu de nous juger « convertis », malgré l'obstacle toujours présent de la fragilité et de l'impureté : elle ne permet pas de compenser le mal radical. Car ce mal est lui-même une perversion de notre intention fondamentale ; comment celle-ci peut-elle encore devenir une bonne intention ? Et même le deviendrait-elle, quelle assurance aurions-nous de sa persistance ? Ici encore l'homme ne peut se fonder sur l'expérience puisqu'il ne peut saisir la réalité (intelligible) de son intention, ni la conclure d'un constat tout extérieur de bonne vie et mœurs [130]. Si la conversion se traduit par un constant progrès vers le mieux, un constant progrès vers le mieux ne se traduit pas toujours par une conversion réelle ; il peut être dû à des causes tout extérieures [131]. La *Critique de la raison pratique,* là même où elle fondait l'immortalité de l'âme sur la nécessité du progrès à l'infini, reconnaissait déjà cette incertitude radicale : « La *conviction* de l'immutabilité de son intention dans le progrès vers le bien semble être pourtant une

129. RG 86 A. = RL 93, note.
130. Cf. RL 75.
131. Cf. RL 70 ; cf. Bruch, p. 82ss.

chose impossible en soi pour la créature [132].» Curieuse espérance, d'ailleurs, que celle d'un progrès à l'infini pour un être qui ne sait même pas s'il est capable de progresser ! N'est-ce pas la figure de Sisyphe qu'on nous propose là ?

Un théologien allemand, Lütgert, écrivait à ce sujet : « Un mouvement qui sait au départ qu'il ne peut pas atteindre son but s'éteint par là même. Un élan peut-il se soutenir quand il s'accompagne, au départ, de la conscience qu'il est sans fin ? Voilà une question que Kant n'a jamais envisagée [133].» S'il ne l'avait pas envisagée, il n'aurait pas écrit sa *Religion* ! Seulement, comment peut-on encore soutenir la doctrine du progrès à l'infini après avoir posé le mal radical ? Il est de fait significatif que les derniers ouvrages de Kant ne parlent plus guère du progrès à l'infini. Quand il se demande ce qui peut consoler, à l'heure de sa mort, l'homme qui contemple ses fautes passées, irrémédiables, Kant ne fait pas état du progrès qui l'attendrait après sa mort [134]. Une telle doctrine est d'ailleurs opposée à l'espérance chrétienne... De même, s'il affirme toujours la nécessité de la foi pratique en l'immortalité de l'âme, c'est dans un sens bien différent : non plus à titre de postulat du progrès à l'infini, mais « pour satisfaire aux droits de l'éternelle justice [135] », pour que chaque homme reçoive la récompense ou le châtiment qu'il mérite réellement : « L'immortalité, c'est-à-dire la continuation de notre existence après nous, comme enfants de la terre, avec les conséquences physiques et morales à l'infini qui résultent de leur conduite morale... [136] ».

---

132. PR 133 ; cf. RL 97 à 99.
133. Cité par Bohatec, p. 598 ; même théorie chez Herbart : voir Cohen, *op. cit.*, p. 342ss.
134. Voir RL 95 à 97 (la note) et 212 (la note).
135. Remarque finale de la *Doctrine de la vertu*, in MS 490.
136. Les *Progrès réels de la métaphysique depuis Leibniz et Wolff*, p. 375. Ce livre reprend la doctrine des postulats sans mentionner les progrès à l'infini. Dans *la Fin de toutes choses*, ce progrès est mentionné à titre de « comme si » (p. 226), mais sans que cette espérance puisse nous satisfaire (p. 227). Les opuscules sur l'histoire affirment que c'est l'espèce humaine, et non les individus, qui peut réaliser sa destination (voir notre chap. VI). J. Bohatec remarque justement (p. 189) qu'une telle doctrine appelait son complément avec le postulat de l'immortalité individuelle. Mais ce parallélisme entre le progrès individuel et le progrès de l'espèce était peut-être trop factice pour être

En tout cas, pour résoudre le problème de la sanctification, Kant ne fait plus appel au progrès à l'infini (sinon dans cette vie). Il se contente de dire avec saint Paul, tout en le « laïcisant » : « Son esprit [celui de Dieu] rend témoignage à notre esprit [etc.], c'est-à-dire que celui qui possède une intention aussi pure qu'il le doit sent déjà de lui-même que sa chute ne sera plus jamais si profonde que le mal puisse encore être vainqueur en lui. » Seulement, pour éviter la présomption qui pourrait naître d'une telle confiance, « il est bien préférable de dire : travaillez avec crainte et tremblement à accomplir votre salut [137] ». La sanctification, qu'exige de nous la loi morale, ne peut pas être une certitude. Tout au plus une espérance. Mais en quoi ? En qui ?

Ce qui aggrave encore notre impuissance, c'est le caractère *inexpiable* du mal radical. Et ceci nous conduit au problème, tout à fait central chez Luther, de la *justification,* la *Rechtfertigung.* Chez Kant il se pose aussi, et en termes inflexibles ! Même si nous pouvons devenir des hommes nouveaux, régénérés, ce qui est loin d'être clair, notre faute passée reste là comme une dette (*Schuld*). Comment nous en acquitter ? Par un surcroît de mérites ? Mais dans le domaine moral, il n'existe aucun « surcroît » ; l'homme qui fait tout son devoir ne fait jamais que son devoir ; et devant Dieu, en tout cas, il n'a jamais que des devoirs et aucun droit [138]. D'autre part, comme le mal radical représente une transgression infinie de

---

maintenu. Il est frappant en tout cas que l'auteur n'en fasse pas état dans ses écrits religieux, où pourtant c'était le cas ou jamais ! Dans *la Fin de toutes choses,* la mort est présentée comme l'ouverture du jugement dernier (FC 218), qui porte sur l'ensemble de notre existence terrestre, sur « la vie entière » (RL 105) ; elle est le moment du bilan : « La raison pratique [...] ne nous dit que ceci : seule la conduite de notre vie nous permet de conclure si nous sommes oui ou non des hommes agréables à Dieu ; et comme cette conduite s'achève avec notre vie, notre compte s'achève également ; et c'est le bilan seul qui devra dire si nous pouvons nous tenir pour justifiés ou non » (RG 92 A. = RL 97, note). L'immortalité n'est donc plus postulée au bénéfice d'une sanctification progressive, mais d'un jugement définitif. Cf. sur ce point Bruch, p. 125-126.

137. RG 87 = RL 93-94 ; les deux citations sont de Romains, VII, 16 et de Philippiens, II, 12.

138. MS 488ss.

la loi morale par chacun de nous, seule une peine infinie, éternelle, pourrait l'expier [139]. Peut-on compter sur l'indulgence divine ? Non, car la faute doit être expiée, car l'indulgence est en fait un mépris, non seulement de la justice, mais du coupable lui-même, qui est à la fois sujet et législateur de la loi morale, et qu'il est inique de traiter comme un simple moyen [140]. Rien n'est donc plus injuste que l'idée d'un Dieu indulgent qui passerait l'éponge sur nos fautes [141]. À ceux qui trouveraient cette théologie par trop sombre, on peut toujours demander : admettriez-vous un Dieu qui accueillerait dans son paradis un Néron ou un Hitler sans tenir compte de leurs fautes ? Un tel Dieu ne serait pas le *Bon* Dieu. Maintenant, pourquoi devrait-il tenir compte des fautes de Néron ou d'Hitler et passer l'éponge sur les nôtres ? Pour être moins graves, sont-elles moins inexpiables ?

Ce qu'exige la justice éternelle, notre propre conscience en témoigne à sa manière avec le *remords,* sentiment douloureux et inutile en soi, puisqu'il « ne peut servir à faire que ce qui est arrivé ne soit pas arrivé [142] » ; et pourtant le remords témoigne de la liberté absolue qui est au principe de la faute ; si le temps pouvait effacer celle-ci, cela voudrait dire que j'aurais cessé d'être moi ; c'est pourquoi le blâme intérieur de la conscience est irrécusable [143]. Alors, qu'est-ce qui peut nous justifier ? L'oubli ? Mais le temps ne peut pas effacer une faute qui est le fait d'une décision intemporelle ; qu'elle soit ancienne ne change rien à l'affaire ; oublier, « s'oublier », c'est tout simplement se renier. Le repentir ? Mais que vaut un repentir, si sincère, si fécond soit-il, qui n'est pas fondé sur la certitude d'être pardonné ? Un homme qui a tué — et toute faute réelle n'a-t-elle pas ce caractère irréparable du meurtre ? — ne sera pas déchargé de son crime par la décision sincère de ne plus recommencer ; il ne dépend plus de lui de devenir un homme nouveau. Reste la solution chrétienne, c'est-à-dire

139. Cf. MS 490 et RL 98-99.
140. Voir *Doctrine du droit,* E, *in* MS 331-332.
141. Cf. RL 186 ; sur la justice de Dieu, voir Bruch, p. 111 à 113, 127, 142, 197-199, 216, 264-265.
142. PV 176 = PR 105 ; cf. RL 153-154.
143. Cf. PR 105 ; AN 98.

l'absolution du pécheur grâce à la souffrance et à la mort du Christ, la *Stellvertretende Genugtuung* des théologiens ; c'est le Christ qui a pris sur lui le poids de notre péché. Seulement, pour Kant, un innocent ne peut se substituer à moi, même volontairement, pour éteindre ma dette, et la faute « est la dette de toutes la plus personnelle [144] ». N'est-ce pas à dire aussi que nous sommes tous des débiteurs insolvables ?

Alors où est la solution ? Ici encore elle se situe sur le plan du mythe et de l'espérance. L'espérance, c'est que l'intention de devenir un homme nouveau en s'arrachant au mal sera comptée par Dieu comme une expiation décisive de notre passé coupable. Le mythe, qui exprime cette espérance, c'est l'idée du Fils de Dieu, dont les souffrances et la mort rédemptrice sont le symbole de cette naissance à une vie nouvelle, de cette intention purificatrice qui fait de nous un autre homme ; le sacrifice du Christ a « figuré » *(vorgestellt),* comme une mort endurée une fois pour toutes, la souffrance dont l'homme nouveau « qui meurt à l'ancien doit sans cesse se charger dans la vie » ; c'est en ce sens qu'il est notre « Représentant [145] ». Mais cette figure ne contredit-elle pas en fait ce qu'elle est censée symboliser, puisque personne ne peut me représenter dans l'expiation de ma faute ? Kant se borne à répondre : « Autant que la raison peut le comprendre, personne d'autre ne peut [nous] remplacer par la surabondance de sa vertu, par son mérite. Ou, si l'on admet cela, il ne peut être nécessaire de l'admettre que dans un but moral, car pour la ratiocination [*Vernünfteln*] c'est un mystère inaccessible [146]. » Mais peut-on admettre, justement « dans un but moral », une justice qui n'est pas la nôtre ? Ici encore la réponse se borne à un appel à l'espérance. Après avoir parlé du Christ, symbole de l'intention totalement pure et bonne, qui « garde devant la justice suprême sa pleine valeur pour tous les hommes de tous les temps et de tous les mondes », du moment que chaque homme y conforme sa propre intention, Kant ajoute : « Assurément, elle demeurera toujours une justice qui n'est pas la

144. RG 95 = RL 99.
145. RG 99 = RL 102.
146. RG 216 = RL 188.

nôtre, pour autant que celle-ci devrait consister dans une conduite pleinement et irréprochablement conforme à cette intention.

Et pourtant il faut bien que l'imputation de l'une [la justice du Christ] en faveur de la nôtre soit possible, si celle-ci est associée à l'intention de l'Archétype... [147] ».

C'est donc la conscience de notre impuissance qui pousse le philosophe au recours au mythe, l'ouvre à la Révélation. S'il dit parfois que la Bible n'est que la représentation populaire, imagée, d'une vérité morale que la raison pourrait trouver par elle-même [148], il affirme ailleurs que « pour le moment » *(vorjetz)*, la raison ne peut pas se passer tout à fait de ce véhicule [149]. Il va jusqu'à trouver un sens à une doctrine aussi révoltante que celle de la prédestination, ce *salto mortale* de la raison humaine [150] ; car la parole de saint Paul : « il a pitié de qui il veut et il endurcit qui il veut » exprime, sur le plan mythique, le mystère du choix intelligible : « On peut sans doute l'interpréter ainsi : personne ne peut dire avec certitude d'où vient que celui-ci soit un homme bon, celui-là un homme mauvais, tous deux comparativement [151]. » Disons que la Bible, avec tous ses mystères, nous parle de *notre* mystère, qu'elle nous interpelle tels que nous sommes. C'est pourquoi elle joue bien plus qu'un rôle pédagogique, donc provisoire ; la raison pratique ne peut pas s'en défaire comme on quitte un habit devenu trop étroit ; la Bible reste « le guide le plus apte à fonder et à conserver, pour des temps d'une durée indéfinie, une religion publique vraiment propre à régénérer les âmes [152] ».

Plus remarquable encore est le rôle que *la Religion* accorde à l'*Église :* elle lui consacre toute sa troisième partie et de longs passages de la quatrième. C'est que l'homme nouveau ne peut vivre dans la solitude ; la vie sociale en effet développe les passions les plus terribles, la cupidité, l'ambition, l'envie ; la société civile réprime ces passions par la contrainte extérieure, le droit, elle n'en détruit pas le principe. Il faut donc

147. RG 83-84 = RL 91-92.
148. Cf. RL 203.
149. Cf. RL 230.
150. Cf. RL 159.
151. RG 178 A. = RL 159, note.
152. Lettre au roi de Prusse, *in* CO 9.

une société morale, une organisation des bonnes volontés, c'est-à-dire une république éthique dont la législation soit intérieure et sans contrainte. Mais comment unir les bonnes volontés en vue du bien suprême ? Cela n'est pas en notre pouvoir. Il faut donc admettre l'idée de Dieu, d'un législateur suprême organisant tout pour faire concourir les bonnes volontés à l'effet commun, l'achèvement de l'humanité. L'homme isolé, et mauvais par nature, ne peut pas réaliser cette communauté éthique ; ce qui n'empêche pas qu'il doit agir « comme si » elle dépendait de lui [153]. La véritable Église est donc « invisible » ; une Église particulière ne peut prétendre s'identifier à elle ; bien plus, elle n'a de valeur que dans la mesure où elle s'inspire de ce modèle nouménal qu'est l'Église invisible, où elle en manifeste *hic et nunc* les caractères essentiels. Ces caractères sont : 1) l'universalité, fondée sur une vérité pratique qui transcende les diverses confessions ; 2) la pureté, le fait que son existence découle de mobiles exempts de toute superstition et de toute exaltation fanatique ; 3) la liberté, ou indépendance à l'égard de tout pouvoir humain : en ce sens l'Église n'est ni une monarchie, ni une aristocratie, ni même une démocratie, mais plutôt l'image d'une grande famille gouvernée par un père invisible, qui représente son fils... [154] ; 4) l'immutabilité dans sa constitution, fondée sur des principes exclusivement éthiques et déterminée par l'idée de sa fin ultime [155]. Certes l'Église visible est toujours tentée de trahir sa vocation, d'aliéner sa foi morale dans les « croyances d'Église » et sa législation éthique dans les préceptes « statutaires ». Il n'en reste pas moins que l'Église visible, en tant qu'elle rend l'Église invisible visible en elle, reste une institution éthique indispensable [156]. Malgré la différence des fondements, il y a chez Kant une exigence très proche de celle du christianisme. K. Barth lui-même a été frappé de cet intérêt porté à l'Église ; dans cette doctrine, dit-il, « c'est indiscutablement les prédicats bien connus du vieux concept chrétien de l'Église qui occupent l'esprit de Kant : *ecclesia una, sancta, catholica et apostoli-*

153. RL 135.
154. RL 137.
155. Pour tout ceci, cf. RL 136ss.
156. Cf. notamment RL 143, 197 et 199.

*ca* [157] ». Le plus remarquable est l'insistance singulière sur la nécessité de l'Église visible : « Kant parle de l'Église sous son aspect visible avec un ton soudain différent et avec un tout autre poids que lorsque nous l'entendons sur les concepts parallèles de la religion positive, de la Bible et du Christ historique [158]. » Qu'il tire sa doctrine de la pure raison ou d'ailleurs..., elle est, ajoute Barth, « un tableau bien rendu de ce que les chrétiens entendent par Église [159] ».

L'importance accordée à l'Église sous son aspect visible vient peut-être de ce qu'elle comble une lacune dans la doctrine de Kant. Jusqu'ici, l'idée de communauté humaine se décomposait, dans cette doctrine, en deux concepts absolument étrangers l'un à l'autre : d'une part le concept de société civile, qui se caractérise certes par un progrès constant dans la voie de la culture et de la civilisation, mais un progrès tout extérieur qui se fait sans nous et qui n'est pas pour nous [160] ; d'autre part l'idée, ou mieux l'idéal du « royaume des fins », qui pose la communauté des bonnes volontés sous la loi morale comme un but à réaliser, mais sans aucun contenu concret ici-bas. L'intérêt de l'Église, c'est qu'elle réalise la synthèse de l'idéal et du réel, du progrès social et du progrès moral, de l'extérieur et de l'intime. On s'en rend compte d'ailleurs en lisant les belles pages où Kant examine la prière [161], le culte, le baptême et la communion [162], bref les grands actes constitutifs de l'Église luthérienne : certes il critique ces actes en tant qu'on leur donne le sens de « moyens de grâce » et qu'on les réduit ainsi à des procédés magiques ; il n'en reste pas moins que ces actes d'Église sont en eux-mêmes bons et nécessaires ; le culte en commun est « une représentation sensible de la communion des fidèles », il est donc un devoir envers soi-même et envers l'ensemble [163] ; la sainte Cène « contient en soi quelque chose de grand,

157. K. Barth, *Die protestantische Theologie im 19 Jahrhundert*, p. 258.
158. *Ibid.*, p. 259.
159. *Ibid.*
160. Voir notre chap. VI, début.
161. Cf. RL 253ss.
162. Cf. RL 257ss.
163. RL 257.

quelque chose qui élargit la manière de penser étroite, égoïste et intolérante des hommes, notamment en matière de religion, jusqu'à l'idée d'une *communauté morale* cosmopolite, et constitue un bon moyen pour animer dans une paroisse le sentiment moral de l'amour fraternel [164] ». Ici non plus, l'esprit ne peut pas se passer de la lettre ! Néanmoins, cette doctrine de l'Église est trop tardive, trop isolée dans l'œuvre de Kant, elle manque par trop de répondants dans ses autres ouvrages, pour qu'on puisse lui accorder une importance de premier plan.

Ayant posé le problème du mal comme les grands réformateurs, Kant devait se sentir concerné par leur solution, pourtant si peu conforme à la religion de la raison ! La justification du pécheur par le sacrifice du Christ, la sanctification comme œuvre de l'Esprit de Dieu en nous, l'instauration de l'Église du Christ dans le monde, voilà des concepts qui ont droit de cité dans sa *Religion,* au moins à titre de symboles nécessaires — et avec eux les concepts d'élection de foi salvatrice *(der Seligmachende Glaube),* qui sont autant de figures de la grâce [165]. Et pourtant Kant recule devant les conséquences irrationnelles de cette doctrine ; il se refuse au « saut mortel ». Sa sagesse exclut ce que saint Paul appelait « la folie de la croix ». Ainsi le lecteur se trouve-t-il devant deux types d'affirmations, devant deux *axes* différents, pour ne pas dire opposés.

L'*axe de la foi,* et maintenant au sens chrétien du terme, c'est-à-dire l'acceptation confiante d'un mystère qui dépasse notre raison et vient combler l'insuffisance radicale de notre cœur : l'acceptation de la grâce. Oui, si incompréhensible qu'elle soit, cette intervention gratuite de Dieu en notre faveur n'est pas impossible dit Kant ; en tout cas, il est impossible de démontrer qu'elle est impossible [166] ! Car, après tout, la liberté comme fait, comme choix intelligible du bien ou du mal, est elle aussi un mystère : « À ce sujet, Dieu nous a

---

164. RL 259 ; cf. aussi L. Goldmann, *la Communauté humaine et l'univers chez Kant,* p. 199 à 201.
165. Sur la foi salvatrice (et non « sanctifiante »), voir RL 153ss.
166. Cf. RL 225 et 249.

certes révélé sa volonté par la loi morale en nous, mais il
a laissé dans l'ombre les causes en vertu desquelles un acte
libre se produit sur la terre... [167] » ; expliquer la liberté serait
la détruire. Même la présence en nous, hommes sensibles et
égoïstes, de la loi morale comme mobile effectif, est inexplicable, et nous pouvons bien alors nous la représenter comme
« produite par la divinité [168] », comme un don [169]. Aussi n'est-il
pas absurde d'imaginer que Dieu nous donne aussi cette justice
et cette sainteté pour lesquelles il nous a créés [170]. Il n'est pas
absurde de « personnifier » ce don gratuit dans le sacrifice
du Fils de Dieu [171]. Il n'est pas absurde, il est peut-être même
nécessaire, de nous représenter la grâce comme acquise par la
croix du Christ, symbole temporel de notre conversion intelligible, de la mort du vieil homme en nous [172]. Bref, le recours
à la grâce apparaît comme la conséquence inévitable de notre
impuissance, impuissance qui nous est révélée par notre propre
raison : « Chacun peut se convaincre par sa propre raison du
mal qui réside dans le cœur humain et duquel nul n'est exempt,
de l'impossibilité aussi à nous croire jamais justifiés devant
Dieu par notre conduite, et de la nécessité malgré cela de
posséder une justice valable devant lui [173]. » Croire à la grâce,
c'est admettre que Dieu tiendra compte de notre seule intention, qu'il est seul à connaître [174]. Mais Kant ne dit jamais,
du moins à ma connaissance, que c'est Dieu qui suscite
en nous cette intention, que c'est lui qui crée en nous un
cœur pur...

C'est qu'il ne faut jamais oublier l'*axe de la raison*, qui
traverse le premier et semble le briser ou du moins le fausser.
Oui la grâce est peut-être nécessaire, mais il est impossible à
notre raison de comprendre en quoi elle consiste ; l'affirmation
décisive : « tes péchés te sont pardonnés », est une révélation

---

167. RG 218 = RL 189.
168. CO 47.
169. Cf. CO 48.
170. Cf. RL 188.
171. Cf. RL 91.
172. Cf. RL 110 et 99ss.
173. RG 248 = RL 215.
174. Cf. RG 83 = RL 103.

qui ne peut correspondre à aucune expérience [175]. D'ailleurs, même si Dieu voulait nous faire comprendre une révélation surnaturelle, il n'y pourrait parvenir, car notre entendement n'y est pas apte [176]. Irrationnel, le recours à la grâce est surtout moralement dangereux, car il risque de tourner à la foi paresseuse, servile et courtisane [177]. Des deux conditions de la foi salvatrice, l'action de Dieu envers nous et notre propre effort pour la mériter, la seconde est en réalité la seule qui nous importe et qui nous concerne [178] ; car le lot de l'être humain n'est pas la béatitude, mais l'effort et la vertu ; aussi, « le droit chemin n'est pas celui qui va du pardon des péchés à la vertu, mais au contraire de la vertu à la rémission des péchés [179] ». La foi au Christ ne peut répondre qu'à un problème théorique, « car nous ne pouvons pas nous rendre compréhensible l'expiation [180] ». Mais ce n'est jamais qu'à titre de symbole. S'il existe réellement une grâce de Dieu, nous ne pouvons ni la connaître ni la provoquer : tout au plus l'espérer [181]. « Il n'est pas essentiel donc nécessaire à quiconque, de savoir ce que Dieu fait ou a fait pour son salut, mais bien de savoir ce qu'il a à faire, lui, pour se rendre digne de ce secours [182]. »

On pourrait prolonger indéfiniment ce jeu de citations opposées, les unes faisant de Kant un croyant de type luthérien, les autres un rationaliste antireligieux ; les unes un augustinien, les autres un pélagien ! Pourtant, malgré toutes ces subtilités, le noyau de sa pensée semble solide. Sur le plan religieux, l'unique nécessaire est pour lui la conscience de devoir et de pouvoir ce qu'on doit. Cette certitude est *religieuse* par elle-même puisqu'elle implique le recours au monde nouménal. Elle l'est encore, et peut-être d'une autre manière, du moment qu'elle est contestée, remise en question, par l'existence du

175. Cf. CO 53-54.
176. Cf. RL 189, note 1.
177. Cf. RL 75, 249, 260ss.
178. Cf. RL 163ss.
179. RG 314 = RL 262.
180. RG 172-173 = RL 156.
181. Cf. RL 77, 190, 228-229, 233.
182. RG 63 = RL 76 ; cf. RL 211, 182, 228-229 ; voir Bruch, p. 128.

mal radical, « la cohabitation du principe mauvais à côté du bon ». Pour affirmer malgré tout le « tu dois donc tu peux [183] », Kant ouvre sa philosophie à des notions qui lui sont étrangères : la justification et la sanctification par la grâce. Il les admet, mais à titre de possibilité sans contenu objectif, à titre d'espérance pour l'homme moral ; et toutes les représentations religieuses qui traduisent cette espérance, en particulier la mort et la résurrection du Christ, ne sont jamais que des symboles, puisque le suprasensible, révélé par la morale ne peut jamais se transformer en « surnaturel », si du moins nous ne voulons pas renier notre raison. Au fond, *la Religion* introduit les articles essentiels de la Révélation chrétienne comme la raison pratique introduisait les postulats : ce sont des « comme si » dont toute la vérité est dans leur valeur pratique. Seulement Kant a peut-être sous-estimé la différence entre ceux-ci et ceux-là : les postulats de la raison pratique sont *rationnels,* puisque la raison théorique avait démontré leur possibilité ; les articles de foi du christianisme sont *irrationnels ;* leur objet n'a de place ni dans le monde de l'expérience, ni dans le monde intelligible. Plus encore : ils contredisent l'exigence fondamentale de la raison pratique qui est l'autonomie. Pourquoi et comment Kant a-t-il pu les admettre ? Peut-être parce qu'il a poussé jusqu'au bout la logique de son rationalisme, qui est aussi sa sincérité profonde : ayant pris conscience de la réalité du mal comme l'injustifiable, il a voulu soumettre à la raison ce qui détruit la raison, il a voulu justifier l'injustifiable.

*
* *

« *La morale conduit donc immanquablement à la religion* » écrit Kant [184]. S'il en est ainsi, c'est à cause de l'existence du mal dans le monde. Et si cette religion s'inspire très explicitement de la foi chrétienne et de nulle autre, c'est à cause de l'existence, encore plus injustifiable, du mal moral dans l'homme.

183. Cf. RL 68, 71, 73, note, 74, 75, 92 ; CO 48, 54, 69-70.
184. Première préface à *la Religion* : RG IX = RL 24.

L'intégration du christianisme « dans les limites de la simple raison » ne pouvait certes aller sans dommages et sans malentendus. Après Kant, et peut-être un peu à cause de lui, la pensée chrétienne s'est mieux comprise elle-même. N'a-t-elle pas dépassé l'opposition mortelle entre la « pratique » et le « théorique » en redécouvrant que la connaissance de Dieu n'est pas un savoir intellectuel, mais une relation existentielle qui tout ensemble éclaire l'homme et le transforme ? Si Kant a souligné justement ce que la doctrine du salut par la foi peut avoir, elle aussi, de magique et d'hypocrite, on peut lui répondre que la foi authentique ne se considère pas comme un « moyen de grâce », comme un acte de l'intelligence et du cœur destiné à capter la bienveillance divine : la foi est cette confiance *(fides)* d'un homme qui sait qu'il n'est plus seul dans le monde. Le chrétien met en Dieu son espérance totale, non pas *pour* obtenir ses faveurs, mais *parce* qu'il sait que Dieu l'a réconcilié avec lui-même et lui a tout donné ; sa connaissance n'est alors ni un savoir, ni un devoir ; elle est, dans tous les sens, une reconnaissance [185]. Enfin, si le croyant est conduit à affirmer l'intervention de Dieu dans l'histoire et dans sa propre histoire, à la désigner comme une réalité objective, ce n'est pas par je ne sais quelle curiosité, quel besoin malsain de dépasser ses propres limites ; c'est au contraire parce qu'à l'intérieur de ces limites, il se sait lui-même interpellé, mis en question.

Sur le plan philosophique, on pourrait faire à Kant un double reproche : d'abord d'avoir cru sauver le christianisme en le réduisant à son contenu pratique ; ensuite, par sa conception trop étroitement leibnizienne du suprasensible, par son souci de lier la liberté à l'intemporel, d'avoir rendu incompréhensible sa propre doctrine du mal et de la rédemption. Ceci n'enlève rien à la profondeur et à l'actualité de sa doctrine. Il serait vain de lui reprocher son moralisme et son rigorisme : comme si vraiment il n'y allait pas de la grandeur de l'homme et de sa liberté, comme si dans ce domaine, qui est celui de notre responsabilité, de notre culpabilité et de

185. Voir sur ce point Strohl, *la Pensée de la Réforme*, notamment p. 90 à 94, p. 35, p. 97, note 4, p. 120, p. 163.

notre salut, on pouvait transiger avec l'honneur de l'homme
et avec l'honneur de Dieu !

Oui, ce que Kant a méconnu du christianisme est important. Ce qu'il en a connu ne l'est pas moins : c'est que l'homme,
être autonome et fin de toute la création, appelé à réaliser de
lui-même et par son seul vouloir la loi morale qui est en lui,
l'homme qui est aussi un pauvre pécheur, radicalement coupable, incapable par lui-même de faire le bien, de devenir
ce qu'il était destiné à être. D'où le recours à Dieu : au Dieu
qui sauve et qui fait grâce, du moins à titre de symbole. Mais
*sans* que l'homme ait à renoncer le moins du monde à sa
raison, à sa liberté, à sa dignité. Foi en l'homme, foi en Dieu :
est-ce conciliable ? Kant a tenté jusqu'au bout, quant à lui,
de les concilier.

# VI

## L'humanisme et le problème du mal

La philosophie religieuse de Kant ne va pas sans un certain pessimisme, du moins « à vue humaine » ; le mal radical est si profond qu'il ne peut être surmonté que par une conversion radicale, et rien ne nous dit que l'homme n'ait pas besoin d'un secours divin pour devenir un homme nouveau. Nous sommes très loin de l'optimisme des Lumières. Et pourtant Kant est un homme des Lumières. Il n'a jamais cessé d'affirmer sa foi au progrès et son refus de désespérer de l'homme. D'autre part, à côté de sa philosophie religieuse, il a publié de nombreux écrits sur l'histoire et la politique où il envisage le progrès humain d'une façon beaucoup plus optimiste, semble-t-il [1]. Si le progrès de l'individu n'est jamais un constat, mais un devoir et un espoir, le progrès de l'espèce humaine vers sa perfection totale est une réalité que l'on peut constater et expliquer. Kant semble aussi opti-

1. Voir : la *Philosophie de l'histoire*, trad. Piobetta (PH) ; *Sur le lieu commun...*, trad. Gibelin (LC) ; *Projet de paix perpétuelle*, trad. Gibelin (PP) ; *le Conflit des facultés*, II, trad. Gibelin (CO) ; *Réflexions sur l'éducation*, trad. Philonenko (ED) ; *Anthropologie*, trad. Foucault (AN), sans parler de la *Doctrine du droit* et de nombreux passages de la *Doctrine de la vertu*, et surtout de la *Critique de la faculté de juger*.

miste au sujet de l'espèce qu'il est pessimiste au sujet des individus.

Théodore RUYSSEN, dans sa thèse latine, estimait que ces deux tendances représentent deux étapes successives dans la pensée de Kant, qui en aurait compris trois en tout : la première, antérieure à 1760, est celle de l'optimisme leibnizien, où le problème du mal est résolu par des arguments *a priori ;* la seconde, qui suit la lecture de Rousseau, est celle de la prise de conscience de la réalité du mal dans l'histoire ; le monde le meilleur fait alors place à l'amélioration progressive du monde et de l'homme, d'où la doctrine du progrès social et moral ; la troisième étape, qui commencerait vers 1792, correspondrait à la découverte, ou mieux la redécouverte du mal radical, ramenant Kant au pessimisme absolu et à la foi religieuse de son enfance [2]. Cependant rien n'autorise à considérer les deux dernières doctrines comme deux étapes successives. Les textes de Kant où se montre le mieux son « optimisme relatif » : *Sur le lieu commun...* (1793), *Projet de paix perpétuelle* (1795), la *Doctrine du droit* (1797), et la deuxième partie du *Conflit des facultés* (1798), sont postérieurs à *la Religion* et à l'*Essai sur le mal radical,* de 1792. Ces doctrines ne sont pas successives, mais contemporaines. Le tout est de savoir comment les concilier, de montrer comment la philosophie religieuse de Kant s'accorde avec son humanisme.

J'envisagerai successivement les trois points qui me paraissent les plus importants pour le problème du mal : le progrès social, l'éducation et le bonheur.

2. Ruyssen, p. 5. Il semble que la suite du livre ne retient pas entièrement cette interprétation génétiste. Ruyssen est revenu sur la question du progrès et du mal dans un article : « Kant est-il pessimiste ? », *Revue de métaphysique et de morale,* 1904, p. 535 à 550 ; après avoir résumé une controverse allemande sur ce problème, Th. Ruyssen prend parti en affirmant que, si Kant est pessimiste au sujet du bonheur, il est finalement optimiste quant à la réalité et au progrès de la moralité. Cette thèse ne distingue pas assez, à mon sens, les différents plans : celui de l'homme idéal et de l'homme réel, ou encore celui de la société et de la moralité individuelle. De plus le problème posé ressortit plus à Schopenhauer qu'à Kant.

## A. *LE PROGRÈS HUMAIN*

Dans *la Religion,* Kant a recours au récit biblique de la chute d'Adam, qu'il interprète dans un sens théologique et pessimiste, inspiré de saint Paul. Dans ses *Conjectures sur les débuts de l'histoire humaine,* de 1786, il utilisait le même récit en lui donnant une interprétation toute différente ; il y voyait un guide pour comprendre non pas l'origine mystérieuse du mal moral mais le passage nécessaire de la nature à la culture, c'est-à-dire de l'homme animal à l'homme raisonnable et social : « en un mot de la tutelle de la nature à l'état de liberté [3] ». Les grandes phases du récit de la Genèse symbolisent autant d'étapes de cette évolution.

Adam et Ève représentent l'homme selon la nature, capable de se nourrir et de se reproduire, mais sans être exposé aux rivalités et à la guerre — ce qui veut dire que celle-ci n'est pas une fatalité naturelle. D'emblée, l'homme de la nature s'affirme comme un être supérieur, capable de marcher, de penser, de parler, mais qui vit à l'abri du besoin et de la crainte, ce qu'exprime l'image du jardin, et qui reste soumis à l'instinct, « cette voix de Dieu [4] ». Cet instinct, qui prescrit et qui défend, la raison va le transformer de fond en comble. D'abord l'instinct nutritif, le plus fondamental : le « fruit défendu », c'est la découverte par la raison d'un plaisir et d'un désir hors des limites de l'instinct animal, opposé même aux répulsions de celui-ci ; c'est la première tentative du libre arbitre, où l'homme se rend compte qu'il peut choisir sa propre conduite. Cette première tentative échoua, justement parce qu'elle fut la première ! laissant l'homme en proie à l'angoisse devant sa propre liberté [5]. C'est l'instinct sexuel qui se trouve perturbé en second ; la feuille de figuier, c'est le symbole de la raison qui découvre qu'elle peut démultiplier la sexualité animale et la provoquer presque à loisir, rien qu'en cachant son objet ; c'est le passage du désir instinctif au désir comme drame ; de là aussi l'apparition de la décence, premier linéament de notre conscience morale. L'attente consciente de l'avenir est le troisième pas de la raison hors de la nature ; maintenant elle se rend compte qu'elle peut jouir de la représentation du futur ; en souffrir aussi, et surtout ! « Dans la peine tu enfanteras... À la sueur de ton visage tu mangeras ton pain » : ces malédictions de Genèse, III, 13ss. peuvent signifier que le travail, la douleur, la mort, sont maintenant devant les yeux de l'homme, font partie de son avenir, qu'il le sait et qu'il maudit alors sa propre raison,

---

3. KS 55 = PH 161.
4. KS 51 = PH 155.
5. Cf. KS 52 = PH 157.

sans autre consolation que la pensée ingrate du progrès. À la dernière étape, la raison sort tout à fait du règne animal, car elle se rend compte qu'elle peut subjuguer l'animal, l'utiliser comme moyen, ce que montre l'homme vêtu de peaux de bêtes, de III, 21 ; ce privilège a pour corollaire l'égalité de tous les hommes avec tous les êtres raisonnables : « L'homme est devenu comme l'un de nous » (Genèse, III, 22) — une fin en soi ; mais la conséquence en est qu'il se trouve à tout jamais chassé du jardin (III, 23), c'est-à-dire de la bienheureuse innocence de l'instinct [6]. Sans cesse, il regrettera le paradis perdu, « mais entre lui et ce séjour imaginaire de délices se pose la raison inexorable, qui le pousse irrésistiblement à développer les facultés placées en lui, sans lui permettre de revenir à l'état de rusticité et de simplicité d'où elle l'avait tiré [7] ».

L'homme est ainsi sorti de l'état de nature ; il est « cultivé » ; il n'est pas encore « civilisé [8] ». Le stade de la civilisation commence avec l'apparition de la société humaine. Et ce progrès est lui aussi une chute, comme l'indique l'histoire de Caïn et d'Abel. La nécessité pour l'homme de subvenir à ses besoins entraîne le travail et aussi la division du travail : pasteurs *et* laboureurs, pasteurs *contre* laboureurs. Ces derniers, en effet, sans cesse menacés par les nomades, s'organisent en cités ; avec la police apparaît le pouvoir légal, la culture et les arts, mais aussi l'inégalité, source d'émulation et de rivalité permanente [9]. Enfin, la guerre va régner entre les cités, et la tentative illusoire de les fondre en une seule se traduira par l'échec irrémédiable que symbolise la Tour de Babel [10].

Ces « conjectures » sur les débuts de notre histoire assignent au mal un rôle bien réel ; c'est avec lui, c'est par lui que commence l'aventure humaine : « L'histoire de la *nature* commence donc par le bien, car elle est l'*œuvre de Dieu ;* l'histoire de la liberté commence par le mal, car elle est l'œuvre de l'homme [11]. » Pourtant le mal dont il est question ici n'a pas

6. Cf. PH 159 à 161.
7. KS 55 = PH 161.
8. Sur cette différence entre « cultivé » et « civilisé », voir *infra,* notes 59 à 61.
9. Cf. PH 164 à 167.
10. Cf. PH 170.
11. Cf. KS 56 = PH 162.

le caractère éthique du mal radical. Ou plutôt, derrière la faute, toujours contingente et individuelle, il faut mentionner l'existence d'un mal collectif qui semble résulter *nécessairement* de l'émancipation de la raison, du déséquilibre qu'entraîne le développement de la culture, qui va *nécessairement* plus vite que celui de la moralité. Sur ce point, Rousseau a raison : au fur et à mesure que l'humanité se cultive et se civilise, la disproportion s'aggrave entre l'instinct, adapté aux exigences de la vie « naturelle », et les institutions, dont la finalité est rationnelle ; de cette contradiction « naissent tous les vrais maux qui pèsent sur l'existence humaine, et tous les vices qui la déshonorent [12] ». La nature humaine doit entrer dans un monde pour lequel elle n'est pas faite. On le voit avec la contradiction entre la maturité sexuelle et la majorité sociale, bien plus tardive, entre la brièveté de la vie et l'exigence culturelle d'un progrès indéfini, entre l'égalité « naturelle » et l'inégalité sociale ; et cette contradiction est très réellement un drame, qui engendre une foule de misères, de vices et de souffrances [13]. Il y a donc un mal inhérent à la civilisation, qu'il est difficile d'imputer à l'individu ; ce dernier en est moins l'auteur que la victime. D'autre part — et sur ce point Kant semble bien s'opposer à Rousseau — le mal ainsi compris est loin de jouer un rôle purement négatif, purement mauvais si j'ose dire.

Avant Hegel, Kant a compris le *rôle positif du mal dans l'histoire*. Notons d'abord qu'il définit l'homme comme l'être du déséquilibre, l'être qui, contrairement à la bête, est doué de raison, mais qui est loin de s'en servir « raisonnablement » comme feraient les anges [14]. C'est pourquoi l'homme a une histoire, c'est-à-dire « des histoires », des luttes, des conflits, des guerres. Ainsi, non seulement aucun progrès n'est prévisible à coup sûr, « car nous avons affaire à des êtres qui agissent librement [15] », mais encore le spectacle de l'humanité

---

12. KS 57 = PH 163, cf. ED 492 et *la Fin de toutes choses*, p. 222.
13. Cf. PH 163 à 165 (la note), ainsi qu'un texte parallèle dans AN 164.
14. Cf. PH 60ss.
15. Cf. CO 98.

nous laisse penser qu'elle est encore plus folle que méchante [16] ;
rien de tel que l'histoire pour rendre pessimiste et misan-
thrope [17] ! Et pourtant, derrière toutes ces erreurs et tous ces
crimes, on peut voir à l'œuvre ce que HEGEL nommera plus
tard la ruse de la raison : « Les hommes, écrit Kant dans
l'*Idée d'une histoire universelle,* de 1874, pris individuellement, et même les peuples entiers, ne songent guère, en poursuivant chacun son but, selon son propre désir et souvent au
préjudice d'autrui, qu'ils conspirent ainsi, à leur insu, au
dessein de la nature [18]. »

La *Nature :* voilà un personnage qui chez Kant montre
bien des visages. Tantôt elle se réduit au monde objectif, soumis aux principes de l'entendement ; tantôt elle se confond avec
la finalité biologique ; tantôt, comme dans *la Religion,* elle
s'identifie à notre liberté intelligible. Comme l'écrit Ruyssen :
« Le mot nature offre cet avantage, fatal au philosophe, de
dissimuler la contradiction absolue, dans la philosophie critique,
entre noumènes et phénomènes [19]. » Dans les écrits sur la
philosophie de l'histoire, la Nature apparaît comme une sorte
de démiurge, qui oriente l'évolution de l'homme, « et sait mieux
que lui ce qui est bon pour son espèce [20] ». Elle est presque
synonyme de « Providence » et joue le même rôle à l'égard de
l'espèce que la grâce à l'égard de l'individu : un rôle aussi
réel que mystérieux [21]. Peu importe d'ailleurs, puisque, pour
Kant, l'idée de Nature n'est jamais qu'un principe « régulateur », une hypothèse de travail qui ne vaut que par sa
fécondité : non pas une chose existante, mais un « comme si ».

Or le rôle de la Nature dans l'histoire, c'est d'utiliser le
mal que fait et que se fait l'homme pour le bien final de
l'espèce humaine. Car enfin, si l'histoire nous apparaît comme
une histoire de fous, absurde et dérisoire, peut-on en rester à

16. Cf. AN 169.
17. Cf. *ibid.* ; voir aussi FJ 112 et n° 63, p. 241.
18. KS 5 = PH 60 ; cf. LC 261.
19. Ruyssen, p. 41.
20. KS 10 = PH 65.
21. Sur la nature, cf. PH 65, 78, 168-169 ; AN 162, 166 ; LC
257 ; FJ n^os 82 et 83. Voir l'étude de Bohatec, p. 206ss.

cette apparence, qui contredit le principe de finalité que nous pouvons supposer dans tout l'univers [22] ? Ne faut-il pas admettre au contraire que, si chaque organe a sa fonction, la raison humaine a la sienne également, bien qu'elle n'apparaisse pas d'emblée ? Ainsi, le philosophe cherchera, « dans ce cours absurde des choses humaines, un *dessein de la Nature* », qui servira de fil conducteur pour interpréter l'histoire [23]. Comment comprendre ce « dessein » ?

D'abord, si la raison, contrairement à l'instinct immuable et statique, est par elle-même un dynamisme et un progrès, ce progrès ne peut aboutir que dans et par l'espèce ; c'est notre espèce immortelle composée d'individus mortels qui seule peut développer jusqu'à la limite les germes de perfection que contient l'humanité [24]. D'autre part la Nature, toujours économe de principes, nous a dotés du minimum d'instinct, nous laissant la tâche de créer nous-mêmes tout ce qui constitue notre humanité : nos moyens d'existence, nos joies, notre moralité, en sorte que c'est à elle-même que l'humanité devra sa propre perfection. Or, ce progrès, la Nature le rend possible par la société, ou plutôt par l'antagonisme entre la société et les individus qui la composent. Il y a là une contradiction constante et nécessaire, puisque les hommes ne peuvent pas vivre seuls et que, d'autre part, leur coexistence est celle d'êtres égoïstes, dont chacun cherche à profiter des autres ou à les dominer, à les dépasser sans pouvoir s'en passer. Toute société est une *ungesellige Geselligkeit,* une « insociable sociabilité [25] ». Ce n'est pas de leur plein gré que les hommes se contraignent à la discipline sociale, mais poussés par la détresse, la pire des détresses, celle de la menace qui vient des autres hommes [26]. Donc l'égoïsme insociable des individus, loin d'empêcher la société, est précisément ce qui la rend nécessaire. Et c'est encore lui qui la pousse sans cesse à se développer, sur le plan politique, juridique et pédagogique. Si les hommes

22. Cf. PH 71 et 78.
23. KS 6 = PH 61 ; cf. PH 76.
24. Cf. PH 61-62.
25. *Idée d'une histoire universelle...,* in KS 69 = PH 64.
26. *Ibid.,* PH 67. Cette explication est plus proche de Hobbes que de Rousseau.

s'entendaient entre eux comme des bergers d'Arcadie, la société
serait un paisible troupeau, sans conflits, sans problèmes, sans
progrès... La vie en commun, par les contraintes qu'elle exige
et les conflits qu'elle suscite, force les individus à se dépasser,
comme ces arbres plantés serrés, qui ne peuvent survivre qu'en
s'élançant vers le ciel [27]. « Toute culture, tout art qui servent
de parure à l'humanité, ainsi que l'ordre social le plus beau,
sont les fruits de l'insociabilité [28]. » Là est précisément la
« ruse de la nature » : « L'homme veut la concorde ; mais la
Nature sait mieux que lui ce qui est bon pour son espèce :
elle veut la discorde [29]. » Et il faut la remercier pour l'égoïsme,
la vanité, l'envie, la soif de posséder et de dominer qu'elle a
mises en nous tous : sans ces passions, l'humanité tomberait
dans le sommeil [30]. La concorde n'est pas le moteur de la
vie sociale ; elle en est le but ultime, que l'humanité n'atteindra
qu'à travers les conflits et les guerres : « Cette concorde est
dans l'idée le *but,* la discorde est, selon le plan de la Nature,
le *moyen* d'une sagesse très haute, pour nous impénétrable [31]. »

Reste pour la philosophie politique un double problème
à résoudre : celui du gouvernement de la cité et celui des
guerres entre les cités. Le premier dépasse le cadre de notre
enquête. Remarquons seulement que Kant, respectueux sujet
du roi de Prusse, n'éprouve pourtant aucun enthousiasme
excessif à l'égard de l'État. L'État : il est si peu vertueux, si
peu moral dans son origine et sa fonction que le problème de
sa fondation « peut être résolu même par un peuple de diables,
si seulement ils sont doués d'entendement [32] ». C'est précisément parce que nous sommes peu vertueux que l'État est
inévitable. Quant au contrat social qui fonde sa légitimité, il
est purement implicite et, peut-on dire, négatif. Comme l'écrit
Eric Weil, il « indique, non pas ce qui est positivement juste,

27. Cf. PH 65 et 67 ; ED 448.
28. *Ibid.,* KS 11 = PH 67.
29. KS 10 = PH 65.
30. Cf. *ibid.*
31. AN 162.
32. KS 146 = PP 44.

mais ce qui d'aucune manière ne saurait être justifié, il indique les limites de toute législation positive, sans imposer tel code particulier [33] ». Une loi est légitime et juste, quand il est possible que le peuple y consente ; elle est injuste quand le peuple, pris dans sa totalité, ne pourrait jamais y consentir [34]. Outre cela, le philosophe peut encore exiger du pouvoir la liberté d'expression, sinon dans le domaine public, du moins dans le domaine scientifique [35]. Maintenant, compte tenu de ces conditions restrictives, chaque État jouit d'un pouvoir absolu et, quelle que soit la manière dont il en use, le peuple n'a jamais le droit de se révolter [36]. Ces brèves indications nous montrent que Kant ne considère pas l'État comme une valeur, mais comme une nécessité inéluctable, et qu'il voit dans le contrat social une réalité non pas éthique, mais juridique. Chez Rousseau, le contrat est ce qui libère les hommes de l'esclavage ; chez Kant, il n'est que ce qui leur permet de coexister.

D'autre part, Kant a souligné mieux que personne le *lien entre la politique et la guerre*. Celle-ci a pu jouer un rôle positif dans l'évolution de l'humanité [37], en suscitant bien des techniques nouvelles, mieux encore une discipline sociale, mieux encore un courage et un désintéressement qui, sans elle, feraient place au « pur esprit mercantile, en même temps qu'[à] l'égoïsme vil, la lâcheté, et la molesse [38] ». Néanmoins, dans ses conséquences, la guerre est bien le pire des maux qu'engendre la civilisation [39] et non seulement la guerre qu'on fait, mais surtout peut-être celle qu'on prépare, car elle ruine les peuples. Et pourtant elle est toujours inévitable, puisque les États vivent entre eux dans le même régime d'insociabilité et d'anarchie « naturelle » que les individus avant la naissance

---

33. *Problèmes kantiens*, p. 120.
34. Voir *ibid.*, p. 120ss. et LC II 138ss. et surtout 241-242.
35. Voir *Qu'est-ce que les Lumières ?*, PH 85ss.
36. Cf. LC 248, et *Doctrine du droit*, I, A, MS 320, note. Kant indique pourtant que le souverain doit, dans son propre intérêt, favoriser le droit de critique publique (LC 249-250), ce qui n'est pas sans rappeler Spinoza.
37. Voir notamment PP 41-42.
38. FJ n° 28, p. 101.
39. Cf. PH 67-68, 169 ; FJ n° 83, p. 241.

des États. Entre ceux-ci, il n'existe pas de contrat social ; aussi
chacun s'arroge-t-il le droit de dominer les autres quand il
le peut ; sinon il vit dans la hantise d'être dominé. La paix
que nous connaissons n'est donc qu'une sorte de « guerre
froide ». Et pourtant, ici encore le mal n'est que relatif. La
guerre est certes aujourd'hui encore « inévitable » ; elle représente une « tentative aveugle de l'homme, suscitée par les
passions déchaînées » ; elle accable notre espèce d'une « effroyable détresse ». Et pourtant la guerre, « c'est aussi peut-
être une tentative mystérieuse et intentionnelle de la sagesse
suprême, sinon pour établir, du moins pour préparer, l'harmonie de la légalité avec la liberté des États et ainsi l'unité
d'un système [international] moralement fondé [40] ».

Une fois de plus, donc, la Nature a rusé, utilisant la
crainte des guerres et de leurs ravages pour forcer les États
à sortir de l'anarchie internationale, pour les rendre raisonnables malgré eux, les poussant à s'entendre pour « entrer
dans une grande société des nations [*Völkerbund* [41] ». Dans
son admirable *Zum ewigen Frieden,* Kant a défini les grands
principes de droit destinés à rendre la guerre impossible, dont
le principal est que « dans tout État la constitution civile doit
être républicaine [42] ». À noter que république ne signifie pas
« démocratie », mais État régi par des lois, lesquelles sont
acceptables pour la volonté générale... Loin d'être une utopie,
la *fin des guerres naîtra de la guerre même ;* car celle-ci aboutit
historiquement à ce double résultat : sur le plan intérieur, elle
contraint les gouvernements à se libéraliser, à respecter la
volonté de leurs sujets, puisqu'on ne peut pas faire une guerre,
ni même la préparer avec un peuple qu'on tyrannise ; sur le
plan extérieur, elle contraint les États, de plus en plus menacés,
à modérer leurs prétentions et à accepter l'arbitrage interna-
tional en désespoir de cause ! Ainsi, comme la discorde a forcé
les individus à se civiliser, de même la guerre, toujours plus
terrible, contraint les nations à sortir de la barbarie qui règne

40. FJ n⁰ 83, p. 243.
41. KS 13 = PH 70.
42. PP 15.

entre elles [43]. Oui c'est la guerre elle-même, finalement, qui
créera ces deux conditions qui rendront toute guerre impossible : 1) une constitution républicaine, car si le peuple décide
et non les princes, il n'acceptera pas volontiers le risque de
misère et de mort, sauf s'il s'agit d'une guerre défensive [44] ;
2) un état de droit « cosmopolite » entre les nations, une
organisation internationale qui protégera également les petites
et les grandes et arbitrera leurs conflits [45]. Une fois de plus,
le mal engendre son contraire : c'est « le conflit des désirs
d'où jaillit le mal, qui donne à la raison le loisir de les subjuguer dans leur ensemble, et de faire régner, au lieu du mal
qui se détruit lui-même, le bien qui, une fois apparu, se
maintient de lui-même [46] ».

Le réalisme de Kant n'exclut donc pas un optimisme
relatif ; il l'autorise, au contraire. On sait d'ailleurs que le
philosophe, au soir de sa vie, a salué dans la *Révolution française* un événement, l'événement qui permet de voir à l'œuvre
le triomphe de la raison dans l'histoire et sur l'histoire [47]. À
vrai dire, il ne s'agissait pas pour lui de la révolution elle-
même, avec ses horreurs, ses crimes et son échec final [48],
mais de son retentissement dans l'esprit des hommes, de
l'enthousiasme désintéressé qu'elle avait suscité et qui ne pouvait plus jamais disparaître. Car un tel état d'esprit représentait l'émergence irrévocable d'une double valeur : le droit
des peuples à disposer d'eux-mêmes et la constitution républicaine [49]. Ici il n'est pas inutile, après deux siècles presque,
de faire le point, puisque le fascisme et la guerre sont, pour

43. Cf. AN 167-168, et PH 169.
44. Cf. LC 258 ; CO 108.
45. Cf. LC 257-258 ; CO 69 à 72, 75-76. Lévy-Bruhl, dans son
livre *l'Allemagne depuis Leibniz*, a montré comment, chez les penseurs
de cette époque, le cosmopolitisme a finalement tourné au nationalisme,
puis au pangermanisme ; voir notamment les études sur Herder et sur
Fichte.
46. KS 112 = LC 259 ; cf. AN 167, et Bohatec, p. 601-602, qui
cite la *Réflexion* n° 1448.
47. Cf. CO, 2ᵉ partie et LC, 3ᵉ partie.
48. Voir la note de la *Doctrine du droit* sur le régicide, MS
320-321.
49. Voir CO 101ss.

l'homme moderne, l'image la plus criante de la réalité du mal dans le monde.

Kant a compris admirablement ce que devait être la révolution pour le xiv<sup>e</sup> siècle et pour le nôtre : un fait dont toute l'importance est dans sa signification ; malgré son échec temporaire, elle a toujours servi de recours et de modèle à la France et aux peuples en voie d'émancipation. Kant a vu d'autre part, après Voltaire et mieux que lui, que la guerre est la grande menace pour le monde moderne, l'aspect aujourd'hui le plus brutal et le plus voyant du problème du mal. Ce qu'à notre avis il a totalement méconnu, c'est le caractère *belliciste* de la Révolution française. Il a cru que le droit des peuples à disposer d'eux-mêmes et la constitution républicaine seraient les vrais garants de la paix dans le monde. Or l'histoire a montré depuis que le règne du droit engendre la *guerre pour le droit,* la plus implacable, puisque la prétention de chaque peuple à son indépendance ou à son intégrité fait de toute guerre une « guerre défensive » dans l'esprit de ceux qui la font. D'autre part, une république peut exiger de ses citoyens, c'est-à-dire d'elle-même, une *guerre totale*, avec tous les sacrifices que cela comporte, ce dont les anciennes monarchies étaient bien incapables. Je dirais même plus : le progrès de la république a suscité un nouveau type de tyran, dont la puissance démesurée provient de la connivence entre lui et son peuple, une parodie de contrat social qui n'est possible que dans la civilisation du contrat social : un Hitler eût été inconcevable au xviii<sup>e</sup> siècle ! Faut-il donc renoncer à voir des valeurs dans le principe des nationalités et dans la république ? Que non ; mais il faut admettre lucidement que ces mêmes valeurs ont rendu la guerre, la « guerre juste », si effroyable qu'elle menace l'humanité dans son existence même.

Est-ce à dire que Kant fut mauvais prophète ? Je ne le pense pas. Il a compris que la guerre est le grand fléau de notre civilisation. Il a prévu assez bien ce qui s'est passé : les deux guerres mondiales ont suscité, par leur horreur même, l'une la S.D.N., l'autre l'O.N.U. ; et nul n'a le droit de conclure des nombreux échecs de ces organisations à leur non-nécessité, au contraire ! Enfin et surtout le philosophe nous montre, ici encore, que les plus hautes valeurs peuvent engendrer le mal le plus terrible : la religion, dès qu'elle est impure, crée la faute la plus grave, celle de la mauvaise foi ; de même, dirais-je, la république et le droit des peuples, dès que l'intérêt national en abuse, aboutissent à la guerre totale. La corruption du meilleur est la pire.

Le message politique de Kant insiste surtout sur la vérité opposée : que le meilleur peut provenir du pire ; que la culture naît de la barbarie, le droit de la violence, la paix de la discorde. Faut-il voir là une concession à l'optimisme de Leibniz ? Sûrement non ; car si le mal a une fonction historique et sociale, il n'est pas pour autant justifié en tant que mal, il ne perd rien de son scandale, que ce scandale se nomme la souffrance ou la faute [50]. D'autre part le progrès social demeure partiel. Si le bonheur est une revendication légitime de l'homme, il faut admettre que la Nature-Providence s'en préoccupe fort peu. Rousseau avait raison : le progrès de la culture, loin de rendre l'humanité plus heureuse, l'a arrachée à son bonheur [51]. Est-ce pour qu'elle le retrouve dans une sorte d'apothéose finale ? Rien n'est moins sûr. Dans sa réponse à Herder, Kant précise que le concept de bonheur est essentiellement variable, subjectif, et que ce qui importe à la Providence n'est pas la valeur de nos états d'âme, mais la valeur de notre existence, sa raison d'être : un peuple vivant heureux dans l'ignorance, la paresse et l'inculture, n'aurait pas plus de raison d'être qu'un troupeau « de moutons et de veaux heureux [52] ». En nous arrachant à l'innocence de l'instinct, la nature nous a voués à la lutte, au travail et à la souffrance ; son but n'était pas d'accorder à l'homme une vie plus facile, « mais au contraire de l'obliger par ses efforts à s'élever assez pour qu'il se sente digne, par sa conduite, de la vie et du bien-être [53] ». Autrement dit le terme du progrès social est une constitution qui assure la coexistence des libertés

---

50. Voir PH 168-169, 171-172 (*Conjectures sur les débuts de l'histoire humaine*).
51. Cf. PH 163 ; ED 451.
52. Controverse avec Herder, in PH 124-125.
53. *Idée d'une histoire universelle*, PH 63.

et le respect de la personne humaine à l'échelle de la planète,
c'est l'« idée d'une république parfaite gouvernée d'après les
règles de la justice [54] » : le terme n'est pas le bonheur, mais
le droit. Pour le dire autrement, si la Révolution française a
fait surgir une « idée neuve en Europe », ce n'est pas celle
du bonheur, mais de la liberté.

La notion de progrès s'applique donc à l'humanité
prise comme un tout, non aux individus : seule l'espèce peut
accomplir la destination de l'homme [55]. On sait que Herder [56],
comme plus tard Renouvier, a refusé cette idée d'un progrès
qui serait celui de l'espèce mais non des individus qui la composent. C'est ne pas comprendre ce que le *progrès* a chez
Kant de relatif et de partiel. Ascension vers l'état de droit,
oui, mais le droit, même réalisé, n'est pas encore la moralité.
Bien qu'exprimant la volonté générale, il est né de la contrainte et de la menace — celle que chaque liberté présente
pour toutes les autres — et c'est toujours par la menace
qu'il se fait respecter. Or une obligation n'est morale que si
elle est observée pour elle-même, sans qu'aucune contrainte
extérieure vienne peser sur notre décision [57]. Ainsi, on peut
bien supposer une république où le droit serait parfait et parfaitement respecté : ce serait pourtant le règne de la *légalité,*
non de la *moralité.* Et c'est bien au fond ce qui se passe sous
nos yeux : le progrès indéniable de notre espèce n'est pas
un progrès moral : « Nous sommes hautement cultivés dans
le domaine de l'art et de la science. Nous sommes civilisés,
au point d'en être accablés [...]. Mais quant à nous considérer
comme déjà moralisés, il s'en faut de beaucoup [58]. » Bref, il
y a deux choses qu'on ne pourra jamais demander au droit,
c'est de rendre les hommes vertueux et de les rendre heureux.

---

54. ED 444 ; cf. AN 165ss. et Delbos, p. 284.
55. Cf. PH 66ss., 68, note, 161-162 ; ED 445 (fin).
56. Cf. PH 125-126.
57. Cf. *Métaphysique des mœurs,* introduction, n° III et IV, *passim,* et *Doctrine de la vertu,* introduction, n° XVIII = MS 218 à 228 ;
cf. aussi MS 410.
58. KS 15 = PH 72 ; voir aussi ED 451.

Notons ici que les termes *kultiviert* et *zivilisiert* indiquent bien deux étapes dans l'évolution humaine. La culture consiste « dans le développement de [nos] dispositions naturelles en tant que créature raisonnable » ; c'est le stade de l'habileté, où l'homme est sorti de l'instinct sans avoir encore de loi, ce qui cause sa misère [59] ; il n'est encore qu'un animal humain : *der Tiermensch* [60]. La civilisation est la deuxième étape, celle de la vie en société ; elle est le fait d'« être libre non seulement pour soi, mais dans la société, en disciplinant parfaitement sa liberté par des lois » ; c'est le règne de la légalité, où la loi contraint les hommes du dehors ; à ce stade correspond la prudence, ou art de tirer parti de la société ; dans celle-ci, comme l'indique la *Réflexion* n⁰ 1521, les vices se trouvent justifiés et protégés du moment qu'ils se laissent émonder par les interdits sociaux [61]. La troisième étape, celle de la moralité, n'est pas encore atteinte...

Il ne s'agit pas là d'un simple fait, mais d'un principe : c'est que le progrès social *ne peut pas,* de lui-même, rendre les individus moraux. « Quel gain le progrès vers le mieux apportera-t-il au genre humain ? » demande Kant ; et il répond : « Non une quantité toujours croissante de la *moralité* de l'intention, mais une augmentation des effets de sa *légalité* dans les actes conformes aux devoirs, quel que soit le motif qui les détermine [62]. » Autrement dit, nos actes deviendront toujours meilleurs, mais nous, non. Et toutefois le progrès moral n'est pas rien ; surtout il faut y croire pour agir moralement [63].

C'est pourquoi l'optimisme relatif de la philosophie politique ne contredit en rien la doctrine du mal radical : une humanité de plus en plus civilisée pourrait bien devenir aussi de plus en plus hypocrite. En tout cas la destinée de l'homme se joue sur deux plans, selon qu'il s'agit de l'espèce et de l'individu. Kant s'en est d'ailleurs expliqué sans ambages dans ses *Conjectures sur les débuts de l'histoire humaine* ; après avoir donné son interprétation « optimiste » du récit de la chute d'Adam, il précise aussitôt que ce qui est progrès pour l'espèce est chute pour l'individu : « Ainsi le premier pas pour

59. Cité par Bohatec, p. 203.
60. *Ibid.*
61. *In ibid.,* p. 204. Kant a repris ces trois termes : cultivé, civilisé, moralisé dans l'*Anthropologie,* p. 162-163 et 165 ; voir aussi ED 444, FJ n⁰ 83, p. 242-243.
62. CO 109.
63. Voir la réponse à Mendelssohn, *in* LC III 255-256.

sortir [de l'animalité] aboutit à une *chute* du point de vue moral ; du point de vue physique, la conséquence de cette chute, ce furent une foule de maux jusque-là inconnus de la vie, donc une punition.» Cette émancipation de l'innocence première fut un gain pour l'humanité ; mais, « en ce qui concerne l'individu qui, usant de sa liberté, ne songe qu'à soi-même, il y eut perte lors de ce changement [64] ».

Oui, Kant est plus près de Hegel que de Leibniz, puisqu'il affirme la réalité du mal et de la souffrance que la nature utilise à notre insu pour faire progresser l'histoire. Mais Kant n'est pas Hegel, justement parce que au-delà du plan de l'histoire, il admet la dimension absolue, absolument verticale si j'ose dire, de la personne humaine. Au regard de celle-ci, la réalité du mal reste, purement et simplement, *l'injustifiable*.

## B. L'ÉDUCATION

Le progrès de l'espèce humaine ne signifie pas le progrès des hommes, du moins sur le plan moral. Maintenant, ce que ni l'histoire ni la politique ne peuvent réaliser, n'est-il pas permis de le demander à l'éducation ?

La *pédagogie* a une grande importance dans l'œuvre de Kant. Non seulement il lui a consacré un ouvrage remarquable, mais la plupart de ses grandes œuvres débouchent sur des préoccupation pédagogiques, ou du moins didactiques. Lecteur de Rousseau, il a énoncé ce principe fondamental : « L'homme est la seule créature qui doive être éduquée [65]. » L'homme est, comme on dit aujourd'hui, un être culturel ; sa nature est trop pauvre pour subvenir à ses besoins, mais elle est en revanche douée d'une telle plasticité, d'une telle perfectibilité qu'elle peut prendre les formes les plus diverses, voire les plus contraires. C'est pourquoi le philosophe fait preuve d'un véritable optimisme pédagogique : « C'est une chose enthousiasmante [*es ist entzückend*] de penser que la nature humaine sera toujours mieux développée par l'éduca-

64. PH 162.
65. ED 441.

tion et que l'on peut parvenir à donner à cette dernière une forme qui convienne à l'humanité. Ceci nous ouvre une perspective sur une future espèce humaine plus heureuse [66].» Cet optimisme est-il compatible avec la doctrine du mal radical ? Si l'homme est foncièrement mauvais, s'il ne devient bon que par une révolution dans sa manière de penser, l'éducation peut-elle être autre chose qu'un simple dressage ?

Notons d'abord que Kant n'a pas sous-estimé le problème. Dans sa belle étude sur « Kant et le problème de l'éducation », qui sert d'introduction aux *Réflexions sur l'éducation,* A. PHILONENKO a montré que si cette pédagogie est fondée sur l'expérience, si elle est un art et non pas une science, cela s'explique par une raison métaphysique : l'homme est un être libre, et d'une liberté qui demeure aussi imprévisible qu'invisible. Parce qu'il est libre, il peut et doit être éduqué. L'animal naît avec tout ce qu'il doit être : « Une raison étrangère a déjà pris soin de tout pour lui [67].» Comme le dira Fichte : « L'homme seul originairement n'est rien [68] » ; il doit se faire ce qu'il est. Ainsi toute éducation repose-t-elle sur une contingence radicale ; rien n'est jamais acquis : « L'éducation est le plus grand et le plus difficile problème qui puisse être proposé à l'homme [69] » ; d'autant que la liberté n'est pas seulement celle de l'individu, mais celle de la société tout entière. Ainsi, rien ne nous garantit le progrès constant de l'éducation, sinon l'éducation elle-même : « Il faut dans l'art de l'éducation transformer le mécanisme en science, sinon elle ne sera jamais un effort cohérent, et une génération pourrait bien renverser ce qu'une autre aurait construit [70].» Si la liberté est la cause motrice de l'éducation, elle en est aussi la cause finale ; on peut certes élever les enfants pour la culture, pour la science, pour la cité, mais le but ultime reste la liberté de chacun, et toutes les contraintes qu'on doit imposer

66. ED 444.
67. ED 441.
68. Introduction de Philonenko aux *Réflexions sur l'éducation,* p. 26 ; cf. ED 44.
69. ED 447.
70. ED 447.

à l'enfant n'ont d'autre justification que de le rendre libre [71]. Libre : c'est-à-dire maître de soi, capable de juger par soi-même, de choisir de façon autonome, d'être adulte [72].

Si nous passons des principes à l'application, nous constatons le caractère étonnamment moderne de cette pédagogie, si moderne pour son époque, et peut-être pour la nôtre, que Kant disait lui-même que seule une révolution dans le domaine scolaire pourrait l'instaurer. Bornons-nous ici à en rappeler les traits essentiels, ou du moins ceux qui importent à notre propos.

Le philosophe prussien a su, mieux que personne, joindre à la sévérité le respect de l'enfant ; la dignité de l'individu est le fondement même de la pédagogie, et on attente à la dignité de l'enfant aussi bien quand on le gâte que lorsqu'on l'humilie [73]. Certes il méconnaît le rôle positif de l'affectivité, de la tendresse en particulier [74]. En revanche il montre admirablement comment la discipline peut être au service de la liberté. Dès son plus jeune âge, l'enfant doit être armé pour la vie ; il lui faut donc découvrir ces deux formes bien différentes de l'obéissance : celle qu'on subit et celle qu'on comprend. La première, qui est d'ailleurs la première en date, sera indispensable au citoyen, la seconde à l'homme moral [75]. Si le dressage est nécessaire, il n'est qu'un moyen pédagogique et provisoire, puisqu'il soumet l'enfant à des fins extérieures et risque de l'habituer à obéir sans vouloir [76]. D'autre part, Kant se montre strict en matière de morale sexuelle, comme on pouvait s'y attendre ; il n'en affirme pas moins qu'il faut avertir les jeunes dès le début de la puberté, l'important étant moins de les « préserver » que de les armer pour la vie [77].

71. Cf. ED 454.
72. Voir Philonenko, *op. cit.*, p. 31-32, et *Qu'est-ce que les Lumières ?*, *passim*.
73. Voir Philonenko, *op. cit.*, p. 61.
74. Cf. *ibid.*, p. 50.
75. Cf. ED 482-483.
76. Cf. ED 450.
77. Cf. ED 490 et 496ss.

Comme Rousseau, il estime que la toute première éducation doit être négative, et qu'on doit tout faire pour permettre à la nature du bébé de se développer normalement[78]. Comme Rousseau aussi, il proclame que l'enfant n'est pas un homme en miniature et que l'enfance a sa mentalité propre[79] ; mais il dit d'autre part cette chose étonnante : que l'enfance n'est pas heureuse — sauf dans le souvenir de l'adulte ! — car elle jouit rarement de l'amitié et plus rarement encore de la liberté[80]. C'est pourquoi le philosophe insiste sur la valeur éducative du jeu, école de santé, de vie en commun et d'abnégation[81]. Il recommande même d'habituer l'enfant au danger, principe trop méconnu de nos jours, où l'on apprend tout à l'enfant, sauf le courage[82].

L'idée la plus intéressante et la plus neuve est peut-être celle de la valeur de la discipline, dès la petite enfance. Il ne s'agit en aucun cas de « briser » la volonté de l'enfant ; l'éducation consiste au contraire à la former et à la développer[83]. Ceux qui se croient obligés de la briser sont ceux-là mêmes qui ont commencé par la pervertir, en cédant dès son plus jeune âge aux prières ou aux cris de l'enfant, quitte à s'étonner ensuite d'avoir procréé de petits monstres[84]. On doit protéger les enfants mais sans jamais céder sans raison à leurs prières ni à leurs cris, même au berceau : « Si on laisse les enfants tout obtenir par leurs cris ils deviennent méchants, s'ils obtiennent tout par des prières ils deviennent mous[85]. » La résistance légitime des parents représente la nécessité naturelle, à laquelle il faut accoutumer l'enfant : « Briser la volonté, c'est produire une manière de penser servile ; la résistance naturelle au contraire produit la docilité[86]. »

78. Cf. ED 452ss. et 459.
79. Cf. ED 455 et 485.
80. Cf. ED 485.
81. Cf. ED 468.
82. Cf. ED 467.
83. Cf. ED 478.
84. Cf. ED 461.
85. ED 479.
86. ED 480.

On le voit, cette contrainte naturelle, cette discipline négative n'a pas sa fin en elle-même. Si elle protège le petit enfant, elle le prépare surtout aux étapes suivantes de son éducation : l'intellectuelle d'abord, la morale ensuite, qui est le couronnement de toute pédagogie, le corps étant pour l'intelligence et l'intelligence pour la conscience [87]. Maintenant, comment une éducation morale est-elle possible, compte tenu du mal radical en chacun de nous ? La question n'est pas facile à résoudre. Essayons de voir ce que Kant peut y répondre.

Notons d'abord que l'éducation morale, si elle est la fin à tous les sens du terme, ne saurait être le commencement. Le petit enfant est incapable d'accéder aux idées de devoir et d'autonomie. Il faut bien commencer par le contraindre. D'autre part la vie morale elle-même se développera par couches successives : d'abord l'habileté, qui rend le corps et l'esprit aptes à atteindre toutes les fins ; ensuite la prudence, qui prépare l'individu à choisir ses fins dans la société civile, à savoir se servir des autres tout en respectant les lois de la cité ; il va de soi que la prudence n'a de valeur absolue que si elle est soumise à la moralité, qui est le stade ultime de toute éducation [88].

Notons ici que ces trois stades par lesquels doit passer nécessairement l'enfant correspondent exactement aux trois stades de l'évolution de l'humanité : *kultiviert, zivilisiert, moralisiert,* le premier étant propre à l'homme-animal, qui ignore encore la vie sociale et ses règles, mais qui commence déjà à sortir de l'instinct, à développer sa raison, par le langage et l'imagination. Le second stade est celui de la vie sociale (peut-être pour l'enfant, l'âge scolaire), le stade de l'humanité en tant que raisonnable ; mais cette raison est au service d'intérêts étrangers et de passions comme l'avarice, l'envie et l'ambition ; si l'animalité fait de nous des êtres faibles, fragiles, l'humanité nous rend plus forts, grâce à la discipline sociale, mais « impurs » parce qu'intéressés ; sa vertu propre est la prudence, capable du meilleur comme du pire, alors

87. Cf. Philonenko, *op. cit.,* p. 46.
88. Cf. ED 455, 486ss.

que l'habileté n'est ni bonne ni mauvaise. Le troisième stade est celui de la raison pratique, qui correspond chez l'homme à la personnalité, mais qui comprend aussi bien sa faute propre, la méchanceté ou perversion des mobiles, que sa vertu propre, la moralité pure. Bref, si l'on combine ces résultats avec ceux de notre chapitre III, on peut établir le tableau suivant, que nous proposons à titre de contribution à l'anthropologie de Kant, au moins comme base de discussion [89].

| Dispositions naturelles (Naturanlagen) | Stades | Niveaux du mal | Qualités |
|---|---|---|---|
| animalité | cultivé (kultiviert = sorti de l'animalité) | fragilité (Gebrechlichkeit) | habileté (Geschiklichkeit) |
| humanité (raison pragmatique) | socialisé (zivilisiert) | impureté (Unlauterkeit) | prudence (Klugheit) |
| personnalité (raison pratique) | moralisé (moralisiert) | perversion (Verkehrtheit) | moralité pure (Sittlichkeit) |

Le tout est de savoir comment passer au troisième stade sans tomber dans le mal radical, dans la *Verkehrtheit*.

En tout cas, nous savons dès maintenant que l'éducation ne peut pas se réduire à un simple dressage. Bien au contraire, Kant insiste, et fortement, sur l'obligation de rendre l'enfant autonome ; c'est un risque ; il faut le prendre. On le voit en particulier dans sa belle analyse du caractère, qui représente la valeur essentielle pour l'éducation morale.

Le *caractère*, c'est « l'aptitude à agir selon des maximes », et non selon des impulsions aveugles [90] ; en cela il se distingue du tempérament, purement naturel ; et si le libre arbitre consiste à choisir ses maximes (ou règles générales subjectives), on voit d'emblée que former le caractère, c'est permettre à l'enfant d'user de son libre arbitre. En usera-t-il bien ou mal ? On verra plus tard. La question primordiale n'est pas d'avoir

89. Je rappelle que ce tableau a été établi d'après *la Religion*, p. 43ss., 49-50, les *Réflexions sur l'éducation*, p. 455 et 486ss., l'*Anthropologie*, p. 162ss., l'étude de Bohatec sur culture et civilisation (p. 203ss.) et les textes indiqués plus haut de la note 58 à 63.

90. ED 480-481.

un caractère bon, mais d'en avoir un ! C'est-à-dire de savoir
se déterminer fermement à quelque chose et l'exécuter [91].
Ainsi, « chez un homme méchant le caractère est très mauvais [...] et cependant il est encore agréable de le voir appliquer ses décisions avec persévérance [92] ». Bref, il faut apprendre à l'enfant à trouver ses propres maximes et à les suivre ;
c'est ici justement que cesse la discipline et que la morale
commence, ou du moins son soubassement psychologique [93].
Cette description du caractère ne contredit en rien la doctrine
du caractère intelligible ; elle enrichit beaucoup, en revanche,
celle du caractère empirique.

Maintenant qu'est-ce qui rend le caractère moral ? D'a-
bord l'*autonomie,* ou obéissance à soi-même ; on apprendra
donc à l'enfant « à agir d'après des maximes dont il aperçoit
lui-même la justice [94] », à faire ce qui est bien *parce que* c'est
bien ; le travail est une bonne école d'autonomie, car, né de
la contrainte, il enseigne vite l'obéissance volontaire [95]. Ensuite
la *véracité :* le mensonge est la pire des fautes ; en réduisant le
menteur lui-même à être moins qu'une chose, il détruit en
l'homme tout caractère, tout caractère empirique s'entend [96] ;
s'il garde en lui quelque chose de bon, c'est par tempérament ;
il n'y est pour rien. On sera donc impitoyable envers le mensonge des enfants, tout en reconnaissant que ceux des tout
petits n'en sont pas vraiment ; on punira ceux des plus grands
plus que toute autre faute ; et comme la punition juste est

---

91. Cf. ED 487.
92. ED 488. Comment concilier ceci avec l'affirmation de l'*Anthropologie* : « Le mal (puisqu'il comporte une contradiction en soi-
même et qu'il n'autorise aucun principe qui demeure) est à proprement parler sans caractère » (AN 167). C'est que le caractère du méchant n'est pas ce qui le rend méchant : il l'est *malgré* son caractère
et serait bien pire s'il n'en avait pas ! Ceci ne peut s'appliquer au caractère intelligible, qui n'est pas une structure du moi acquise par des
maximes et résistant aux changements, mais la loi d'un choix intemporel.
93. Cf. ED 480 ; il semble bien que la discipline corresponde
chez Kant au 2e stade, celui de l'homme *zivilisiert* ; cf. ED 444 : « Celui qui n'est pas cultivé est brut, celui qui n'est pas discipliné est sauvage. »
94. ED 480.
95. Cf. ED 471 et 477, et Philonenko, *op. cit.,* p. 37ss. et 58.
96. Cf. ED 484.

celle qui découle de la nature même de la faute, on punira
le mensonge par le mépris [97]. Enfin, la *sociabilité* : c'est un
instinct ; c'est aussi une valeur, à laquelle il faut préparer les
enfants ; les rendre sociables, c'est encore un moyen éthique
de dépasser l'égoïsme [98] ; qu'on leur apprenne donc très tôt
à penser toujours en fonction d'autrui, à respecter l'égalité
— ainsi qu'un enfant ne puisse jamais donner d'ordre à un
domestique — à comprendre la réciprocité, qui veut que sa
liberté ne nuise pas à celle des autres et qu'il ne reçoive
rien s'il n'a pas d'abord donné [99].

Excellents conseils, mais suffisent-ils à détruire le mal
radical, ou à en préserver l'enfant ? Notons ici que Kant ne
considère pas le mal comme une sorte de nature ; il nous
rappelle ce qu'il disait dans *la Religion* : les dispositions naturelles de l'homme sont foncièrement bonnes, c'est l'homme
qui les pervertit. Alors cette affirmation servait à nous condamner [100] ; maintenant elle sert à nous stimuler : « La bonne
éducation est précisément la source dont jaillit tout bien en
ce monde. Les germes qui sont en l'homme doivent seulement
être toujours davantage développés. Car on ne trouve pas les
principes qui conduisent au mal dans les dispositions naturelles
de l'homme. L'unique cause du mal, c'est que la nature n'est
pas soumise à des règles. Il n'y a dans l'homme de germe que
pour le bien [101]. » L'éducation morale est donc possible. Quel
sera son principe essentiel ? De donner à l'enfant le sens du
devoir, du devoir pour le devoir. Passé le stade de la discipline on évitera donc les récompenses et les punitions ; on
apprendra à l'enfant à travailler de façon désintéressée [102] ;
on lui fera découvrir l'autonomie morale, en lui apprenant
« à substituer l'horreur de ce qui répugne et de ce qui est
absurde à celle de la haine ; la crainte de [sa] propre conscience à la crainte des hommes et des châtiments divins,
l'estime de soi et la dignité intérieure à l'opinion des hom-

97. Cf. ED 484, et 480.
98. Cf. ED 484-485, 489.
99. Cf. ED 498, 454, 464, et Philonenko, *op. cit.*, p. 60.
100. Voir notre chap. III.
101. ED 448.
102. Cf. ED 480-482.

mes [...], l'intelligence au sentiment — enfin l'allégresse et
la piété unies dans la bonne humeur à la dévotion morose,
timide et sombre [103] ».

Une conséquence, qu'il faut indiquer brièvement, de cette
pédagogie morale est le rôle qu'elle attribue à la *punition*.
A. PHILONENKO écrit à ce sujet : « Attentif aux leçons de
l'expérience [Kant] consent ici à faire une légère entorse à
sa doctrine : tandis que dans sa théorie philosophique du
droit, il soutient que la punition ne doit viser aucune fin, qu'il
s'agisse d'améliorer le coupable ou encore de donner un exemple, et affirme donc que la punition doit être infligée uniquement parce qu'il y a eu faute, il reconnaît ici que la punition
doit viser une fin, l'amélioration du coupable [104]. » Cette précision est très juste, mais je ne vois pas où est l'« entorse » :
la *Doctrine du droit* pose qu'il faut punir *quia peccatum ;*
or ici, en pédagogie, le problème ne se pose pas. Ou bien,
en effet, l'enfant est trop jeune pour comprendre sa faute,
et il s'agit alors de la lui faire comprendre ; la punition est
ici un moyen pédagogique, non l'expiation de ce qui n'est
pas une faute ! Ou bien l'enfant est assez mûr pour qu'on
puisse parler de faute véritable, mais comme nous sommes
ici dans l'éthique et non dans le juridique, on évitera de frapper
le coupable, de peur de l'accoutumer à faire son devoir par
crainte ou par intérêt : « Si l'on veut fonder la moralité, il
ne faut pas punir. La moralité est une chose si sainte et si
sublime que l'on ne doit pas l'avilir de telle sorte et la mettre
au même rang que la discipline [105]. » Donc, au stade de la
discipline, on châtiera dans l'intérêt de l'enfant, en faisant,
comme chez Rousseau, que la punition soit aussi « naturelle »
que possible ; au stade de la moralité, le châtiment extérieur
fera place au refus d'estime, la meilleure sanction pour une
faute morale [106].

Bref l'éducation morale, en tant que telle, exclut la
menace, le plaisir, l'intérêt, même collectif. Elle a pour principe
le désintéressement absolu. Et il s'agit bien là d'un *principe,*

103. ED 493.
104. *Op. cit.*, p. 29 ; cf. MS 331-332 ; ED 483.
105. ED 481.
106. Cf. ED 479, 482 à 484.

et non seulement d'un but à atteindre. Car l'idée du devoir est par elle-même si sublime qu'elle élève l'âme au-dessus d'elle-même dès qu'elle en prend conscience. Il est même si étrange qu'une telle idée puisse rester intacte chez l'homme, cet être si calculateur et si perverti, qu'on est tenté de lui attribuer une origine divine [107]. L'éducation morale doit se fonder là-dessus, et là-dessus seulement. Il est aberrant de prétendre enseigner le devoir en lui adjoignant des mobiles sensibles sous prétexte de le renforcer ; on ne fait que le rendre douteux, et on réduit la force de son appel, qui vient toute de sa pureté [108]. Il est tout aussi aberrant d'inaugurer l'enseignement de la morale par la crainte de Dieu ; c'est fausser au départ la vie morale ; il faut que l'enfant découvre Dieu *après* le devoir ; après le commandement, le Père bon et sage qui commande [109] ; on sait que les manuels de morale de nos écoles primaires, au début du siècle, inspirés du kantisme, mettaient Dieu au dernier chapitre... Il est même mauvais d'exalter l'enfant par des exemples d'héroïsme ou de dévouement, comme si l'homme pouvait faire plus que son dû ; on rejettera cet amateurisme moral pour montrer aux jeunes ce que la morale a de vraiment sublime : la possibilité de sacrifier ses intérêts, son bonheur, sa vie à ce qui fait le sens de la vie [110] : « Que nous ayons le pouvoir de faire, avec notre nature sensible, de si grands sacrifices à la morale, que nous *puissions* aussi ce dont nous comprenons bien clairement que nous le *devons* : cette supériorité de l'homme *suprasensible* en nous [...], cette disposition morale intérieure, inséparable de l'humanité, voilà l'objet de l'admiration la plus haute [111]. » Si l'on cherche un mobile purement moral à l'acte moral, c'est là qu'il est.

Maintenant, si l'éducateur peut mettre l'enfant en présence de ce mobile, il ne peut rien de plus. Telle est la

107. Cf. RL 72 à 74 ; voir aussi 45, note et CO 69.
108. Cf. FM 117ss. et la « Méthodologie » de la *Critique de la raison pratique*.
109. Cf. ED 493ss., 497ss. et le catéchisme qui termine la *Doctrine de la vertu*.
110. Cf. PR 165 et 168-169.
111. CO 69.

*limite radicale de l'éducation morale ;* Kant l'a reconnue après
les piétistes, qui furent aussi de grands pédagogues, mais qui
savaient que l'éducation ne peut remplacer la conversion. L'é-
ducation morale fait de l'individu un adulte, un être capable
de choisir par lui-même ; elle ne fait pas que le choix soit
bon. Là est sa limite, et le pire danger pour l'éducateur est
peut-être de l'ignorer. Comme le disait déjà PLATON, un
individu qui doit toute sa vertu à l'éducation, autrement dit
à l'habitude inculquée sans être comprise, n'est pas vraiment
vertueux ; tel le « brave homme » qui choisit avidement le
lot du tyran sanguinaire, quitte à se lamenter ensuite, quand
il est trop tard : « Au lieu de s'accuser lui-même de ses maux,
il s'en prenait à la fortune, aux démons, à tout, plutôt qu'à
lui-même. Or c'était un de ceux qui venaient du ciel, et il
avait vécu précédemment dans un État bien gouverné ; mais
s'il avait eu de la vertu, c'était à l'habitude, non à la philosophie qu'il le devait [112]. » Toutes proportions gardées, on
trouve une affirmation analogue chez Kant, dans *la Religion :*
l'homme est de mauvaise foi dès qu'il se satisfait de la conformité de sa conduite à la loi morale, sans se demander
si cette vertu extérieure n'est pas due au fait qu'il a été
préservé du vice par l'« impuissance, le tempérament, *l'éducation,* les circonstances [113] ». L'échec le plus grave de l'éducation morale est peut-être dans sa réussite apparente. La
*Doctrine de la vertu* nous précise bien, d'ailleurs, que c'est
un devoir pour chacun de travailler à sa propre perfection,
mais non à celle d'autrui : « Car la perfection dans un autre
homme, en tant que personne, consiste précisément en ce
qu'il est *lui-même* capable de se proposer certaines fins d'après
ses propres idées sur le devoir, et il est contradictoire d'exiger
de moi [...] que je fasse à l'égard d'un autre une chose dont
seul il est capable [114]. » L'éducation morale, quand elle est
bien menée, peut rendre l'enfant capable de choisir ; elle ne
peut choisir à sa place.

---

112. *République,* X, 619, c-d ; voir *Phédon,* 81d, ss.
113. RL 59, souligné par nous ; cf. l'étude de Jaspers sur le mal
radical, p. 234 et 240.
114. Introduction à la *Doctrine de la vertu,* IV, *in* MS 386.

Un second problème se pose d'ailleurs : celui de l'éducation de l'éducateur. Problème lui aussi insoluble à vue humaine. Il a d'ailleurs son analogue sur le plan politique. « L'homme, lit-on dans l'*Idée d'une histoire universelle,* est un animal qui a besoin d'un maître [115] », car son libre arbitre est une menace constante pour celui de tous les autres, et *vice versa.* « Or, ce maître, à son tour, est tout comme lui un animal qui a besoin d'un maître [116] » : comment trouver alors un souverain, individu ou assemblée, qui soit assez adulte pour se passer de direction, qui soit juste tout en étant homme ? C'est la tâche politique la plus difficile de toutes, et si l'humanité est devenue capable de poser le problème, rien n'indique qu'elle puisse le résoudre ; tout ce qu'on sait, c'est qu'elle le doit [117]. De même pour l'éducation : dans l'*Anthropologie,* on peut lire : « Il faut donc à tout homme une éducation ; mais celui qui a tâche de l'éduquer est aussi un homme, affecté par la grossièreté de sa nature, et il doit produire chez l'autre ce dont il a lui-même besoin. C'est pourquoi l'homme dévie constamment de sa destination et qu'il y revient toujours à nouveau [118].» Ainsi politique et pédagogie se heurtent-elles à une difficulté semblable et semblablement insoluble : « Il est deux découvertes humaines que l'on est en droit de considérer comme les plus difficiles : l'art de gouverner les hommes et celui de les éduquer [119]. » Dans les deux domaines, c'est l'espèce et non l'individu qui réalisera la destination de l'humanité [120]. L'éducation de l'individu ne peut être que radicalement insuffisante ; du moins doit-on en avoir conscience, et former l'enfant non pas en fonction de l'état présent de l'humanité pour l'adapter au monde de « maintenant », mais en vue de l'état meilleur auquel l'espèce est destinée [121]. Ainsi,

---

115. Prop. 6, *in* PH 67.
116. *Ibid., in* PH 68.
117. Cf. *ibid.*
118. AN 164. Voir aussi dans ED 443 : « Si seulement un être supérieur se chargeait de notre éducation, on verrait alors ce que l'on peut faire de l'homme », cf. ED 73, notes 11, 12.
119. ED 446.
120. Cf. ED 445, et Bohatec, 179ss.
121. Cf. ED 447.

on peut parler d'un progrès de l'éducation ; il n'est pas une
certitude, mais un espoir et un devoir [122].

En résumé, le progrès humain est un *fait,* un fait indéniable, si l'on entend par là le développement de la culture
et de la civilisation. Quant à l'avènement de la moralité, il
n'est pas du ressort du progrès social, ni même de la pédagogie. Dans l'*Anthropologie,* Kant se demande si la moralisation
telle qu'elle existe n'est pas une fausse moralisation, qui rend
l'homme vertueux dans ses actes et hypocrite dans sa manière
de penser. Comme l'a vu Rousseau, la solution n'est pas dans
le retour à la nature, mais dans une pédagogie qui rendrait à
l'homme la bonté de sa nature : « Mais alors on aurait besoin
d'hommes de bien, éduqués eux-mêmes à cette fin et dont
aucun ne serait corrompu (que ce soit par naissance ou par
éducation) : le problème de l'éducation morale pour notre
*espèce* demeure donc dans sa solution en raison du principe
et non pas seulement pour une question de degré ; car un
mauvais penchant inné en l'espèce peut être blâmé par la
raison humaine universelle, en tout cas freiné, mais jamais
extirpé [123]. »

Est-ce là le dernier mot ? Non : ici encore, il faut
admettre que le sort de l'homme est dans les mains de la
*Providence,* qui peut pallier ses insuffisances et redresser ce
qu'il a tordu : « L'éducation du genre humain [...] et la
constitution républicaine [...] l'homme ne les attend que de la
*Providence,* c'est-à-dire d'une sagesse qui n'est pas la sienne [124]. » C'est « de la *Providence* seule » que nous pouvons
attendre une orientation commune et harmonieuse des fins
humaines, si diverses et si opposées entre elles [125]. On trouve
ainsi dans *le Conflit des facultés* un principe qui rappelle
singulièrement la *theia moïra* de Platon : le progrès vers le
mieux pourra se produire non pas « grâce à une marche des
choses de *bas en haut,* mais de *haut en bas* [126] ». Car les

122. Cf. ED 444, et l'introduction de Philonenko, p. 29ss.
123. AN 165.
124. AN 166.
125. LC 257.
126. CO 110.

hommes sont trop divisés pour organiser une éducation cohérente à l'échelle humaine, trop mauvais pour être de bons
éducateurs. Notre volonté doit certes jouer son rôle, mais c'est
un rôle négatif surtout : empêcher les guerres. Pour éduquer
vraiment le genre humain « il faut, étant donné l'infirmité de
la nature humaine et la contingence des événements favorisant
un tel résultat, mettre l'espoir de progrès seulement en la
sagesse d'en haut (qui a nom Providence, quand elle est pour
nous invisible), comme condition positive [127] ».

Comme les hommes de son siècle, Kant est un adepte du
progrès humain, un *Fortschrittler ;* comme eux, il est convaincu
que le progrès des Lumières doit aller de pair avec le développement de la constitution républicaine et de la pédagogie
morale. Et néanmoins, il considère que cet humanisme du
progrès ne peut aboutir que par un recours à la Providence
divine. Ce qui n'empêche pas d'ailleurs que l'homme ne doive
être lui-même l'auteur de son bonheur. Et l'on remarque ici
encore le parallélisme avec *la Religion.* La tâche d'être heureux, comme la tâche d'être bon, la Providence l'a confiée
à l'espèce humaine aussi bien qu'à chacun de nous [128].

## C. LE BONHEUR ET L'ESPÉRANCE

C'est précisément sur le thème du *bonheur* que nous
voudrions terminer cette étude, car il appartient lui aussi, et
comment ! au problème du mal. Comme les hommes de son
époque, Kant a beaucoup parlé de bonheur, mais en termes
si complexes qu'il est singulièrement difficile de savoir ce
qu'il a voulu dire.

D'après l'étymologie, bonheur (*bonum augurium*) comporte une
part de chance, ou de grâce, qui fait qu'il ne dépend pas entièrement de nous. Il en va de même pour le terme allemand : *Glückseligkeit,*
qui désigne chez Kant le bonheur, et qui vient tout droit de la philosophie wolffienne. On lit ainsi chez Baumgarten : « Pour l'esprit, les
biens qui dépendent le plus de sa liberté sont les biens moraux au
sens strict, et la perfection qu'ils entraînent est la béatitude [*beatitudo :
Seligkeit*]. L'accord des perfections qui conviennent à l'esprit est le

127. CO 111.
128. Cf. AN 166 et ED 446.

bonheur [*felicitas : Glückseligkeit*]. Le complément à la béatitude qui, chez un esprit fini, produit le bonheur est la chance [*prosperitas : gutes Glück, Wohlfahrt*] », laquelle dépend de la nature extérieure. « Le bonheur d'un esprit fini est l'accord de la chance et de la béatitude [129]. » Il en va de même chez Kant : la *Glückseligkeit* est le bonheur que peut attendre un esprit fini ; il comprend donc deux éléments : l'un qui dépend de notre liberté, l'autre qui dépend de la nature extérieure. Le tout est de déterminer le rapport entre ces deux éléments du bonheur, entre *Glück* et *Seligkeit* [130].

Quel est maintenant le contenu du bonheur ? Être heureux : qu'est-ce que cela veut dire ? La satisfaction de tous nos penchants, répond Kant, satisfaction aussi bien extensive, puisqu'elle les concerne tous, qu'intensive, puisqu'elle les satisfait absolument, que protensive, puisqu'elle dure infiniment [131]. Il est évident qu'une telle satisfaction ne dépend pas de nous, êtres finis, qu'elle suppose une coopération du monde extérieur, une chance. Ce qui dépend de nous, ce n'est pas d'être heureux, mais de nous rendre *digne d'être heureux* [132]. Mériter le bonheur, tel est le problème moral. Quant à savoir si et comment on l'obtiendra, c'est une question proprement religieuse, qui ressortit non au *Que dois-je faire ?* mais au *Que m'est-il permis d'espérer* [133] ?

On a beaucoup critiqué cette conception. Elle n'a pas la grandeur de la doctrine antique du bonheur, qui fait de celui-ci l'œuvre de notre intelligence et de notre vouloir. HEGEL, d'autre part, lui oppose une définition bien plus originale du bonheur ; il y voit non pas la satisfaction de nos besoins, passive et contingente, mais l'acte de « se retrouver soi-même dans son œuvre ». Et, comme le précise J. Hyppolite dans son commentaire : « Un peuple est heureux dans l'histoire quand il parvient à s'exprimer lui-même dans son œuvre. Ainsi l'artiste qui voit dans son œuvre l'expression adéquate de lui-même connaît la jouissance de soi. La conscience morale en réclamant le bonheur réclame donc l'intuition d'elle-même

---

129. *Metaphysica*, n⁰ 787. Je donne ici entre parenthèses le terme latin puis la traduction allemande que l'auteur indique en note.
130. Sur la *Seligkeit* chez Kant, voir notamment PR 138, 21.
131. Cf. RP 544 ; PR 134 et 156.
132. Cf. *ibid.*
133. Cf. PR 543 et 544.

dans la réalité [134].» L'exigence humaine du bonheur est donc tout aussi valable que réalisable ! Et c'est ce que Kant n'aurait pas su voir...

Maintenant, la définition de Kant, pour être moins grandiose, est peut-être beaucoup plus solide, et surtout plus humaine. Sa grande originalité est justement de n'en avoir aucune : « Kant, ce professeur de géographie qui un jour a voulu savoir ce que c'était qu'un honnête homme au jugement de son savetier [135] » — Kant n'a jamais prétendu non plus à une conception du bonheur qui serait différente de celle du commun des hommes. Il a refusé, et de plus en plus, l'idée antisocratique qui réserve le bonheur au sage, ou encore au créateur. Si certains trouvent leur félicité dans un raffinement du vouloir et du savoir, le bonheur est d'abord et avant tout un problème qui se pose à tous les hommes. Il faut citer ici ce passage trop peu connu : « Être heureux est nécessairement le désir de tout être raisonnable mais fini ; c'est donc un principe déterminant de sa faculté de désirer. Car le fait d'être satisfait de son existence tout entière n'est pas je ne sais quelle possession originaire, une béatitude supposant [seulement] la conscience de son indépendance, de son autosuffisance : c'est un problème que lui impose sa nature finie elle-même ; car il est un être de besoin [136].» Et ce besoin est déterminant, et déterminé lui-même, qu'on le veuille ou non, par la « matière » de notre faculté de désirer : le sentiment de plaisir ou de peine [137]. Aussi est-il toujours subjectif, c'est-à-dire particulier et contingent. Il n'est pas question d'en faire le principe de la morale, encore qu'il soit à la base de tous nos désirs [138]. Le bonheur est le « problème » qui se pose à tout homme, le « besoin » qu'a tout homme de surmonter sa finitude.

---

134. J. Hyppolite, *Genèse et structure de la Phénoménologie de l'esprit de Hegel*, p. 462.

135. Alain, « Histoire de mes pensées », *in les Passions et la sagesse*, p. 93.

136. PV 45 = PR 21 ; le « seulement » est ajouté par moi d'après le contexte.

137. Cf. *ibid.* et LC 220, FM 97.

138. Cf. *ibid.* ; p. 27.

Maintenant, si l'on veut comprendre cette doctrine dans sa complexité, il est bon de remonter dans l'œuvre de Kant aux *Réflexions* de l'époque antérieure à la *Critique de la raison pure,* analysées par Delbos et surtout par Bohatec [139]. Nous trouvons là une doctrine très cohérente du bonheur, que l'œuvre ultérieure, l'œuvre critique fera éclater [140]. Tous les éléments que Kant unit ici dans sa doctrine du bonheur : les désirs, le sentiment vital, la raison organisatrice, l'universalité, la vertu, la satisfaction de soi, l'harmonie intime [141], il va les retenir dans ses œuvres ultérieures, mais en les dissociant. Au lieu de l'« harmonieuse unité », on n'aura plus que des éléments épars, où l'homme pourra bien entrevoir l'image de son bonheur, mais comme dans les fragments d'un miroir brisé.

Les *Fondements de la métaphysique des mœurs* définissent le bonheur comme « le bien-être complet et le contentement de son état [142] ». Il n'a plus de valeur morale intrinsèque, car il peut tourner à l'égoïsme et à la présomption, et seule la bonne volonté « paraît constituer la condition indispensable même de ce qui nous rend digne d'être heureux [143] ». Une cassure s'est produite entre la vertu et le bonheur, entre le mérite et sa récompense. D'autre part les *Fondements* soulignent, comme les Opuscules sur l'histoire de la même époque, la rupture entre la raison et le bonheur : si la nature avait voulu l'humanité heureuse, « elle aurait bien mal pris ses mesures en choisissant la raison de la créature comme exécutrice de son intention [144] ». La fin de la nature n'est donc pas le bonheur, mais la culture ; et si celle-ci, comme l'a montré Rousseau, nous apporte bien des vices et bien des souffrances, elle est aussi notre grandeur, puisque par elle l'homme est capable de poser ses propres fins et de dominer ses instincts [145].

139. Voir Delbos, p. 180ss. et Bohatec, p. 136 à 143.
140. Cf. Bohatec, p. 136 à 142.
141. *Ibid.*
142. GM 397 = FM 88.
143. *Ibid.* ; cf. RP 543.
144. GM 395 = FM 91.
145. Cf. FJ n⁰ 83 et n⁰ 84, p. 245, note, et p. 53 ; AN 162ss.

Le sens de l'existence humaine n'est plus la satisfaction, mais *l'insatisfaction.* Si la vertu n'est plus heureuse, le bonheur quant à lui cesse d'être vertueux. L'impératif catégorique exclut tout eudémonisme ; et ceci suffit à opposer la morale de Kant à toutes celles qui l'ont précédée : « Tous les eudémonistes sont des égoïstes pratiques », écrit-il dans *l'Anthropologie* [146]. C'est ce qui découle de l'analyse de la *prudence (Klugheit).* Au sens large, la prudence est l'art de vivre en société et d'utiliser les autres pour ses propres fins [147]. Dans un sens plus étroit et plus moral, elle est l'aptitude de la raison à dompter les inclinations naturelles pour que, au lieu de s'entre-détruire, elles s'accordent en un tout qui est le bonheur [148]. En un mot la prudence, la *phronésis* d'Aristote, c'est l'art de la vie heureuse. Or le bonheur est une fin réelle, le but de tout homme en tant qu'être raisonnable et fini, donc dépendant. Pourquoi alors la prudence ne peut-elle nous donner l'impératif catégorique, pourquoi n'est-elle pas intrinsèquement morale ? Ici Kant ne nous donne pas une réponse, mais *deux !*

D'une part, et il y reviendra surtout dans la *Critique de la raison pratique,* l'impératif de prudence dépend d'une fin extérieure ; il est donc intéressé, impur : que dirait-on d'un caissier qui, au nom du principe sacré du bonheur personnel, se croirait autorisé à puiser dans la caisse, à condition de pouvoir le faire impunément [149] ? Mais les *Fondements* nous donnent encore une autre réponse ; si tout homme veut le bonheur, personne ne sait vraiment ce qu'il veut : nécessaire en tant que visée, le bonheur devient contingent dès qu'on prétend lui donner un contenu ; l'homme, être fini, ne sait pas ce que c'est qu'être heureux ; aussi chacun poursuit-il

146. AN nº 2, p. 19. Cf. *Doctrine de la vertu,* préface : l'eudémonisme « a pour conséquence l'*euthanasie* de toute morale » (MS 378).
147. Cf. ED 486 et 450 ; RP 543.
148. Cf. RL 82 ; pour la distinction des deux sens, voir FM 127ss. À ma connaissance, la première esquisse de cette doctrine se trouve dans les *Recherches sur l'évidence des principes de la théologie naturelle,* de 1763-64, IV, nº 2, trad. Fichant, p. 59ss.
149. BR 35-36.

un bonheur inconnu, parce que transcendant, dans les *Ersatz* que lui offre l'expérience : la richesse, la longévité, la santé, la gloire, etc. [150] — quitte à être toujours déçu : « Bref, il est incapable de déterminer avec une entière certitude d'après quelque principe ce qui le rendrait véritablement heureux : pour cela il faudrait l'omniscience [151]. » C'est pourquoi la prudence ne peut donner que des « conseils », non des impératifs [152].

Ici, on peut tout de même se poser la question suivante : si l'homme était capable de connaître son bonheur, comme le pensaient les philosophes antiques ou classiques, la prudence ne constituerait-elle pas alors l'essentiel de la moralité et ne serait-elle pas en droit de nous donner un impératif catégorique ? Comme le dit F. ALQUIÉ dans son remarquable commentaire de ce passage : dans la critique du bonheur « se mêlent deux arguments différents : la règle commande ici autre chose que soi — le bonheur est le concept indéterminé. Et l'on peut se demander si la critique de Kant serait aussi forte si, précisément, comme l'ont pensé beaucoup de moralistes anciens, le bonheur pouvait être défini d'une manière absolument stricte, et si les moyens d'y atteindre pouvaient être également définis d'une manière rigoureuse [153]. » Alquié ajoute que tous les impératifs seraient alors hypothétiques ; je crois plutôt qu'il n'y aurait plus d'impératif du tout... comme c'est le cas, par exemple, chez Spinoza. En tout cas le résultat est clair : la philosophie rationaliste, depuis Platon jusqu'à Leibniz, a prétendu établir un lien indissoluble entre ces trois concepts, la connaissance, la vertu, le bonheur ; l'un ne va pas sans les deux autres. Chez Kant l'unité se trouve brisée ; l'homme ne *sait* pas ce qu'est le bonheur, il ne *peut* pas être heureux et il ne *doit* même pas chercher à l'être, sinon dans les strictes limites que lui prescrit le devoir. La quête du bonheur est identique à la quête de l'absolu, dont la *Critique de la raison pure* a montré qu'il est inaccessible à l'homme. « La *Critique de*

150. Cf. FM 131-132.
151. GM 418 = FM 132.
152. Cf. FM 128 à 133 ; voir aussi PR 37-38.
153. Alquié, *la Morale de Kant*, p. 39.

*la raison pure,* dit encore Alquié, a montré que je ne peux pas connaître le bien, que je ne peux pas connaître Dieu, que je ne peux pas connaître le bonheur comme tel [...]. Dès lors, qu'est-ce qui reste ? Il reste le désir des hommes, et ses incertitudes [154]. » La tentation du bonheur est aussi vaine que la tentation du savoir. Au fond, c'est la même.

La *Critique de la faculté de juger* [155] complète cette analyse en la précisant. À partir de la loi morale, nous sommes autorisés à considérer l'homme comme la fin dernière de la nature. En quoi cette finalité consiste-t-elle : est-ce pour être heureux que l'homme existe ? Mais que savons-nous du bonheur ? Ce n'est pas un but concret qu'on pourrait tirer de l'analyse des tendances, c'est une simple idée que l'homme pose par son entendement, en s'aidant de l'imagination et des sens. Aussi, l'homme conçoit-il son bonheur de la façon la plus contingente et la plus variable : « Il modifie même si souvent ce concept que, si la nature était entièrement soumise à son libre arbitre, elle ne pourrait admettre absolument aucune loi déterminée, universelle et durable pour s'accorder avec ce concept mouvant, donc avec la fin que chacun se propose de manière arbitraire [156]. » Même si l'homme pouvait connaître son bonheur, il ne pourrait pas l'atteindre, « parce que sa nature n'est pas telle qu'elle puisse trouver son terme et se satisfaire dans la possession et la jouissance [157] ». D'autre part rien ne nous indique que la nature ait privilégié l'homme au point de le destiner au bonheur. Et même si c'était le cas, « l'incohérence de ses propres dispositions naturelles », les contradictions de sa nature propre l'empêcheraient de jouir de ce privilège ; il serait poussé, comme il l'est réellement, à torturer les autres et lui-même [158]. Ainsi, la fin dernière de la nature n'est pas le bonheur, mais la *culture,* c'est-à-dire l'aptitude qu'a l'homme à poser librement ses fins et à utiliser

---

154. Alquié, *la Morale de Kant,* p. 40. Sur le bonheur, dans les *Fondements,* voir Delbos, p. 329ss.
155. Cf. FJ n° 83.
156. UK 389 = FJ 240 (n° 83).
157. *Ibid.*
158. Cf. *ibid.,* p. 241.

la nature pour les réaliser [159]. L'homme n'est pas fait pour être heureux. Et si nous estimons la valeur de la vie à la somme des jouissances qu'elle nous procure, cette valeur est nulle, voire négative. C'est que justement la valeur de la vie humaine n'est pas dans ce que l'homme reçoit, mais dans ce qu'il fait, et d'abord dans ce qu'il veut : « Il ne reste donc en définitive que la valeur que nous donnons nous-même à notre vie, non seulement en agissant, mais en agissant d'après une fin, d'une manière si indépendante de la nature que même l'existence de la nature ne peut être fin qu'à cette condition [160]. »

La *Critique de la raison pratique* accentue encore cette cassure ; son souci principal semble être de condamner le principe de bonheur, qui ne peut que dénaturer la vie morale, en la rendant « hétéronome », égoïste et intéressée. Même le bonheur général, même le bonheur d'autrui se trouvent exclus en tant que principes moraux [161]. Et pourtant ce livre, qui semble si opposé au bonheur, en parle presque à chaque page. Mieux encore : c'est le thème du bonheur qui en fait l'unité profonde. N'est-ce pas qu'il y a malgré tout quelque chose de positif dans le principe du bonheur ?

On remarquera d'abord que l'auteur revient sur l'idée de satisfaction de soi : *Selbstzufriedenheit,* tout en cessant d'y voir l'élément constitutif du bonheur. Comme dans les *Réflexions* antérieures, la satisfaction de soi découle du sentiment d'être indépendant de ses propres inclinations, d'être libre ; mais elle est purement négative et ne nous rend nullement heureux [162]. D'ailleurs, est-elle seulement possible ? L'homme est-il souvent fondé à être satisfait de soi ? Dans l'*Anthropologie,* on lit que cette satisfaction « n'est pas accessible à l'homme », « ni au sens moral, ni au sens pragmatique ». Dans les deux cas, la satisfaction absolue serait synonyme de repos absolu, c'est-à-dire de mort : « La nature a placé en

159. Cf. FJ 241.
160. UK 395a = FJ 243, 244, note ; voir aussi n° 84, p. 345, note 1, n° 86, p. 251.
161. Cf. PR 36 et 34 et RL 21, note. Plus positive, la *Doctrine de la vertu* fera du bonheur d'autrui un « devoir-fin » — *Endpflicht.*
162. Cf. PR 127-128.

l'homme, comme stimulant de l'activité, la douleur à laquelle
il ne peut se soustraire, afin que le progrès s'accomplisse toujours vers le mieux ; et même à l'instant suprême, on ne peut
se dire satisfait de la dernière partie de sa vie que d'une
manière relative [...] on ne l'est jamais purement ni absolument [163]. » Ainsi, même cette part du bonheur qui dépend de
nous et seulement de nous semble nous être interdite.

Sur le plan moral, cette satisfaction relative a pourtant
un sens et une réalité. Elle est le sentiment austère du devoir
accompli envers et contre tout. Il faut citer ici cette page
admirable :

> Un homme n'est-il pas soutenu encore, même dans le
> malheur le plus grand de la vie, malheur qu'il eût pu
> éviter à la seule condition de pouvoir transgresser son
> devoir, par la conscience d'avoir pourtant maintenu et
> honoré en sa propre personne la dignité de l'humanité,
> de n'avoir pas de motif de rougir de lui-même et de
> redouter le spectacle intérieur de l'examen de conscience ?
> Cette consolation n'est pas le bonheur, elle n'en est pas
> même la moindre partie, car nul ne souhaitera d'en avoir
> l'occasion, ni même de passer une vie dans des condi-
> tions semblables. L'homme cependant vit et ne peut
> souffrir de paraître à ses propres yeux indigne de vivre.
> Cet apaisement intérieur est donc purement négatif par
> rapport à tout ce qui peut rendre la vie agréable [...]. Il
> est l'effet d'un respect de toute autre chose que de la vie,
> et cette chose, si on lui compare ou oppose la vie, fait
> paraître la vie, avec tout son charme, comme sans valeur.
> On ne vit plus alors que par devoir et non parce qu'on
> trouve le moindre agrément à la vie [164].

Peut-on en rester à une contestation aussi radicale du
bonheur ? On peut bien mépriser l'expérience, l'expérience
nous montre qu'il existe, sinon le bonheur, du moins des moments heureux, ou, si l'on préfère, des moments plus heureux
que d'autres. Le mot bonheur correspond donc à une réalité
vécue, et non seulement à un au-delà inconnaissable. La
preuve, c'est que nous désirons ou regrettons ces moments de
bonheur. Kant, loin de le nier, admet au contraire que le

163. AN n⁰ 61, p. 96.
164. PV 157 = PR 92-93 ; cf. AN n⁰ 66, p. 100.

bonheur, pris en ce sens tout relatif, est un élément positif
de la vie morale. Dans les *Fondements,* il précise : « Assurer
son propre bonheur est un devoir (au moins indirect) » ; car
l'insatisfaction profonde pourrait être « une grande tentation
d'enfreindre ses devoirs [165] » ; mais l'obligation d'être heureux
ne doit pas nous être dictée par nos inclinations. Autrement
dit : soyez heureux si votre devoir l'exige, et même si vous
n'en avez aucune envie ! La *Doctrine de la vertu* précisera
que le bonheur n'est pas un « devoir-fin », mais qu'il peut
être, en tant qu'il nous exempte de la malchance, de la
souffrance et de la misère, qui sont de grandes tentations
d'enfreindre le devoir, un moyen autorisé *(das erlaubte Mittel)*
de la moralité [166]. Maintenant, ce bonheur qu'on s'impose
comme une médication salutaire est-il encore le bonheur ?
On pourrait répondre quatre choses.

D'abord qu'on finit très souvent par aimer ce qu'on
commence par faire à contrecœur, par exemple la bienfaisance,
le sacrifice pour les autres [167]. Ensuite que le bonheur, dans
ce qu'il a de plus spontané, de plus irréfléchi, de plus « pathologique » même, est lui aussi nécessaire à la vie morale :
« L'homme est un être de besoin en tant qu'il appartient au
monde sensible, et à cet égard sa raison a certes une mission
qu'elle ne peut pas décliner : celle de se préoccuper de l'intérêt
de la sensibilité et de se donner des maximes pratiques en
vue du bonheur dans cette vie et, si possible, dans la vie
future [168]. » C'est pourquoi la prudence doit être enseignée,
pourvu qu'elle ne s'oppose pas à la moralité [169]. La raison
pratique ne veut pas qu'on renonce au bonheur, elle nous
interdit simplement de partir de lui pour déterminer notre
devoir [170]. On peut alléguer un troisième élément positif :
l'*Anthropologie* retrouve une des thèses des *Réflexions* antérieures quand elle affirme qu'« un plaisir qu'on se procure
soi-même (s'il n'est pas contraire aux lois) est deux fois

165. GM 399 = FM 97 ; voir aussi **PR** 99.
166. Introduction, vi b, *in* **MS** 388.
167. *Op. cit.,* XIIc, *in* **MS** 402.
168. PV 107-108 = **PR** 63.
169. Cf. ED 450 et 486.
170. Cf. **PR** 99.

éprouvé : d'abord parce qu'on l'a *acquis,* ensuite parce qu'on l'a mérité » ; ainsi pour l'argent gagné par le travail. On est heureux d'être l'auteur de son bonheur [171].

Une dernière remarque confirmera les trois précédentes : la *Métaphysique des mœurs* considère que la raison pratique doit poser deux grandes fins pour chaque homme, deux fins qui commandent tous ses devoirs concrets : la perfection de soi-même et le bonheur d'autrui. C'est un devoir strict, un « devoir de droit », que de respecter les conditions du bonheur d'autrui ; c'est un « devoir de vertu », large et imparfait, que de travailler à le promouvoir [172]. Or, comme le remarque justement M.-A. Bloch, ce principe implique réciprocité : je ne puis sans doute pas exiger qu'autrui contribue à mon bonheur, puisqu'il s'agit d'un devoir large ; je puis du moins considérer que mon bonheur est une valeur, au même titre que celui de tous les autres [173].

Un autre aspect du bonheur, singulièrement plus profond, nous est donné par l'esthétique. La beauté n'est-elle pas en quelque sorte l'image d'un bonheur inaccessible et pourtant réel ? On sait que, pour Kant, « la beauté est la forme de la finalité d'un objet, en tant qu'elle est perçue en celui-ci sans représentation d'une fin [174] ». En ce sens, le sentiment esthétique, tout en étant spécifique, est analogue par son désintéressement au sentiment moral : impuissant à nous indiquer la fin réelle de son objet, à nous dire *pourquoi* cette rose est belle, il nous rappelle devant cette beauté apparemment sans emploi à notre fin transcendante : la belle apparence fait *paraître* quelque chose, non pas en tant qu'apparence, mais en tant que belle [175]. Pour le préciser, rappelons cette autre définition de la beauté : « ce qui plaît universellement sans concept [176] ». Le sentiment esthétique n'est pas, comme le pensaient les leibniziens, la perception confuse d'une per-

171. AN nᵒ 63, p. 99.
172. Cf. *Doctrine de la vertu,* introduction, v et viii, *in* MS 387-388 et 393-394.
173. Cf. Bloch, *les Tendances et la vie morale,* p. 36 à 38.
174. Cf. FJ nᵒ 17, p. 76.
175. Cf. FJ nᵒ 42, p. 133.
176. Cf. FJ nᵒ 9, p. 162.

fection objective ; il ne se réduit pas non plus à la sensation agréable, car le jugement de goût serait alors contingent et ne pourrait prétendre à l'universalité. Si ce jugement exclut tout concept déterminé par l'entendement, il se fonde en revanche sur un concept indéterminé, celui « d'un substrat suprasensible des phénomènes », dit Kant [177], et aussi « du substrat suprasensible de l'humanité [178] ». Ce passage assez mystérieux nous laisse entendre que le beau est, dans le monde phénoménal, le symbole entrevu de l'accord entre la nature et notre liberté, accord que nous ne pouvons pas connaître ni même comprendre, mais qui reste l'objet ultime de notre espérance morale. « La beauté n'est que la *promesse* du bonheur », dit Stendhal [179]. En sa présence, nous apercevons la réconciliation entre le monde et nous-mêmes, non pas comme une réalité objective, mais comme un message et une espérance.

Il y a donc dans notre vie d'ici-bas des éléments de bonheur ; nous pouvons les connaître, nous devons les reconnaître : la satisfaction des besoins naturels, le plaisir bien gagné, la satisfaction de soi qui résulte de la vertu, la fin-devoir qu'est pour chacun le bonheur d'autrui, la beauté enfin, comme image d'une réconciliation gracieuse entre l'homme et le monde — autant de valeurs positives et constitutives de la vie morale. Il reste que le vrai bonheur n'est pas de ce monde.

Si maintenant on se rappelle que cette conception pessimiste n'a pas toujours été celle de Kant, que très concrètement elle prend forme à l'époque de la *Critique de la raison pure,* on peut en saisir la raison profonde. Si le philosophe est tellement négatif au sujet du bonheur, n'est-ce pas à cause de sa conception même des *limites* de la raison humaine ? Car le bonheur est bien une réalité transcendante ; et l'homme est coupé de la transcendance. Sur le plan théorique, il ne peut connaître que les phénomènes dans l'espace et le temps ;

177. Cf. FJ n⁰ 57, p. 165.
178. Cf. FJ n⁰ 57, p. 164 ; voir aussi n⁰ 58, p. 172.
179. *De l'amour,* chap. XVII, p. 71, note 1. Sur le bonheur, cf. aussi Eric Weil, *Problèmes kantiens,* p. 113.

et l'objet connu, la nature empirique, est totalement indifférent à l'exigence de bonheur même la plus justifiée ; faite pour comprendre, la raison humaine doit se résigner à ne pas comprendre l'essentiel, à rester toujours dans le relatif et le conditionné. Sur le plan moral, l'homme est appelé à se dépasser sans cesse, dans un progrès à l'infini vers un idéal inaccessible à vue humaine ; il est l'être de l'insatisfaction ; et nous touchons une seconde limite, encore plus radicale : pour l'être humain, la vie morale, ne peut être la sainteté, ou accomplissement spontané et heureux de la loi morale, mais seulement la vertu — c'est-à-dire l'effort, la lutte incessante contre la tentation, sans que la victoire soit jamais acquise : « Ainsi notre moralité, à sa marche la plus haute, ne peut être rien de plus que vertu [180]. »

Le bonheur est en fait une réalité religieuse. Il n'est pas du ressort du savoir ni du devoir humain, il est notre espérance [181], et « l'espérance du bonheur ne commence qu'avec la religion [182] ». C'est pourquoi, dans une dialectique qui rappelle celle de Pascal, Kant renvoie dos à dos l'épicurisme et le stoïcisme, qui ont vu l'un et l'autre dans le bonheur une possibilité de la nature humaine, une fin que l'homme pourrait atteindre ici-bas. Les épicuriens, en en faisant le but de la morale, ont défiguré non seulement la morale, mais le bonheur, qu'ils réduisent à une jouissance empirique, variable, et finalement mesquine, puisque la prudence humaine ne peut guère que se recroqueviller devant la souffrance et devant la mort [183]. Les stoïciens ont visé plus haut ; ils ont pris pour principe la vertu désintéressée ; mais ils ont méconnu les limites de la condition humaine. En exaltant au-delà de toutes les bornes de la nature le pouvoir moral de l'homme, en s'imaginant que la vertu parfaite peut être atteinte dans cette vie même, ils ont substitué à la bonne volonté un héroïsme moral qui n'est finalement qu'amateurisme et présomption [184]. Ils ont ainsi réduit le bonheur à la simple satisfaction de soi : idéal sur-

---

180. *Doctrine de la vertu,* introduction II, *in* MS 383 ; cf. PR 137.
181. Cf. PR 138.
182. PV 235 = PR 140.
183. Cf. PR 136.
184. Cf. PR 136.

humain, car l'homme n'est jamais si parfait qu'il puisse être
satisfait ; idéal inhumain, car l'exigence la plus profonde de
notre nature porte non pas sur une indépendance qui nous
retrancherait de la nature, mais sur la réconciliation de la
nature avec notre liberté [185]. La vertu nous rend digne du
bonheur ; elle ne nous rend pas heureux pour autant. Et il y a
là un scandale objectif qu'aucune sagesse ne peut résorber. Car
même si je sais me satisfaire de mon propre sort, puis-je
accepter le malheur des autres, la méconnaissance de leurs
efforts, l'injustice qui les écrase ? Si la vertu est la condition du
Souverain Bien, elle n'est pas à elle seule le bien : « Car,
avoir besoin du bonheur, en être digne aussi et pourtant ne
pas y participer c'est ce qui ne peut nullement se concilier avec
le vouloir parfait d'un être raisonnable qui aurait en même
temps la toute-puissance [186]. »

La jouissance hédoniste et la vertu orgueilleuse ont l'une
et l'autre quelque chose de désespéré. Ici encore, Kant donne
raison au christianisme qui, conscient de la faiblesse humaine,
remplace la satisfaction du sage par l'espérance : une espérance qui porte aussi bien sur la perfection qu'on peut exiger
de nous que sur le bonheur que nous sommes en droit d'exiger,
nous. C'est avec raison que le christianisme fait de la loi
morale un *commandement* divin : non pas pour en détruire
l'autonomie, mais pour souligner que cette loi n'est pas seulement une exigence anonyme, mais un ordre qui comporte la
garantie de sa sanction, une exigence qui est aussi une promesse [187] : « Ce n'est que lorsque la religion s'ajoute à la
[morale] qu'apparaît l'espoir de participer un jour au bonheur,
dans la mesure où nous avons tâché de n'en être pas
indigne [188]. »

Reste la question ultime : l'espoir du bonheur n'est-il pas
rendu vain par le mal radical ? Comment attendre une récompense divine si nous savons que nous en sommes indignes ?

185. Cf. PR 121, 137 et note. Ce qui n'empêchera pas la *Doctrine de la vertu* d'accorder une valeur positive à l'*apatheïa* stoïcienne :
introduction XVI et XVII, *in* MS 408.
186. PV 199 = PR 119.
187. Cf. PR 138-139.
188. PV 234 = PR 139.

Bien plus : comment l'homme, fût-il vertueux, pourrait-il
espérer une récompense alors qu'il ne fait jamais *que* son
devoir, et qu'il ne peut exiger sans absurdité un salaire de
Dieu ? Ici encore Kant, dans la *Doctrine de la vertu,* répond
au problème en s'inspirant de la théologie luthérienne tout
en la « laïcisant » : « La fin de Dieu en ce qui concerne
l'espèce humaine, sa création et sa direction, on ne peut se la
représenter que comme une fin de [son] amour : le bonheur
des hommes [...]. À vue humaine, on pourrait s'exprimer
ainsi : Dieu a créé des êtres raisonnables comme s'il était
mû par le besoin d'avoir quelque chose en dehors de lui
qu'il puisse aimer, ou même dont il soit aimé [189]. » Seulement
la justice divine, qui exige l'expiation totale de toutes nos
fautes, passe avant l'amour ; elle est indépendante de Dieu
même, comme le *Fatum* des Anciens l'était de Jupiter [190].
Pourtant cette justice, adéquate dans sa forme à la volonté
de Dieu, pourrait bien la contredire dans sa fin, qui reste
toujours le bonheur des hommes. « Car, vu la masse éternellement immense des coupables [...] la justice expiatoire placerait
le but de la création non dans l'amour de son auteur, ce qui
est pourtant bien ce qu'on peut concevoir, mais dans la stricte
exécution du droit [191]. » N'est-ce pas réduire la vie future de la
plupart des hommes, sinon de tous, à une sorte de bagne éternel ? Or Dieu n'a pas pu créer le monde pour qu'il devienne un
enfer. Maintenant il faut préciser que la justice divine n'est
pas Dieu ; elle n'est que « la condition restrictive de la bonté
de Dieu [192] ». Elle ne peut faire échec à l'exigence de la
raison pratique, selon laquelle Dieu a créé le monde par
amour.

L'affirmation religieuse que la loi morale n'est pas seulement une exigence anonyme de la raison, mais un ordre de
Dieu, n'est-elle pas aussi une raison de mettre l'amour de
Dieu avant sa justice ? C'est du moins ce que le philosophe
semble dire, dans une note de *la Religion :* « À mon avis,

189. *Doctrine de la vertu,* remarque finale, *in* MS 488.
190. *In ibid.,* MS 489.
191. *Ibid.,* MS 490.
192. *Ibid.*

on pourrait concilier ainsi les propositions apparamment contradictoires : « Le Fils viendra pour juger les vivants et les morts » — « Dieu n'a pas envoyé son Fils dans le monde pour condamner le monde, mais pour que le monde soit sauvé par lui » (Jean, III, 17), en les accordant avec celle-ci : « Celui qui ne croit pas au Fils est déjà condamné » (*ibid.*, 18) [193]. » Comme nous l'avons vu au chapitre précédent, la « foi » de Kant n'est sûrement pas orthodoxe. Il reste que pour lui, au-delà du savoir, et même du devoir, c'est *une foi,* et une foi seulement, qui peut sauver l'homme.

*<br>* *

Il y a donc bien chez Kant une philosophie du progrès, qui complète sa philosophie religieuse et ne la contredit pas.

Elle la complète, car elle précise que la destinée humaine se joue sur deux plans différents : le plan historique, politique et social, où les fautes et les souffrances, après avoir arraché l'humanité à son heureuse innocence naturelle, l'entraînent dans une progression incessante vers son propre accomplissement ; le plan éthique et individuel, où le mal garde sa dimension de scandale absolu et où l'homme n'accomplit sa vocation que par une conversion radicale. Le salut de l'individu ne se confond pas avec celui de l'espèce ; chaque homme est fin en soi.

Cet humanisme ne contredit en rien la philosophie religieuse. Disons qu'il lui impose sa condition fondamentale : l'homme, libre et raisonnable, est une fin en soi *même* pour Dieu [194]. En retour, l'humanisme attend de la religion le principe de son accomplissement : sur le plan politique et pédagogique, l'humanité ne peut pas compter que sur ses propres forces ; elle attend sa réussite d'une intervention divine, tout en sachant qu'elle doit tout faire pour mériter cette inter-

193. RG 221-222 = RL 192, note ; les références bibliques sont données par Kant.
194. Cf. PR 141.

vention. Il en va de même pour le salut individuel et pour le bonheur.

C'est sur ce dernier point surtout qu'on remarque ce que Kant a retenu de la théologie, ou tout simplement de l'Évangile : l'idée d'une grâce divine, c'est-à-dire d'un don immérité, gratuit. À nous de nous rendre dignes du bonheur, certes ; mais le bonheur n'est pas un salaire, une récompense que nous serions d'ailleurs bien incapable de mériter : il nous est *déjà* donné ; notre tâche est seulement de ne pas démériter ! Comme le dit la *Critique de la raison pure :* « C'est une idée moralement nécessaire de la raison que de nous regarder nous-même comme faisant partie du règne de la grâce, *où tout le bonheur nous attend,* à moins que nous ne répudiions nous-même notre part de bonheur en nous rendant indigne d'être heureux [195]. »

Cet ouvrage était depuis longtemps rédigé quand j'ai pris connaissance de la seconde édition des *Problèmes kantiens* d'Eric Weil (Vrin, 1970), qui se termine par un chapitre inédit : « Le mal, la religion et la morale ». Si je n'ai pu utiliser cette belle étude, je dois préciser ici qu'elle accentue vigoureusement certains thèmes que j'ai moi-même abordés. E. Weil part ainsi du scandale de la doctrine du mal radical pour les contemporains de Kant et montre que cette doctrine était déjà élaborée en 1775, comme l'atteste une lettre à Lavater ; il insiste avec profondeur sur le fait que le mal n'est pas dû à l'inclination sensible, qui est au contraire l'épreuve nécessaire sans laquelle la volonté n'aurait pas de champ d'action (cf. p. 147-148) ; il montre que, si la tentation était irrésistible, il n'y aurait pas de faute : le scandale est que nous y cédions librement (cf. p. 154-155). D'autre part il explique fort bien que, si les œuvres critiques ne parlent pas du mal radical, c'est que leur propos est de dégager l'essence de la morale, ce qui la rend possible : non pas la nature humaine, mais l'autonomie des êtres raisonnables en tant que tels (cf. p. 149-150), ce qui contribuerait à résoudre le problème des deux libertés rencontré dans notre chapitre IV.

Maintenant, quand il s'agit de décrire le mal radical, E. Weil le fait en termes de *conflit* inhérent à l'homme : « Ce n'est pas une paix céleste, ce n'est pas, non plus, si une telle chose peut exister, la paix des ténèbres : en lui-même, il lutte avec lui-même, sa raison pure avec sa volonté impure, sa nature morale telle qu'elle est devenue avec sa nature raisonnable qu'il ne saurait perdre » (p. 159). Il me semble qu'à

195. RV 812 = RP 547.

partir de là, il a quelque peu tendance à tirer Kant vers Hegel ; le mal en effet cesse d'être un scandale pour devenir l'obstacle nécessaire à l'effort et au progrès moral (cf. p. 161 et 166ss) ; la faute est transfigurée en *felix culpa* : « Kant, à notre connaissance, n'emploie pas l'expression de *felix culpa*. Il aurait pu le faire, car c'est la chute qui mène au salut un être qui, sans elle, n'aurait fait que végéter » (p. 169) ; j'ai cru montrer que cela est vrai au niveau de l'histoire et du progrès empirique de l'humanité mais cesse de l'être au niveau de notre caractère intelligible où le choix du mal constitue un scandale absolu, un « irrécupérable ». D'autre part, E. Weil affirme qu'« en notre phénoménalité, nous sommes à la fois bons et mauvais » (p. 161), que « l'homme en sa phénoménalité [...] porte en lui la lutte du Bien et du Mal » et que « sans l'admission du mal radical, la vie morale deviendrait incompréhensible » (*ibid.*) : il faudrait savoir si ce mal en lutte avec le bien, ce mal symétrique au bien et condition du bien, est vraiment identique au mal radical, si celui-ci n'est pas au contraire, comme l'indique le « rigorisme » du début de *la Religion,* ce qui exclut tout « à la fois », toute synthèse possible avec son opposé, le bien moral.

De même, en interprétant avec une grande profondeur la philosophie religieuse de Kant, E. Weil tend pourtant un peu trop, je crois, à en faire un « christianisme sans scandale » (p. 163) où le mal perd son mystère pour se réduire à sa fonction positive. Il affirme dans ce sens que Kant se borne à « l'interprétation du christianisme à l'aide du seul Évangile » (p. 173) : c'est oublier les innombrables références à saint Paul, le théologien du péché et de la grâce.

Cette étude originale et profonde montre bien comment Kant est, dans un sens, ouvert à Hegel. J'ai tenté de montrer, quant à moi, que le *non* de Kant à Leibniz, qui est aussi un refus anticipé de Hegel, est cela même qui rend sa pensée unique et irremplaçable dans l'univers de la philosophie.

# Conclusion

Kant est un philosophe pour qui le mal existe. Alors que tous les grands rationalistes qui vinrent avant lui, et même après lui, ont tenté de réduire le scandale de la faute, de la souffrance et de l'injustice, Kant désigne le scandale et le dénonce. Il ne cherche pas à ramener le mal à un ingrédient de la Providence divine : un Dieu qui se résignerait à accepter le mal comme un moyen nécessaire, comme un pis-aller, ne serait pas Dieu ! Il refuse également de voir dans le mal moral une conséquence de notre finitude ; n'est-il pas d'abord, au contraire, le refus de cette finitude ? L'erreur fondamentale que critique la philosophie de la connaissance est de prétendre à un savoir absolu, incompatible avec les limites de notre raison ; l'hétéronomie essentielle que dénonce la philosophie morale est de fonder notre devoir sur ce genre de savoir ; le mal radical que la philosophie religieuse perce à jour est de se croire justifié par des actes conformes au devoir, c'est la bonne conscience, la conscience hypocrite du pharisien.

Point n'est besoin d'insister une fois de plus sur la parenté profonde de cette doctrine du mal avec celle de la théologie protestante, et sur le recours à la Bible, au moins à titre de symbole, pour expliquer ce qui reste pour l'entendement inexplicable, pour rendre à l'homme une confiance que sa raison ne peut plus lui donner. Est-ce à dire que la théorie du mal radical n'est qu'une pièce rapportée dans le système de Kant, un visiteur étranger qui en détruit l'harmonie ? Nous avons tenté de montrer qu'il n'en est rien. Même si nous ignorions l'*Essai sur le mal radical* et l'*Insuccès*, nous pourrions déduire des œuvres critiques ces deux propositions essentielles : que la présence du mal dans le monde est incompatible avec la toute-puissance et la bonté de Dieu — que le mal moral ne peut être imputé à l'homme que s'il est commis librement. Kant n'a fait que pousser jusqu'au bout les conséquences de son système, quitte à découvrir de l'inintelligible dans le monde intelligible, quitte à rencontrer ce qu'il nomme lui-même l'« insondable » et qu'on appelle aujourd'hui le *mystère*.

Il reste que la philosophie de Kant rencontre un mystère qu'elle n'était pas préparée à recevoir. Ce qui rend notamment sa doctrine du mal si complexe, c'est qu'elle ne s'accorde pas avec sa théorie du temps. De sa période leibnizienne, le philosophe a gardé deux principes qui resteront pour lui intangibles : la détermination du mal, en particulier du mal moral, ne peut être qu'*a priori ;* et la cause déterminante du mal, comme tout ce qui est libre, se situe hors du temps. Dans ce monde intelligible des leibniziens, Kant introduit si j'ose dire un élément de scandale, une réalité du négatif, une possibilité pour la raison d'aller contre la raison. En prétendant situer la liberté hors du temps, il rend l'existence du mal inintelligible, pour ne pas dire absurde. Après tout, n'a-t-il pas raison ? Le mal n'est-il pas, par essence, l'*injustifiable ?* En tout cas cette philosophie nous fait comprendre que la liberté humaine est tragique, qu'elle ne se réduit pas à la « bonne » volonté, qu'elle contient en elle autre chose que l'autonomie, encore que le péché se présente toujours sous le masque du bien et de l'autonomie ; c'est sa manière à lui d'exister : il n'est qu'en se déguisant.

Maintenant, devant l'insondable profondeur du mal radical, ne sommes-nous pas réduit à l'alternative mortelle entre la mauvaise foi et le désespoir ? Kant n'a pas ignoré cette impasse. Comme Luther, il affirme pourtant que l'homme pécheur peut être en même temps justifié. Sa philosophie religieuse n'a pas pour dernier mot le désespoir, mais l'espérance. Cette espérance, qui n'est pas d'abord celle du bonheur futur, mais celle de la justification qui nous en rend digne, cette espérance est-elle compatible avec la rigueur, pour ne pas dire le rigorisme, de la philosophie critique ? Il y a chez

Kant, dans sa métaphysique, dans sa philosophie de la nature et de l'histoire, dans sa philosophie religieuse surtout, un abus du *als ob* — du *comme si* — qui peut surprendre de la part d'un philosophe pour qui l'esprit critique est la condition première de toute philosophie théorique et la sincérité celle de toute vie morale. N'est-il pas évident, pourtant, que le *comme si* était inévitable justement dans une philosophie qui accorde un tel rôle à l'esprit critique et à la sincérité, qui enferme l'homme dans des limites si étroites qu'elle se voit dans l'obligation de définir, au moins à titre d'hypothèse, de postulat, de mythe, l'au-delà de telles limites ? Le *comme si* est ce qui exprime la nostalgie de l'au-delà, ce qui demeure, « à l'intérieur des limites de la simple raison », d'une foi religieuse irrationnelle, et pourtant seule capable de résoudre la question humaine.

S'il ne choisit pas entre la métaphysique rationaliste et la foi chrétienne, Kant refuse également d'exclure la troisième perspective, la philosophie de l'histoire et du progrès propre à l'*Aufklärung*. Et il introduit ainsi une nouvelle difficulté, puisqu'il admet à la fois la doctrine du mal et de la conversion au niveau de l'individu et, au niveau de l'espèce, celle du progrès humain et du sens de l'histoire. Ces contradictions peuvent s'expliquer peut-être par les conflits de classes de l'époque de Kant, et par l'opposition des idéologies qui en résulte. Kant serait l'homme qui n'a pas pu choisir entre la métaphysique et la science, entre la religion et la métaphysique, entre la morale et l'histoire, entre le pessimisme religieux et l'optimisme humaniste, entre l'absolu de la conscience et celui de la science. Ce refus de choisir est ce qui rend sa philosophie si difficile, parfois si obscure. Si profonde aussi ! Car enfin, ces contradictions ne s'expliquent pas, ou pas seulement par les antagonismes de la société de l'époque, ni même par une évolution de la pensée du philosophe : ces contradictions ne sont-elles pas inhérentes à la condition humaine ? Ne sont-elles pas de nos jours et de toujours ?

Ces difficultés ne doivent pas nous faire méconnaître l'importance de la contribution kantienne à la solution du problème du mal. Cette contribution, je la résumerai d'un seul mot : *authenticité*. Oui, ce que le philosophe dénonce à travers toute son œuvre, c'est un certain manque d'*authenticité* que nous ne connaissons que trop : celle du métaphysicien qui prétend affirmer plus qu'il ne sait ; celle du religieux qui se recommande de lumières « surnaturelles » sans oser se dire que la force de sa conviction n'est peut-être que celle du besoin, de l'habitude ou de la peur ; celle de l'homme vertueux qui prend pour argent comptant la moralité de ses actes, en évitant de s'interroger sur leur source réelle. Le criticisme, c'est d'abord une volonté d'authenticité, d'où une extrême tension dans le système et même dans le style, qui fait la difficulté de cette philosophie, mais aussi sa solidité et sa profonde unité. Sans illusion, mais aussi sans pathos inutile, Kant nous dévoile l'existence du mal jusqu'à sa racine. Est-ce suffisant ? Peut-on fonder sa vie sur la seule volonté d'y voir clair et la certitude absolue de sa vocation morale ? Peut-on se suffire de ce « tu dois donc tu peux » qui doit nous soutenir malgré toutes les déceptions du malheur, de l'injustice, et celle, plus grave encore, de la faute ? Je n'ai pas ici à résoudre ce problème. Peut-être est-il utile de remarquer, cependant, que le philosophe qui a dévoilé le mystère du mal dans son incommensurable profondeur, a su mourir en disant ces simples paroles : *Es ist gut* — « c'est bien ».

# Bibliographie

## I. L'ŒUVRE D'EMMANUEL KANT

*Sauf indication contraire, tous les ouvrages mentionnés dans cette bibliographie sont édités à Paris. Nous indiquons entre crochets le sigle utilisé dans notre volume.*

1755 *Nouvelle explication des premiers principes de la connaissance métaphysique,* trad. par Tissot, dans *Mélanges de logique,* Ladgrange, 1852. Titre latin : *Principiorum primorum cognitionis metaphysicae nova dilucidatio.* [ND]

1759 *Quelques considérations sur l'optimisme,* trad. par Paul Festugière, dans *Pensées successives sur la théodicée et la religion,* nouv. éd., Vrin, 1963. La pagination de cette édition diffère de la précédente.

1763 *Essai pour introduire en philosophie le concept de grandeur négative,* trad., introd. et notes par Roger Kempf, préface de G. Canguilhem, Vrin, 1949. [GN]

1763 *L'Unique Fondement possible d'une démonstration de l'existence de Dieu,* trad. par Paul Festugière, dans *Pensées successives sur la théodicée et la religion,* nouv. éd., Vrin, 1963.

1764 *Recherches sur l'évidence des principes de la théologie naturelle et de la morale,* trad., introd. et notes par Michel Fichant, Vrin, 1966.

1764 *Observations sur le sentiment du beau et du sublime,* trad., introd. et notes par Roger Kempf, Vrin, 1953.

1765 *Annonce du programme des leçons de M. E. Kant durant le semestre d'hiver 1765-1766,* trad. par Michel Fichant, à la suite des *Recherches sur l'évidence des principes de la théologie naturelle et de la morale,* trad., introd. et notes par Michel Fichant, Vrin, 1966.

1770 *La Dissertation de 1770,* trad. (du latin), introd. et notes par Paul Mouy, 3e éd., Vrin, 1964.

1781 *Critique de la raison pure* (2e éd., 1787), trad. par A. Trémesaygues et B. Pacaud, nouv. éd., P.U.F., 1965. [RP]

1783 *Prolégomènes à toute métaphysique future qui voudra se présenter comme science,* trad. par J. Gibelin, nouv. éd., Vrin, 1963.

1784 *Idée d'une histoire universelle au point de vue cosmopolite,* trad. par S. Piobetta, dans *la Philosophie de l'histoire,* avec un avertissement de Jean Nabert, Aubier-Montaigne, 1947. [PH]

1784 *Réponse à la question : qu'est-ce que « les Lumières »* ?, trad. par S. Piobetta, *ibid.*

1785 *Compte rendu de Herder : idée en vue d'une philosophie de l'histoire de l'humanité,* trad. par S. Piobetta, *ibid.*

1785 *Fondements de la métaphysique des mœurs,* trad., introd. et notes par V. Delbos, nouv. éd., Delagrave, 1964. [FM]

1786 *Conjectures sur les débuts de l'histoire humaine,* trad. par S. Piobetta, dans *la Philosophie de l'histoire,* avec un avertissement de Jean Nabert, Aubier-Montaigne, 1947.

1788 *Critique de la raison pratique,* trad. par F. Picavet, introd. par F. Alquié, 3ᵉ éd., P.U.F., 1960. *N.B.* : la nouvelle traduction parue chez Vrin (celle de Gibelin, révisée) en 1965 nous paraît bien préférable, mais nous n'avons pu l'utiliser à temps. [PR]

1790 *Critique de la faculté de juger,* trad. par A. Philonenko, Vrin, 1965. [FJ]

1790 *Réponse à Eberhard,* trad., introd. et notes par Roger Kempf, Vrin, 1959.

1791 *Les Progrès réels que la métaphysique a réalisés depuis l'époque de Leibniz et de Wolff* (question mise en concours par l'Académie de Berlin pour 1791), trad. par Tissot, à la suite des *Prolégomènes,* Ladgrange, 1865.

1792 *Sur le mal radical.* Sera la première partie de *la Religion.*

1793 *La Religion dans les limites de la simple raison,* trad. par J. Gibelin, 2ᵉ éd., Vrin, 1952. [RL]

1793 *Sur le lieu commun : cela peut être juste en théorie mais ne vaut rien en pratique,* trad. par J. Gibelin, à la suite de *Critique de la raison pratique,* Vrin, 1944. [LC]

1794 *Sur la philosophie en général* (projet de préface à *Critique de la faculté de juger*), trad. par Tissot, à la suite des *Prolégomènes,* Ladgrange, 1865.

1794 *La Fin de toutes choses,* trad. par Paul Festugière, dans *Pensées successives sur la théodicée et la religion,* nouv. éd., Vrin, 1963.

1795 *Projet de paix perpétuelle, esquisse philosophique,* trad. par J. Gibelin, Vrin, 1948. [PP]

1797 *Métaphysique des mœurs : doctrine du droit, doctrine de la vertu.* Je n'ai pu utiliser les traductions de Tissot ou de Barni ; voir la rubrique en allemand. [MS]

1798 *Le Conflit des facultés, en trois sections,* trad., introd. et notes par J. Gibelin, 2ᵉ éd., Vrin, 1955. [CO]

1798 *Anthropologie du point de vue pragmatique,* trad. par Michel Foucault, Vrin, 1964. [AN]

*Œuvres éditées après la mort de Kant*

*Réflexions sur l'éducation,* trad., introd. et notes par A. Philonenko, Vrin, 1966. [ED]

*Opus postumum,* textes choisis et traduits par J. Gibelin, Vrin, 1950. [OP]

*TEXTES DE KANT EN ALLEMAND*

*Toutes les œuvres en allemand sont citées dans l'édition Felix Meiner, Hambourg, d'après la pagination indiquée en marge. On remarquera qu'il s'agit d'une édition critique, comportant chaque fois une introduction, les variantes et un index.*

*Kritik der reinen Vernunft,* éd. par Raymund Schmidt, nouv. éd., 1956. [RV]

*Grundlegung zur Metaphysik der Sitten,* éd. par Karl Vorländer, 3e éd., 1965, xxvii-100 p. [GM]

*Kritik der praktischen Vernunft,* éd. et introd. par K. Vorländer, nouv. éd., 1963, xlvii-200 p. [PV]

*Kritik der Urteilskraft,* éd. par K. Vorländer, 1963, xxxviii-394 p. [UK]

*Die Religion innerhalb der Grenzen der blossen Vernunft,* éd. par K. Vorländer, avec une introduction et une bibliographie par Hermann Noack, nouv. éd., 1966, cxii-252 p. [RG]

*Metaphysik der Sitten,* éd. par K. Vorländer, nouv. éd., 1966, li-378 p. [MS]

*Kleinere Schriften zur Geschichtsphilosophie, Ethik und Politik,* éd. par K. Vorländer, 1964, lxii-226 p. [KS] Parmi ces opuscules on trouve la réponse à Benjamin Constant : « Sur le prétendu droit de mentir par amour des hommes ».

*Ausgewählte kleine Schriften,* 1965, 116 p.

## II. ÉTUDES SUR LE PROBLÈME DU MAL CHEZ KANT

*Nous ne prétendons pas donner ici une bibliographie exhaustive ; puisse-t-elle simplement être utile !*

Barth, Karl, *Die protestantische Theologie im 19. Jahrhundert,* 3e éd., Zurich, Evangelischer Verlag, 1960 (1re éd. en 1946) ; voir chap. vii, p. 237-278.

Barthélémy-Madaule, Madeleine, *Bergson adversaire de Kant,* P.U.F., 1966 ; voir chap. iv, p. 180-190, et surtout la précieuse bibliographie sur Kant, de 1945 à 1964, p. 222-268.

Bohatec, Joseph, *Die Religionsphilosophie Kants in der Religion innerhalb der Grenzen der blossen Vernunft, mit besonderer Berücksichtigung iher theologisch-dogmatischen Quellen,* Hildesheim, Georg Olms, 1966 (1re éd. en 1938), 643 p. On trouvera dans ce livre le résumé et la critique d'un certain nombre d'études importantes.

BRIDEL, PH., *la Philosophie de la religion de Kant*, Lausanne, 1876.

BRUCH, JEAN-LOUIS, *la Philosophie religieuse de Kant*, Aubier-Montaigne, 1969.

BRUNSCHVICG, LÉON, *le Progrès de la conscience dans la philosophie occidentale*, 2e éd., P.U.F., 1953 ; voir t. I, p. 328-331.

~, *la Raison et la religion*, nouv. éd., P.U.F., 1964 ; voir p. 125, 132-134.

COHEN, HERMANN, *Kant's Begründung der Ethik*, 2e éd., Berlin, Br. Cassirer, 1910 ; voir notamment p. 335ss.

DELBOS, VICTOR, *la Philosophie pratique de Kant*, 2e éd., Alcan, 1926 ; voir notamment le chap. VII et les textes sur la liberté cités dans notre chap. IV.

~, *Sur la théorie kantienne de la liberté*, communication à la Société française de philosophie, suivie d'interventions de J. Lachelier, Evelin, E. Chartier, dans *Bulletin de la Société française de philosophie*, 27 octobre 1904, p. 1-25.

JASPERS, KARL, *le Mal radical chez Kant*, trad. par Jeanne Hersch, dans *Deucalion*, nº 4, Neuchâtel, La Baconnière, 1953 ; repris dans Jaspers, *Bilan et perspectives*, Desclée de Brouwer, 1956 ; texte allemand paru en 1935.

KRUEGER, GERHARD, *Critique et morale chez Kant*, trad. de l'allemand par M. Régner, Beauchesne, 1961 ; texte allemand paru en 1931.

NABERT, JEAN, *Essai sur le mal*, P.U.F., 1955 ; voir la « Note sur l'idée du mal chez Kant », p. 159-165. C'est d'ailleurs le livre tout entier qui constitue un admirable commentaire du *Mal radical*.

NOACK, HERMANN, « Die Religionsphilosophie im Gesamtwerk Kants », introduction à *Die Religion innerhalb der Grenzen der blossen Vernunft*, Hambourg, Meiner, 1966, LXXXIV p.

PASCAL, GEORGES, *la Pensée de Kant*, Bordas, « Pour connaître », 1957 ; voir p. 182ss. un résumé clair de *la Religion*.

RUYSSEN, THÉODORE, *Quid de natura et origine mali senserit Kantius ?*, thèse latine soutenue à l'Université de Paris, Nîmes, La laborieuse, 1903, VIII-92 p.

~, « Kant est-il pessimiste ? », *Revue de métaphysique et de morale*, nº 12, 1904, p. 535-550 ; reprend et discute deux études antérieures : Ed. von Hartmann, « Kant als Vater des Pessimismus », dans *Zur Geschichte und Begründung des Pessimismus*, Berlin, 1881 ; M. Wentscher, « War Kant Pessimist ? », *Kantstudien*, vol. IV, 1900.

SILBER, JOHN R., « The Ethical Significance of Kant's Religion », en tête de *Religion within the Limits of Reason Alone*, trad. par Greene et Hudson, 2e éd., La Salle (Ill.), The Open Court Publishing Co., 1960, CLIV p.

SCHULTZ, WERNER, *Kant als Philosoph der Protestantismus*, cahier nº 22 des *Theologische Forschungen*, Hambourg, Reich, 1960.

SCHWEITZER, ALBERT, *Die Religionsphilosophie Kants*, Fribourg-en-Brisgau, 1899, 325 p.

STOCKHAMMER, MORRIS, *Kants Zurechnungsides und Freiheitsantinomie,* publication de l'Université de Cologne, Cologne, 1961.

WEIL, ERIC, *Problèmes kantiens,* 2e éd., Vrin, 1970, avec un chapitre ajouté : « Le mal, la religion et la morale ».

WILLARETH, O., *Die Lehre vom Uebel bei Leibniz, seiner Schule in Deutschland un bei Kant,* Strasbourg, 1898.

III. AUTRES OUVRAGES CITÉS OU UTILISÉS

ALAIN, *les Passions et la sagesse,* Gallimard, « Bibliothèque de la Pléiade », 1960.

ALEXANDRE, MICHEL, *Lecture de Kant,* éd. par G. Granel, P.U.F., 1961.

ALQUIÉ, F., *la Morale de Kant,* C.D.U., 1965.

ARISTOTE, *Éthique à Nicomaque,* trad., introd. et notes par J. Tricot, Vrin, 1959.

BARTH, KARL, *Dogmatique,* trad. française de Fernand Ryser, 19 fascicules, Genève, Labor et Fides, 1953-1967. Les numéros de tome indiqués sont ceux des fascicules de la traduction française, en particulier le 2, le 14, le 17 et surtout le 18.

~, *Images du XVIIIe siècle,* trad. de Pierre Godet, Neuchâtel, Delachaux et Niestlé, 1949. Ce livre comprend le chap. II et le chap. V, sur Rousseau, de *Die protestantische Theologie im 19. Jahrhundert,* indiquée plus haut.

BAUMGARTEN, *Metaphysica,* 7e éd., Halle, 1779 ; reproduction photographique, Hildesheim, Georg Olms, 1963, 432 p. + introd. non paginée.

BLOCH, M.-A., *les Tendances et la vie morale,* P.U.F., 1948 ; voir la première partie sur Kant.

BOUTROUX, ÉMILE, *la Philosophie de Kant,* cours en Sorbonne, 1896-1897, nouv. éd., Vrin, 1960.

BRUNSCHVICG, LÉON, *les Étapes de la philosophie mathématique,* P.U.F., 1947.

~, *l'Idée critique et le système kantien,* dans *Études sur Kant,* ouvrage collectif, Armand Colin, 1924.

CASALIS, GEORGES, *Luther et l'Église confessante,* Seuil, 1962.

CASSIRER, E., *la Philosophie des Lumières,* trad. de l'allemand et présenté par P. Quillet, Fayard, 1966 ; original paru en 1932.

DAVAL, ROGER, *la Métaphysique de Kant,* P.U.F., 1951.

DELEUZE, GILLES, *la Philosophie critique de Kant,* P.U.F., « Initiation philosophique », 1963.

DROSDOWSKI, GÜNTHER et PAUL GREBE, *Duden Etymologie, Herkunftswörterbuch der deutschen Sprache,* Institut de bibliographie, Mannheim, Duden, 1963.

GILSON, E., *l'Être et l'essence,* Vrin, 1948.

~, *Introduction à l'étude de saint Augustin,* 3e éd., Vrin, 1949.

GOLDMANN, LUCIEN, *la Communauté humaine et l'univers chez Kant*, P.U.F., 1948.

HAVET, *Kant et le problème du temps*, N.R.F., 1947.

HYPPOLITE, JEAN, *Genèse et structure de la Phénoménologie de l'esprit de Hegel*, Aubier-Montaigne, 1946.

JANKÉLÉVITCH, W., *Traité des vertus*, Bordas, 1949.

KIERKEGAARD, S., *Journal*, VII, A, II, trad. de Ferlov et Gareau, N.R.F.

LACROIX, JEAN, *Kant et le kantisme*, P.U.F., « Que sais-je ? », 1966.

LAGNEAU, J., *Célèbres leçons et fragments*, 2e éd. revue et augmentée, P.U.F., 1964 ; voir en particulier le début du cours sur Dieu.

LEIBNIZ, *la Monadologie*, éd. annotée et introduite par E. Boutroux, Delagrave, nouv. éd., 1966.

~, *Essais de théodicée*, suivis de *la Monadologie*, préface et notes de J. Jalabert, Aubier-Montaigne, 1962.

~, *Nouveaux essais sur l'entendement humain*, introd. par J. Brunschwig, Garnier-Flammarion, 1966.

LÉONARD, E.G., *Histoire générale du protestantisme*, 3 vol., P.U.F., 1964 ; voir en particulier la partie du troisième volume consacrée au XVIIIe siècle.

LÉVY-BRUHL, LUCIEN, *l'Allemagne depuis Leibniz*, Hachette, 1890.

NABERT, JEAN, *l'Expérience interne chez Kant*, dans *Études sur Kant*, ouvrage collectif, Armand Colin, 1924.

PLATON, *Œuvres* (citées dans l'édition Les Belles-Lettres).

RATKE, HEINRICH, *Systematisches Handlexikon zum Kritik der reinen Vernunft*, Hambourg, Meiner, 1965 (1re éd. en 1929), v-329 p.

RICŒUR, PAUL, *Finitude et culpabilité*, 2 vol., Aubier-Montaigne, 1960.

ROUSSEAU, JEAN-JACQUES, *les Confessions*, introd. et notes par J. Voisine, Garnier, 1964.

~, *Du contrat social*, introd. et commentaire par M. Halbwachs, Aubier-Montaigne, 1943.

~, *Émile, ou De l'éducation*, introd. et notes par F. et P. Richard, Garnier, 1951.

~, *Rousseau juge de Jean-Jacques, dialogues*, dans *Œuvres complètes*, Gallimard, « Bibliothèque de la Pléiade », 1959, t. I.

~, *Julie ou la Nouvelle Héloïse*, 2 vol., Garnier, 1952.

~, *Discours sur l'origine de l'inégalité parmi les hommes*, Hatier, 1950.

*Sainte Bible (la)*, toujours citée ici dans l'édition dite « de Jéursalem », Éditions du Cerf, 1956.

SCHELER, MAX, *le Formalisme en éthique et l'éthique matériale des valeurs*, trad. par Maurice de Gandillac, 7e éd., N.R.F., 1955.

~, *le Sens de la souffrance*, trad. par P. Klossowski, Aubier-Montaigne, 1942.

SCHOPENHAUER, A., *le Fondement de la morale*, trad. par Burdeau, Librairie Germer-Bailleri, 1879.

SPINOZA, B., *Éthique*, introd. et notes par Ch. Appuhn, Garnier, 1953.

~, *Lettres*, dans *Œuvres*, Garnier, 1929.

STROHL, HENRI, *la Pensée de la Réforme*, Neuchâtel, Delachaux et Niestlé, 1951.

VOLTAIRE, *Contes et romans*, 4 vol., éd. F. Roches, collection G. Budé, Paris, 1930.

~, *Dictionnaire philosophique*, Club français du livre, 1962.

~, *Lettres philosophiques*, éd. René Pommeau, Garnier-Flammarion, 1964.

VUILLEMIN, JULES, *l'Héritage kantien et la révolution copernicienne*, P.U.F., 1954.

~, *Physique et métaphysique kantiennes*, P.U.F., 1965.

WEIL, ERIC, *Problèmes kantiens*, Vrin, 1963.

OLIVIER REBOUL a fait toutes ses études de philosophie à la Sorbonne. Agrégé de l'université, il a soutenu ses thèses de doctorat ès lettres en 1968, sous la direction des professeurs H. Gouhier et P. Ricœur. Il a suivi également, pendant six ans, le séminaire du professeur Karl Barth à l'Université de Bâle. Il est actuellement professeur titulaire au Département de philosophie de l'Université de Montréal, où il s'est spécialisé en histoire de la philosophie et en philosophie de l'éducation.

# Index des auteurs

# Table des matières

*Achevé d'imprimer à Montréal
le 15 octobre 1971
sur papier Belvedère de Rolland
par les Presses Elite*